Ulrich C. Schreiber • Christian Mayer

Das Geheimnis um die erste Zelle

Eine neue Theorie zur Entstehung des Lebens

2. Auflage

Springer

Ulrich C. Schreiber
Bonn, Deutschland

Christian Mayer
Institut für Physikalische Chemie
Universität Duisburg-Essen
Essen, Deutschland

ISBN 978-3-662-72715-7   ISBN 978-3-662-72716-4 (eBook)
https://doi.org/10.1007/978-3-662-72716-4

Die Deutsche Nationalbibliothek verzeichnet diese Publikation in der Deutschen Nationalbibliografie; detaillierte bibliografische Daten sind im Internet über https://portal.dnb.de abrufbar.

Planung/Lektorat: Sarah Koch
Springer ist ein Imprint der eingetragenen Gesellschaft Springer-Verlag GmbH, DE und ist ein Teil von Springer Nature.
Die Anschrift der Gesellschaft ist: Heidelberger Platz 3, 14197 Berlin, Germany

Wenn Sie dieses Produkt entsorgen, geben Sie das Papier bitte zum Recycling.

Für Karin, Hanna und Sebastian
Ulli
Für Verena, Sonja und Karla
Christian

Vorwort zur ersten Auflage (identisch)

Es ist ein Wagnis, ein Projekt über die Entstehung des Lebens zu starten. Schnell werden auf der Suche nach Zugängen und Lösungen Grenzen sichtbar, die unüberwindbar scheinen. Es sind vor allem die des eigenen Wissens. Die Entstehung des Lebens ist kein Forschungsobjekt, das sich in seiner Fülle nur der Biologie, Chemie oder der Biochemie zuordnen lässt. Die Summe aller Fragen, die sich bei der Suche nach Antworten stellen, berührt eine Vielzahl von wissenschaftlichen Disziplinen und hierbei, wie sich schnell herausstellte, besonders die der physikalischen Chemie und der Geologie. Vielleicht ist dies auch der Grund, aus dem die Antworten der Wissenschaft bislang so wenig überzeugend waren. Es fehlte häufig die breit aufgestellte Forschergruppe, die für die Bearbeitung aller Aspekte unbedingt erforderlich ist. All dies wurde schnell deutlich, nachdem im Jahr 2003/2004 die Idee geboren war, einen eigenen und gänzlich neuen Forschungsansatz für die Entstehung organischer Moleküle in den Bruchzonen der kontinentalen Kruste und letztlich des Lebens zu verfolgen. Es war Oliver Locker-Grütjen, der Leiter des Science Support Centers der Universität Duisburg-Essen, den ich als Ersten mit dieser Überlegung vertraut machte. Wir stimmten schnell überein, dass Spezialisten aus allen Naturwissenschaften nötig waren, um überhaupt eine Chance auf neue Erkenntnisse oder Antworten zu dieser Frage zu erhalten. Im Alleingang war ein solches Unterfangen undenkbar. Oliver Locker-Grütjen kannte viele Kollegen aus verschiedenen Fachbereichen und konnte einschätzen, wer möglicherweise bereit war, sich unkonventionell mit dieser Thematik zu befassen. Nach kurzer Zeit fanden sich mehr als zehn Professoren zusammen, die so viel Interesse an der Frage nach der Entstehung des Lebens hatten, dass sie in Abständen von mehreren Monaten trotz zeitlicher Vollauslastung bereit waren, abends an privat organisierten Treffen teilzunehmen: Die Essener Arbeitsgruppe „Origin of Life" war geboren.

Seitdem ist viel passiert. Das vorliegende Buch gibt einen Stand der Forschung wieder und – so viel sei vorweggenommen – zeigt anhand eines hypothetischen Modells einen gänzlich neuen Weg für die Bildung einer ersten teilbaren Zelle auf – und dies unter Bedingungen, die realistisch sind und zu gewissen Teilen heute noch in gleicher Umgebung erfolgen. Das Werk erhebt keinen Anspruch auf Vollständigkeit und Ausschließlichkeit. Aber es kann helfen, Verständnis für notwendige Prozesse zu entwickeln, die zu neuen Experimenten und einem tieferen Zugang dieser wirklich komplexen Materie führen. Denn so viel ist sicher: Bis auf die Anfänge des Universums ist seit Beginn der wissenschaftlichen Zeitrechnung keine naturwissenschaftliche Frage so ungeklärt geblieben wie die über die Entstehung des Lebens.

Jetzt kann es beginnen.

März 2019   Ulrich C. Schreiber

Vorwort zur zweiten Auflage

Nach dem Erscheinen der Erstauflage auf Deutsch erschien ein Jahr später eine erweiterte Version auf Englisch, die in Co-Autorenschaft zusammen mit Christian Mayer herausgegeben wurde. Christian Mayer hatte als Professor für Physikalische Chemie einen großen Anteil an der Diskussion um die beschriebenen Verhältnisse und entwickelte die Versuchsreihen, die zum Nachweis einer chemischen Evolution von Peptiden in Verbindung mit einer Bildung von Vesikeln führten. Von ihm wurde in der englischen Erstausgabe ein zusätzliches Kapitel ergänzt, das eine grundlegend neue Diskussion über die Definition „Was ist Leben?" eröffnete. Mit der jetzigen Neuauflage haben wir diese Kombination auch in die deutsche Version übernommen, wodurch sich eine Differenzierung in unterschiedliche Stile ergibt. Während Christian Mayer in einer theoretischen Abhandlung die Beziehung von Ordnung und Komplexität als Überbau der Lebensentwicklung darstellt, bleibt der mehr persönliche, berichtsartige Zugang von mir wie in der Erstausgabe erhalten. Neue Diskussionsansätze und ein erweiterter Blickwinkel auf die Kernfrage der Lebensentstehung, die Informationsspeicherung, haben zur grundlegenden Veränderung von Kap. 8 geführt, mit dem jetzt erstmals ein zusammenhängendes Bild über die Entwicklung der ersten Zellen vorgestellt wird.

Und wie im ersten Teil verwende ich aus Gründen der besseren Lesbarkeit überwiegend das generische Maskulinum. Dies impliziert immer beide Formen, schließt also die weibliche Form mit ein.

Bonn 2026   Ulrich C. Schreiber

Vorwort zu Kap. 9 und 10
von Christian Mayer

Nach meinem Beitrag, den ich zur englischen Ausgabe dieses Buches leisten durfte, freue ich mich nun über meine Mitwirkung an der zweiten Auflage der deutschen Fassung. Diese betrifft vor allem Gedanken zu den beiden Größen Ordnung und Komplexität, die aus meiner Sicht im Mittelpunkt aller Hypothesen zur Entstehung des Lebens stehen sollten. Ein zweiter, mir sehr wichtiger Punkt besteht in der Bedeutung wiederkehrender, also periodischer Einflüsse wie tägliche Schwankungen von Temperatur und Feuchtigkeit oder die Gezeiten. Für mich sind solche Phänomene gleichzeitig der Taktgeber und die Triebkraft einer molekularen Evolution. Beide Punkte zusammengenommen sind in meinen Augen die elementaren Bausteine für ein grundlegendes Verständnis zur Entstehung des Lebens. Dementsprechend war es mir sehr wichtig, diese nun auch in der deutschen Fassung einbringen zu dürfen.

Essen 2026

Christian Mayer

Danksagung zur zweiten Auflage

Ich bedanke mich bei der Firma CARBO Kohlensäurewerke GmbH & Co. KG, Bad Hönningen, für die Unterstützung einer Bohrkerngewinnung im Wehrer Kessel sowie bei Dr. Paul Klingelhöfer, Mannheim, für seine Kommentierungen, Korrekturen und Anregungen bei vielen Diskussionen zum Modell der Lebensentstehung in der kontinentalen Kruste.

Interessenkonflikt Die Autor*innen haben keine für den Inhalt dieses Manuskripts relevanten Interessenkonflikte.

Inhaltsverzeichnis

Hinweise zum Inhalt

Die in diesem Buch vorgestellten Ansätze zur Entstehung der ersten Zellen beruhen auf theoretischen Modellen und persönlichen wissenschaftlichen Interpretationen. Einige der dargestellten Hypothesen sind Gegenstand aktueller Diskussionen und werden in der Fachwelt unterschiedlich bewertet. Sie sollen Denkanstöße geben und die wissenschaftliche Debatte fördern, erheben aber keinen Anspruch darauf, den allgemein anerkannten Stand der Forschung abschließend zu repräsentieren.

1

Einführung

Inhaltsverzeichnis

1.1 Die Entstehung des Lebens – warum ist die Frage danach für uns so wichtig?

Können wir als Menschen nicht einfach akzeptieren, dass das, was vor Urzeiten einmal gebildet wurde, heute vorhanden ist, ohne genau zu wissen, wie und warum? Nein, das können wir nicht. Die Entwicklung des Menschen und somit die Entwicklung eines abstrakt denkenden Organs, des Gehirns, führt zwangsläufig zu Fragen über alles, was in dem Umfeld dieses Gehirns passiert. Das war seit einem bestimmten Zeitpunkt der Entwicklung immer so. Es gab Fragen, die instinktiv beantwortet werden konnten. Warum erkennt in dem einen Fall das Wild kurz nach dem Eintreffen des Jägers, dass dieser naht? In einem anderen Fall bei gleicher Deckung und gleicher Distanz ist es unbekümmert und lässt sich leicht erlegen. Die Antwort brachte die Erfahrung, die nach vielen Versuchen zeigte, dass die Windrichtung die entscheidende Rolle spielte. Andere Fragen, über die Ursachen von Blitz und Donner, Regenbögen, Krankheit, Tod und vielem anderem, waren nicht zu klären und wurden als gegeben akzeptiert. Sie fanden ihren Platz im Bereich des nicht Beherrschbaren, des Göttlichen, über dem Menschen Stehenden. Es war eine sehr erfolgreiche Methode, um die Belastung der Psyche mit zurzeit nicht zu beantwortenden Fragen zu verringern. Mit der Etablierung naturwissenschaftlicher Prinzipien im menschlichen Denken änderte sich die Art der Beantwortung von Fragen. Eine stimmige Antwort verlangte einen Nachweis, der reproduzierbar und allgemeingültig war. Eine Aussage über die Anziehungskraft der Erde musste auf jedem Kontinent oder im Fall der Ozeane auch auf Schiffen gültig sein. Für uns ist es heute eine Selbstverständlichkeit, dass Gegenstände überall auf der Erde im freien Fall in Richtung des Erdmittelpunktes beschleunigt werden. Das zugehörige physikalische Gesetz, das Newton in der zweiten Hälfte des 17. Jahrhunderts formulierte, ist als Gravitationsgesetz bekannt und wurde im 20. Jahrhundert durch Einsteins allgemeine Relativitätstheorie ergänzt. Durch diese naturwissenschaftlichen Gesetze wissen wir, dass Massen sich gegenseitig anziehen, überall, im gesamten Weltall. Kein noch so charismatischer Heilsversprecher oder Verschwörungstheoretiker kann heute der breiten Bevölkerung vorgaukeln, dass es auf dem Mond oder anderen Planeten nicht der Fall ist. Die naturwissenschaftliche Denkweise führte dazu, dass die Dinge, die über lange Zeit als gegeben akzeptiert waren, dem göttlichen Modell nach und nach entrissen wurden. Es ist den Naturwissenschaften zu verdanken, dass wir nur noch wenige Dinge in unserer Gedankenwelt haben, deren Erklärung von einem Teil der Bevölkerung als von Gott geschaffen angesehen wird. Der eine Punkt hierbei ist der Urknall, der sich vor einigen Jahrzehnten als ein Erklärungsmodell für die Entstehung des Weltalls etabliert hat und eine Besonderheit darstellt. Es ist überhaupt erst der Physik zu verdanken, dass dieser Aspekt auf die Tagesordnung gesetzt wurde. Er eröffnet ein Dilemma, das durch folgende Tatsache begründet ist: Das Erklärungsmodell Urknall ist das Ergebnis einer konsequenten physikalischen Betrachtung der Prozesse, die nach dem postulierten Urknall bis in die heutige Zeit stattgefunden haben, ohne göttliches Einwirken. Die Schwierigkeiten, den eigentlichen Start des Urknalls physikalisch zu beschreiben, werden aber selbst von einigen Naturwissenschaftlern als Grund genommen, diesen Punkt als gottgegeben zu fordern – wieder, weil es noch keine eindeutige Erklärung hierfür gibt. Inzwischen wurden für die Entstehung des Weltalls alternative Vorstellungen entwickelt, die ein unendlich schwingendes Ausdehnen und Zusammenziehen beinhalten, ohne dass es dabei zu einem einzigen Urknall als Anfangsstadium gekommen sein muss [1,

2]. Einfacher ist es durch diesen Ansatz nicht geworden. Der zweite ungeklärte Punkt ist die eingangs gestellte Frage, wie das Leben auf der Erde entstanden ist. Es ist die Frage, die vermutlich die Menschheit bewegt, seitdem sie die Fähigkeit besitzt, Fragen zu stellen. Hiermit verbunden sind unmittelbar das Warum, das Wohin? und die Überlegung, welchen Sinn das Leben überhaupt hat. In einer Welt, in der es intelligente, denkende Wesen gibt, aber naturwissenschaftliche Prinzipien unbekannt sind, müssen Lösungen für die Beantwortung großer Fragen auf andere Art und Weise gefunden werden. Die Lösung hieß von Beginn an Religion. Sie gab und gibt auch heute noch Antworten für die Themen, die nicht mit einfachen Erfahrungen der Alltagswelt für jeden selbst erschlossen werden können. Hierbei kommt es nicht auf den Wahrheitsgehalt oder die Reproduzierbarkeit der Aussagen an. Wichtig ist das Beruhigen der eigenen Unsicherheit und des Angstgefühls, die durch das Nachdenken in diesen „unfassbaren" Sphären unweigerlich entstehen.

1.2 Was ist eigentlich Leben?

Neben grundsätzlichen Kenntnisgewinnen hat erst die Naturwissenschaft dazu beigetragen, die Komplexität des Lebens darzustellen und eine Fülle von unbeantwortbar scheinenden Fragen aufzuwerfen. Hierbei zeigte sich, dass das für uns so selbstverständlich existierende Leben erstaunlicherweise nur schwer zu definieren ist. Brauchen wir uns nicht einfach nur umzusehen, um zu erkennen, was Leben ist? Nein, so einfach ist es nicht. Es gibt noch keine allumfassende Definition in der Wissenschaft, die das Leben und somit auch den Startpunkt des Lebens erklärt. Hierin besteht ein großer Unterschied zur Chemie und Physik, für die es zum Beispiel Theorien zur Erklärung von Materie oder wirkenden Kräften gibt. Aber man kann Kriterien bzw. Kennzeichen angeben, die zumindest Schlüsselmerkmale des Lebens darstellen und von allen Disziplinen der Naturwissenschaften akzeptiert werden. Es sind zwangsläufig diejenigen physikalisch-chemischen Eigenschaften, die ein lebendes biologisches System ausmachen.

Und hier wird bereits sichtbar: Es soll sich um ein System handeln, das unseren Kenntnissen der Biologie entspricht. Sicher können einige der Kennzeichen auch in nichtbiologischen Systemen auftreten; die Kombination und Gleichzeitigkeit aber schärfen die Definition zu einer Beschreibung des Lebens. An erster Stelle des Kriterienkatalogs steht die Existenz mindestens einer Zelle, ein Kompartiment, das durch eine Zellmembran umschlossen ist. Hierin finden die biochemischen Reaktionen statt, die verhindern, dass die Zelle abstirbt, oder, anders ausgedrückt, die dafür sorgen, dass sie am Leben bleibt.

Für die biochemischen Reaktionen werden ein Informationsspeicher, ein Stoffwechsel zur Aufnahme von Energie und zum Austausch von Molekülen aus der Umgebung sowie Katalysatoren für effiziente chemische Reaktionsketten vorausgesetzt. Mit einer genau abgestimmten Regulation führt das Zusammenspiel aller Komponenten zur Reproduktion der Zellbestandteile, zu Wachstum und Vermehrung der Zelle durch Teilung. Hinzu kommt die Fähigkeit zur Anpassung an veränderte Umweltbedingungen und zur Entwicklung zu komplexeren Molekülgruppen. Hierzu ein kleiner Randgedanke: Was wäre, wenn wir alle funktionierenden Zellbestandteile von Trilliarden Zellen (bis auf die Zellmembranen) in einen großen Behälter oder in ein fast geschlossenes Loch in der Erde geben und mit Energie, Zu- und Abfuhr von notwendigen Molekülen versorgen würden? In diesem Behälter würden alle Prozesse, die sonst in einer Zelle ablaufen (aber ohne zellmembranbezogene Reaktionen) weiter stattfinden. Die vervielfältigten Produkte könnten über Fließwege in andere Räume gelangen und sich somit insgesamt vermehren. Würden wir dieses System Leben nennen? Wir könnten uns auf den Standpunkt stellen, nicht darüber nachdenken zu müssen, weil der Molekülcocktail sich natürlich nicht vermehren kann. Aber der Gedanke ist trotzdem wichtig, weil wir am Ende dieses Buches Modellvorstellungen über die Anfänge der organischen Chemie bis zu Bildung von Vesikeln und Zellen bekommen, die so einer Situation nahekommen. Besonders interessant für diesen frühen Zeitabschnitt ist der Moment, von dem wir sicher sagen können, dass er den Beginn des Lebens markiert. In Kap. 8 sind die Zusammenhänge dargestellt, nach denen eine Festlegung des Starts möglich ist.

Der theoretische Physiker Gerald Feinberg und der Chemiker Robert Shapiro versuchten bereits 1980 das Prinzip Leben allgemeingültig auch für andere mögliche Lebensformen im Weltall zu fassen. Sie kommen zu dem Schluss, dass das Leben durch Wechselwirkungen zwischen freier Energie und Materie entsteht. Die Materie ist auf diese Weise imstande, eine größere Ordnung innerhalb des gemeinsamen Systems zu erreichen [3]. Heute können wir uns eine Kolonie von Robotern vorstellen, welche die Rohstoffe, aus denen sie bestehen, selbstständig gewinnen, zu Bauteilen verarbeiten und mit ihnen sich selbst reproduzieren. Sie hätten eine Computersteuerung, jeder für sich eine äußere Hülle und zur Energiegewinnung Solarzellen am Körper. Der Stoffwechsel wäre durch die gesamte Kolonie definiert, eine künstliche Intelligenz würde die Anpassung an veränderte Umweltbedingungen gewährleisten. Das Gros der Bauteile könnte sogar aus organisch-chemischen Komponenten bestehen. Im Unterschied zum biologischen Leben, das sich auf physikochemischer Grundlage selbst entwickelt hat, wäre eine Roboterkolonie das Ergebnis einer Erschaffung durch den Menschen. Würden wir diese Kolonie dem Leben zurechnen? Es wird sichtbar, dass es Grenzbereiche gibt, die einer längeren Diskussion bedürfen. Von einem bestimmten Zeitpunkt an war der Schritt zum Leben, so wie wir es kennen, vollzogen. Im Zeitraum davor muss ein Übergang von der rein physikochemischen zur informationsgesteuerten organischen Molekülbildung stattgefunden haben. Dieser wichtige Zeitabschnitt wird in Kap. 8 weiter eingegrenzt.

Zwei weitere Beispiele sollen zeigen, wie schwierig es ist, das Leben eindeutig mit wenigen Worten zu beschreiben. Eine Expertengruppe um den Chemiker Gerald Joyce prägte die Definition: „Leben ist ein sich selbst erhaltendes chemisches System, welches die Fähigkeit zur Darwin'schen Evolution besitzt" [4]. Sie wird auch von der US-Raumfahrtbehörde NASA als Arbeitsdefinition geführt. Stuart Kauffman, ein US-amerikanischer theoretischer Biologe, sieht dagegen die Selbstorganisation im Mittelpunkt: „Leben ist ein zu erwartendes, kollektives Vermögen katalytischer Polymere zur Selbstorganisation" [5]. Die Definitionen von Joyce und Kauffman stellen die chemischen Systeme in den Vordergrund, die somit technische Formen der Selbstorganisation ausgrenzen. Die Definition von Kauffman ließe allerdings das Gedankenexperiment der Molekülsuppe in einem größeren Gefäß durchaus als Leben zu. Die Gemeinschaft von Robotern, die letztlich durch Menschen erschaffen werden könnte, würde nach biologischen Gesichtspunkten schon fast an Leben heranreichen. Die Suche nach einer Definition ist aus dem Blickwinkel der Astrobiologie bedeutend, da auf der Suche nach Leben im Weltraum die Frage auftauchen könnte, welche Anzeichen für Leben wir als solches akzeptieren können. Arbeiten von Christian Mayer gehen auf die Bedeutung von Ordnung und Komplexität für das Leben ein (s. Kap. 9, 10). Es wird ein Bereich definiert, der für das irdische Leben relevant ist, und es wird die Frage diskutiert, welche Prozesse von einfacher planetarer Chemie aus in diesen Bereich führen [6].

1.3 Wer war LUCA?

Wir haben aufgrund biochemischer Daten gute Gründe anzunehmen, dass sämtliche auf der Erde existierenden Lebewesen von nur einem einzigen Vorfahren bzw. einer kleinen Gruppe von Zellen abstammen, die es zum ersten Mal schafften, zu wachsen und sich zu teilen, ohne dass die Tochterzellen gleich wieder abstarben. Die Nachkommen mussten mindestens so lange überleben, bis sie sich selbst wieder geteilt hatten – ein Prozess, der bis heute fortdauert. Ab einem bestimmten Zeitpunkt teilte sich diese erste Entwicklungslinie in zwei Äste auf, von denen einer die Domäne der Bakterien bildete. Der zweite Ast bildete die Ausgangslinie für die neu entstehenden Domänen der Archaeen und der späteren Eukaryoten (Abb. 4.1). Archaeen und Bakterien sind prokaryotische Einzeller ohne Zellkern. Die Eukaryoten als jüngste Domäne unterscheiden sich von den Prokaryoten durch die Ausbildung eines Zellkerns. Von ihnen stammen alle Pflanzen, Pilze und Tiere ab, inklusive uns Menschen.

Der Stellvertreter für die letzten Zellen vor der Domänenbildung wird LUCA (Last Universal Common Ancestor), der letzte gemeinsame Vorfahre, genannt. Für die Bildung von LUCA muss es bereits lange vorher eine fortwährende Produktion von Molekülen gegeben haben, die die notwendigen Grundbausteine für das Experiment Leben bereitstellten. Hierzu gehören die organischen Basen wie Adenin oder Guanin, Aminosäuren oder die Lipide, die für den Aufbau der Zellwände erforderlich sind. Bausteine allein reichen aber nicht. Benötigt wurden Reaktionsräume, in denen die Versuche zum Zusammenbau komplexerer Verbindungen ablaufen konnten. Es reichten kleine Kavernen oder Porenräume, in denen eine Anreicherung der Moleküle stattfinden konnte. Ihre Konzentration musste mindestens so hoch gewesen sein, dass sie sich untereinander genügend oft trafen und miteinander reagieren konnten. Gefordert war eine sehr große Anzahl von kleinsten Laboratorien, untereinander verknüpft, mit wechselnden Bedingungen, Materialnachschub und einer Abfuhr für nicht brauchbare Bestandteile, damit sie nicht die Reaktionen behinderten. Hohe Konzentrationen von einer Vielzahl verschiedenster Moleküle bergen auf der anderen Seite ein neues Problem. Die Variationsmöglichkeiten der Verknüpfung bei Reaktionen ist so groß, dass sie schnell astronomische Dimensionen erreichen. Es bedarf deshalb besonderer Auswahlprozesse, um für das Leben funktionsfähige Verbindungen zu selektieren. Unter solchen Bedingungen muss sich LUCA gebildet haben, das erfolgreichste System, das jemals auf der Erde entstanden ist. Von ihm ausgehend wurde fortan der Planet Erde in eine einzigartige Entwicklung geführt.

In der Folge änderte sich die Zusammensetzung der Atmosphäre durch Photosynthese betreibende Bakterien und später durch Pflanzen deutlich. Während Kohlenstoffdioxid verringert wurde, stieg der Sauerstoffgehalt kontinuierlich an. Organische Säuren und in jüngerer Zeit Pflanzenwurzeln und tierische Aktivitäten trugen zu einer stärkeren Verwitterung bei. Die Folge war auf der einen Seite eine verstärkte Erosion, auf der anderen Seite mit Einsetzen einer Bodenentwicklung und der Ausbildung einer Pflanzendecke eine Verzögerung der Abtragungsprozesse. Hierdurch änderten sich der Wasserhaushalt der Fließgewässer, die Art der Sedimente und deren Transport. Organogene Sedimente wie Kohle und Riffkalke entstanden, was über den Kohlenstoffdioxidhaushalt wieder direkten Einfluss auf die Zusammensetzung der Atmosphäre hatte. Und schließlich trat der Mensch auf die Bühne, der in kurzer Zeit Veränderungen herbeigeführt hat, die in ihrer Tragweite nur noch mit einem großen Meteoriteneinschlag zu vergleichen sind. Alles, was wir heute auf der festen Erdoberfläche sehen, ist letztlich das Ergebnis der erfolgreichen Vermehrung von LUCA. Selbst Gebirge hätten ohne LUCA heute ein anderes Aussehen: frei von biogenen Kalksteinen und oxidierten Eisenmineralen, mit anderen Erosionsformen und ohne Flechten und Bakterienfilme. Es gibt vielleicht eine kleine Ausnahme, die wir noch erkennen können: die ganz jungen Vulkanbauten, die ohne Bewuchs aus der Landschaft ragen. Aber auch hier hat an vielen Stellen LUCA bereits seine Finger im Spiel gehabt – weithin sichtbar an den häufig roten Oberflächen der Laven, deren eisenhaltigen Minerale durch den Luftsauerstoff oxidiert wurden. Sie sind Belege einer Veränderung der Atmosphäre, die vor mehr als 2,4 Mrd. Jahren eingesetzt hat, als die massenhafte Produktion von Sauerstoff durch Cyanobakterien zu einer ständig wachsenden Konzentration in der Lufthülle führte.

1.4 Der Einstieg

„Wie ist eigentlich das Leben entstanden?" Diese Frage ging an die kleine Runde aus Wissenschaftlern, die sich in Essen in der Mensa der Universität zum ersten Mal versammelt hatten. Die Kollegen sahen sich an und zuckten die Schultern. „Das ist viel zu lange her, um es herauszufinden. Man kann doch nur spekulieren, nichts ist richtig fassbar, sämtliche Rahmenbedingungen liegen völlig im Nebel", so die einhellige Meinung. „Aber dazu treffen wir uns gerade, um überhaupt erst einmal darüber zu sprechen", überlegte einer der Kollegen. „Ich habe da so einen Verdacht", warf ich vorsichtig ein und begann, mit einem Bleistift auf einer Serviette das Modell einer tektonischen Bruchzone zu skizzieren.

Haben wir uns die Frage nach der Lebensentstehung nicht alle schon einmal gestellt? Jedenfalls diejenigen von uns, die naturwissenschaftliche Gesetzmäßigkeiten als die Basis unserer Existenz ansehen? Die bisherigen Antworten sind schwammig. Und es geht nicht nur um den Beginn des Lebens. Genauso wichtig ist es, die Startphase des Planeten zu klären, von der überhaupt erst die Voraussetzungen geschaffen wurden, dass das Leben entstehen konnte. Und noch weiter zurückblickend ist der Anfang des Sonnensystems von elementarer Bedeutung. Mit seiner Entwicklung sind entscheidende Einflüsse verbunden, die bis heute grundlegende Prozesse auf der Erde bestimmen. Die Anfänge liegen so weit zurück, dass wir zu wenig von der jungen Erde wissen, über die Einflüsse von außen, über die Prozesse im Erdinneren und an der Oberfläche. Es gibt zahlreiche Hypothesen zum Leben, keine ist allgemein anerkannt. Schnell drängte sich der Schluss auf, dass die Frage nach dem Ursprung des Lebens eine der kompliziertesten der Wissenschaft ist. Unlösbar! Also lassen wir es darauf beruhen?

Nein, lassen wir nicht – so die einhellige Meinung der Kollegen, die sich nach der ersten Mensarunde mit einer neuen Idee für den Entstehungsort des Lebens von jetzt an regelmäßig mit mir trafen. Es war der Reiz, an etwas völlig Unbekanntem, mit unendlich vielen Fragezeichen Behaftetem zu forschen. Dies verband die Gruppe, ohne dass es einen Zwang gab, zu einem bestimmten Zeitpunkt Ergebnisse abliefern zu müssen. Allein die Neugier zu befriedigen, vielleicht einen kleinen Abschnitt im Prozess zu erkennen und einen ersten Schritt in Richtung einer möglichen Lösung zu gehen – das war die Sache wert. Die Suche nach einem Einstieg in das Thema „Ursprung des Lebens" machte aus naturwissenschaftlicher Sicht sofort deutlich, dass die Komplexität des Lebens von nichts anderem, das wir kennen, übertroffen wird. Das Leben umfasst unser gesamtes irdisches Weltbild. Es ist in seiner Vielschichtigkeit so weit entwickelt, dass zum Erkennen einzelner Abläufe einfache Erklärungsversuche fast unmöglich scheinen. Für die Entwicklung bis zum Jetzt war Zeit notwendig, eine Zeit, die jeden menschlichen Erfahrungshorizont unendlich weit übersteigt – vielleicht 3,5 Mrd., vielleicht 3,8 Mrd. Jahre oder mehr. Dieser gewaltige Zeitraum, der anscheinend für die Entwicklung eines abstrakt denkenden Wesens notwendig war, macht den Zugang zum Verständnis über die ersten Schritte bis zum Heute so schwierig. Gerade die Anfangsphase liegt in einem dichten Nebel, der undurchdringbar scheint. Es gab bislang zu viele Unbekannte, die das Umfeld der Lebensentstehung so kompliziert machen. Was wissen wir eigentlich genau über die Bedingungen der frühen Erde? Welche Zusammensetzung hatte die Uratmosphäre oder das Wasser des Urozeans? Welche Anteile organischer Moleküle kamen aus dem Weltall mit den Meteoriten oder Kometen? Wie viel Landoberfläche gab es bis zu welchem Zeitpunkt? Welchen Einfluss hatte der Mond nach seiner Bildung?

Neben planetaren und geologischen Unbekannten stehen die der physikalischen Chemie und der Biochemie. Welche Prozesse haben zu einer so hohen Molekülkonzentration beigetragen, dass über lange Zeitabschnitte Reaktionen aus einfachsten chemischen Bausteinen zu komplexen Molekülen stattfinden konnten? Wie erfolgte die Verknüpfung dieser Bausteine auf der Erde – in einer Umgebung mit Wasser, das zwar als allgemeine Voraussetzung für Leben definiert wird, aber die Reaktionen extrem behindert? Sie finden heute nur mithilfe von Enzymen im wässrigen Milieu der Zelle statt oder im Labor in einem organischen Lösungsmittel. Organische Lösungsmittel wie Alkohole oder Äther sind für die frühe Erde nur in geringsten Konzentrationen denkbar. Aber über allem steht die sich anschließende Frage, wie es zur chemischen Speicherung der Information kommen konnte, die in jeder DNA enthalten ist und die gesamte Entwicklung der biochemischen Prozesse über einen Zeitraum von mehr als 3,8 Mrd. Jahren bei sich trägt. Ein Datenchip in jeder Zelle: Können wir ihn nicht einfach auslesen und die Anfänge identifizieren?

Die Antwort ist ein klares Nein. Nicht ohne Grund klingt in vielen Äußerungen früherer Forscher zu diesem Thema die resignierende Aussage an, dass es vermutlich nie gelingen wird, die zum Leben führenden Prozesse jemals vollständig zu erkennen, geschweige denn zu erklären.

Wie fing es überhaupt an?
Jedes Forschungsprojekt hat eine Vorgeschichte, die eine länger, die andere kürzer. Die Geschichte der eigenen Ursprungsforschung begann Ende der 1980er-Jahre im Westerwald bei der Bearbeitung der 20 Mio. Jahre alten Vulkanite dieser Region des Rheinischen Schiefergebirges. Im Zuge der Untersuchungen fielen Strukturen auf, die nur mit speziellen überregionalen tektonischen Prozessen und Bruchstrukturen der Kruste erklärbar schienen, aber nicht geklärt werden konnten. Erst später, nach der Jahrtausendwende, ergab sich die Möglichkeit, die Ausbildung von Bruchstrukturen in der Nachbarregion, der Eifel, weiter zu untersuchen. Die Kartierung von tektonischen Störungszonen, die senkrecht stehend eine für Gase offene Verbindung zum Erdmantel bereitstellen, brachte eine Überraschung mit sich. Jedes Mal, wenn die Bruchzonen und Gasaustritte – überwiegend von Kohlenstoffdioxid – nachgewiesen werden konnten, waren gleichzeitig hügelbauende Waldameisen vor Ort. Die Zusammenhänge waren so augenfällig, dass nach einiger Erfahrung Vorhersagen für Standorte von Waldameisen allein aus geologischen Kenntnissen möglich wurden. Ein Unding in der Biologie!

Aus den Beobachtungen entwickelte sich ein neues Forschungsgebiet, das viele Diskussionen hervorrief. Anfänglich gab es Ablehnung von beiden Seiten, der Geologie und der Ameisenforschung, die aber schließlich nach einer langen Durchhaltephase in eine erfolgreiche Zusammenarbeit mit Entomologen mündete. Die Suche nach den Ursachen – warum siedeln die Vertreter der Waldameisengattung *Formica* auf gaspermeablen Störungszonen? – führte zu Überlegungen in alle Richtungen. Sind es Feuchtigkeit, Wärme, Biofilme in den Klüften oder Stoffe, die neben dem Gas mit nach oben kommen und die Ameisen oder Bakterien der möglichen Biofilme ernähren? Hilft das CO_2, der Verpilzung der Eier und Larven vorzubeugen oder Feinde und Parasiten bei hohen Gaskonzentrationen, die sie selbst gut vertragen, in den Griff zu bekommen? Inzwischen ist Formaldehyd in den Blickpunkt gerückt, das sich in der Kruste bilden kann und als Fungizid und Desinfektionsmittel einen wertvollen Standortvorteil bieten könnte.

Bei all diesen Überlegungen geriet der tiefere Bereich der Störungszonen mehr und mehr in den Fokus. Waren hier nicht alle Ausgangsstoffe vorhanden, die für die Entstehung organischer Moleküle notwendig waren? Zusätzlich herrschen dort Druck- und Temperaturverhältnisse, die bei Prozessen der technischen Chemie eingestellt werden, wie bei der Fischer-Tropsch-Synthese zur Bildung von Kohlenwasserstoffverbindungen (s. Abschn. 3.1). Hiermit lässt sich zum Beispiel synthetisches Benzin herstellen. Außerdem gibt es genügend Metallverbindungen, die als Katalysator dienen können. War dies alles möglicherweise der Schlüssel zu der Vorliebe der Ameisen, ihre Nester auf den Störungen zu bauen?

Und plötzlich war er da, der Gedanke! Das waren doch ideale Bedingungen für die Anfangsphase des Lebens: ein geschützter Raum, über Millionen Jahre verfügbar, mit allen notwendigen Ausgangsstoffen und unendlich vielen kleinen Reaktionsräumen, in denen jeweils unterschiedliche Druck- und Temperaturbedingungen sowie pH-Werte vorlagen und heute noch vorliegen.

Die Idee, ein Modell über die Entstehung des Lebens zu entwickeln, war geboren. Von da an kamen die abendlichen Runden mit Oliver Locker-Grütjen und den Kollegen ins Spiel, die über mehr als zehn Jahre stattfanden. Es trafen sich Vertreter aus der Chemie, Biologie, Physik, physikalischen Chemie, Bioinformatik, Mikrobiologie und meiner Fachrichtung, der Geologie. Es war die entspannte Atmosphäre – einer hat gekocht (meistens Hans-Curt Flemming), es gab Wein oder Bier –, die half, sich endlich einmal in Ruhe über die Frage auszutauschen, die alle am meisten beschäftigte. Und dann die Ernüchterung: Wir wussten eigentlich alle nichts von dem, was diese konkrete Frage betraf. Sicher war das landläufige Wissen um die Anfänge dieser Diskussion bekannt, die alten Vorstellungen und ersten Versuche. Auch neuere Entwicklungen, die in den Medien immer wieder verbreitet wurden, waren präsent. Aber die eigentlichen Kernfragen der Zellbildung, der Informationsspeicherung und Enzymbildung, all das war, wie auch bei den Kollegen weltweit, ein absolutes Dunkelfeld. Folglich fingen wir an zu recherchieren, hielten uns gegenseitig Vorträge über die neu gelernten Inhalte, luden Kollegen, die schon einen Namen in diesem Forschungszweig hatten, zu Kolloquien ein und ersannen sogar erste Experimente, die etwas mit einem Störungsumfeld der kontinentalen Kruste zu tun haben sollten.

Mehr und mehr drängte sich aber der Verdacht auf, dass das Feld einem undurchdringlichen Nebel glich, das weder Anfang noch Ende erkennen ließ. Das Vorwärtskommen in unseren Überlegungen verlangsamte sich zusehends und schien sich einer Grenze zu nähern. Mit einer Nebenbemerkung versuchte ich, die Bedeutung von CO_2 für die Entwicklung von Molekülen wie Aminosäuren oder organischen Basen zu erfragen. Ich erinnerte mich an einen Absatz im Buch *Chemische Evolution und der Ursprung des Lebens* von Horst Rauchfuß [7]. Wir hatten es zuvor sogar gewagt, ihn in seinem hohen Alter nach Essen zu einem Vortrag einzuladen, was er gerne annahm. In dem Absatz seines Buches ging es um Reaktionen im Überschuss von CO_2, das günstig für die Bildung organischer Moleküle sein sollte. Da sich keiner an diese Passage erinnern konnte, recherchierte ich am nächsten Tag hierzu im Internet. Bereits die ersten Links zur Suchanfrage hatten in der Unterzeile Angaben, die mich wie einen Blitz trafen und alles veränderten. Ab einer Krustentiefe von ca. 750 m liegt CO_2 in der überkritischen Phase vor, wenn die Temperatur über 31 °C liegt.

Dieses an sich selbstverständliche Faktum war in dem großen Nebel, in dem wir herumstocherten, einfach untergegangen. Ich meldete meine neue Entdeckung sofort an Christian Mayer weiter. Als Physikochemiker war ihm sofort klar, dass wir damit ein Werkzeug an der Hand hatten, das eine ganz neue Welt eröffnete, ein Lösungsmittel für bestimmte organische Stoffe, mit dem wir Reaktionen durchführen konnten, die an der Erdoberfläche unmöglich waren.

Es folgten weitere Zufälle, die zu dem Punkt führten, an dem wir heute stehen. Einer davon war die Einführung einer neuen Software für die Verwaltung der Universität. Sie hatte zur Folge, dass die finanzielle Situation aller Fakultäten mehr als zwei Jahre in einer Art Urnebel verborgen schien. In dieser Zeit reifte der Gedanke, eine Hochdruckanlage anzuschaffen. Da die klassischen Geldgeber beharrlich die Forschungsunterstützung verweigerten (Erfahrungen hierzu ließen sich in einem eigenen Bühnenstück verarbeiten), schaffte ich aus vermeintlichen Eigenreserven die entsprechende Anlage an. Es war die bedeutendste Maßnahme in meiner ganzen Forscherzeit. Sie brachte mit jedem durchgeführten Versuch Ergebnisse, die etwas völlig Neues darstellten und einen großen Schritt in Richtung des Verständnisses der Prozesse zu Beginn des Lebens bedeuteten. Als sich der Finanznebel lichtete, hatte sich genau der sechsstellige Betrag, den die Anlage gekostet hatte, als Schulden auf meinem Haushaltskonto angesammelt. Ohne Nebel hätte ich es nicht gewagt, so hohe Schulden zu machen, die Versuche wären nicht erfolgt, und dieses Buch wäre nicht geschrieben.

Ein weiterer Umstand war sehr glücklich. Während sich die Gruppe aus Zeitgründen inzwischen auf wenige Teilnehmer reduziert hatte, wurde ein neuer Kollege der analytischen Chemie, Oliver J. Schmitz, berufen. Sein neues, hochmodernes Labor und die sofortige Bereitschaft, an dem Projekt

mitzuarbeiten, brachten erst die Möglichkeit, die geringen Molekülkonzentrationen aus unseren von Maria J. Davila durchgeführten Hoch-
druckexperimenten zu analysieren. Die von Christian Mayer ersonnene Ver-
suchsreihe der zyklischen Vesikelbildung führte zu einer besonderen analytischen Herausforderung, der sich Amela Bronja aus der Analytik schließlich
mit Erfolg stellte.

Es gab weiterhin eine Vielzahl von kleinen und großen glücklichen Zu-
fällen, die zu Kontakten und Fortschritten führten, ohne die viele Aspekte im
Ansatz stecken geblieben wären. Hierzu gehört die Verbindung in die Geo-
wissenschaften nach Heidelberg zu den Arbeitsgemeinschaften von Heinfried
Schöler und Frank Keppler, die maßgeblich an den Untersuchungen der
Flüssigkeitseinschlüsse hydrothermaler Quarze beteiligt waren (mit den Mit-
arbeitern Ines Mulder, Tobias Sattler und Markus Greule sowie zusätzlich
Mark Schumann aus meiner Arbeitsgruppe), sowie zu Jonathan Williams
vom Max-Planck-Institut für Chemie in Mainz, über den sich ein ganzer
Zweig wichtiger Kontakte in die USA entwickelte. Gerald Dyker aus Bochum
gab als organischer Chemiker etliche Anregungen für weitere Experimente.
Nicht zuletzt muss ich das Mensaprinzip erwähnen, das den unmittelbaren
Austausch und die „Weiterbildung" in einem mir relativ fremden Fach erst ermöglicht hat. Christian Mayer, der Physikochemiker, Peter Bayer, der Biochemiker, Daniel Hoffmann, der Bioinformatiker, und Oliver J. Schmitz, der
Analytiker, haben alle gelitten unter meinen Fragen und zum Teil über-
schießenden Ideen. Aber es hat etwas gebracht: Die Mensatreffen mit an-
schließendem Kaffee waren die effektivste Form des wissenschaftlichen
Austauschs.

Wenn man sich wie wir, die Essener Gruppe, völlig neu mit der Thematik
„Ursprung des Lebens" beschäftigt, stellen sich als Erstes grundlegende Fragen zum Stand der Wissenschaft. Was ist bisher bekannt, welche Überlegungen hatten die früheren Forscher, und welche Versuche gab es, die einen
Hinweis auf den Anfang geben, aus dem sich das Leben entwickelt
haben könnte?

Es gibt eine Reihe von Naturwissenschaftlern, die sich in den letzten 100
Jahren intensiv mit der Frage der Lebensentstehung beschäftigt haben. Es begann mit einem vorsichtigen Herantasten an die komplexe Thematik, die zu
Anfang nur theoretisch behandelt werden konnte. Erst Mitte des letzten Jahrhunderts begannen Experimente, die erste Hinweise auf die Möglichkeit eines
biochemisch begründeten Starts des Lebens gaben. Der Erfolg der frühen
Forschung musste erwartungsgemäß sehr begrenzt sein. Zu wenig war über

die Rahmenbedingungen wie die planetare und geologische Entwicklung der Erde oder den Einfluss astronomischer Größen bekannt. Die in den späteren Kapiteln aufgeführte Zusammenstellung der älteren Arbeiten gibt einen Einblick, wie mit neuen Entdeckungen kontinuierlich neue Vorstellungen entwickelt wurden. Vorab wird in Kap. 2, 3 und 4 der heutige Stand des Wissens zusammengefasst, der im Schwerpunkt die planetaren und physikochemischen Voraussetzungen betrifft. Allein hieraus ergibt sich eine Vielzahl von notwendigen Randbedingungen für die Entwicklung des Lebens, wie wir es kennen. Von den Modellvorstellungen, die in den letzten Jahrzehnten einer breiteren Öffentlichkeit bekannt gemacht wurden, werden die wesentlichen vorgestellt. Es sind die Erklärungsansätze, die eine breitere Basis bieten und mehr als nur einen Ausschnitt einer interessanten Reaktionsfolge beinhalten. Die Betrachtung erfolgt im Kontext der neueren planetaren Kenntnisse. Hierbei ist zu berücksichtigen, dass die älteren Bearbeiter zwangsläufig von dem damaligen Stand des Wissens ausgehen mussten, was die Aussagen ihrer Modelle entsprechend einschränkt.

Die Forschung zum Ursprung des Lebens hat gerade in den letzten Jahren weltweit einen verstärkten Impuls erhalten. Neue Erkenntnisse aus der Analyse von Meteoriten, des Ozeanraumes oder der kontinentalen Kruste haben zu neuen Modellvorstellungen geführt, die erstmals mit belastbaren Rahmenbedingungen Laborversuche ermöglichen, mit denen chemische Reaktionen unter realistischen Verhältnissen durchgeführt werden können. Weiterhin sind Dokumente aus der Frühzeit der Erde entdeckt worden, die die Anfänge der organischen Chemie zeigen. Aus allen zurzeit vorliegenden Daten lässt sich im Nebel der Vergangenheit ein erster unscharfer Umriss erkennen, der eins deutlich macht: Das Rätsel über die Entstehung des Lebens ist lösbar. Es zeichnet sich aber bereits jetzt ab, dass es eines physikalisch-chemischen Prozesses mit einem hohen Zeitaufwand bedurfte, um die Zelle zu entwickeln, die als letzter gemeinsame Vorfahre allen Lebens auf der Erde gilt.

In den abendlichen Diskussionsrunden unserer „Origin"-Gruppe gab es einen Aspekt, der latent im Hintergrund mitschwang: Wenn es gelingt, eine Vorstellung über die Anfangsphase des Lebens zu entwickeln – wird das bedeuten, dass wir dieses Modell auch auf andere Planeten im Universum übertragen können? Oder noch verrückter: Kann daraus geschlossen werden, dass es weitere Planeten im Weltall gibt, die irgendeine Form von Leben, vielleicht höheres, aufweisen? Bald wurde klar: Es ist nicht ausgeschlossen. Aber ganz so häufig wird die Chance zur Entwicklung eines intelligenten Wesens an anderer Stelle nicht sein.

Literatur

1. Bojowald M (2009) Der Ursprung des Alls. Spektrum der Wiss 5:26–32
2. Bojowald M (2009) Zurück vor den Urknall. Die ganze Geschichte des Universums, Fischer, Frankfurt a. M.
3. Feinberg G, Shapiro R (1980) Life beyond earth: the intelligent earthling's guide to life in the universe. William Morrow, New York
4. Joyce GF (1995) The RNA world: life before DNA and protein. In: Zuckerman B, Hart MH (Hrsg) Extraterrestrials. Where are they? Cambridge University Press, Cambridge, S 139–151
5. Kauffman SA (1996) At home in the universe: the search for laws of self-organization and complexity. Penguin, London
6. Mayer C (2023) Order and complexity in the RNA world. Life 13(3):603
7. Rauchfuß H (2005) Chemische Evolution und der Ursprung des Lebens. Springer, Heidelberg

2

Globale Voraussetzungen

Inhaltsverzeichnis

2.1 Erste Voraussetzung: Die Planeten und eine Sonne mit System

Wo sollten wir anfangen? Die Rahmenfaktoren, die nicht direkt etwas mit dem Leben zu tun haben, schienen besser bekannt als der Start der organischen Chemie. Also stürzten wir uns auf die Zeit vor dem Beginn des Lebens, auf alles, was mit den planetaren Voraussetzungen zu tun hatte. Sicher hätten wir auch gleich die Anfangsphase des Universums mit einbeziehen können; das erschien uns allerdings für die eigentliche Entwicklung des Lebens auf der Erde etwas weit ausgeholt. Es ist darüber hinaus ein Punkt, der noch weiter im Dunkeln liegt als die Entstehung des Lebens selbst. Für den Start von allem wird es immer nur Hypothesen geben, da Experimente, die einen Nach-

U. C. Schreiber, C. Mayer, *Das Geheimnis um die erste Zelle*,
https://doi.org/10.1007/978-3-662-72716-4_2

weis erbringen könnten, unmöglich sind. Die eigentlichen Prozesse der Lebensentstehung können unabhängig davon als physikochemische und biochemische Vorgänge gesehen werden.

Das, was vorausgesetzt werden muss, ist ab einem bestimmten Zeitpunkt die Existenz von Materie, die die Bildung von Galaxien und Sonnensystemen ermöglichte. Bei der weiteren Betrachtung liegt unser Sonnensystem zwangsläufig im Fokus. Es ist mit dem Planeten Erde das bislang einzige Beispiel, das wir für die Entwicklung einer biologischen Zelle aus primär anorganischer Materie zur Verfügung haben. Wir folgern aus unseren Kenntnissen, dass als Voraussetzung für das Leben grundsätzlich ein Gesteinsplanet möglichst mit einem begleitenden Mond innerhalb eines Sonnensystems notwendig ist. Gleichzeitig ist die Position dieses Systems innerhalb der Galaxie von Bedeutung. Im Zentrum jeder Galaxie finden über ihre gesamte Lebensdauer hinweg Supernova-Explosionen oder Neutronensternkollisionen statt. Hierbei entstehen energiereiche Gammablitze, die eine Gefahr für jedes Leben darstellen. Die Gefährdung nimmt nach außen in Richtung der Spiralarme ab, dorthin, wo sich auch unser Sonnensystem entwickelt hat. Die Sonne selbst als Zentrum eines Planetensystems muss eine bestimmte Größe aufweisen. Hiervon hängen unmittelbar ihre Lebensdauer, die Leuchtkraft sowie die Stärke der Anziehungskräfte auf die Planeten ab. Ein Planet, der Chancen für die Entwicklung komplexer organischer Moleküle mitbringen soll, muss in der habitablen, also der bewohnbaren Zone des Sonnensystems liegen und bestimmte Eigenschaften aufweisen. Als bewohnbare Zone definieren Astronomen einen relativ engen Bereich um die Sonne, dessen Abstand von ihr so groß ist, dass Wasser auf den existierenden Planeten in flüssiger Form vorliegen kann. Flüssiges Wasser ist die unbedingte Voraussetzung für Leben, wie wir es kennen. Ein zu großer Abstand zum Zentralgestirn hat Temperaturen unterhalb des Gefrierpunktes zur Folge. Mit einer größeren Nähe wird eine sich bildende Atmosphäre inklusive Wasserdampf durch die hohen Temperaturen und/oder den Strahlungsdruck (Sonnenwind) vernichtet.

Ein Schlagwort beschreibt die Situation für die Erde sehr treffend: Sie befindet sich genau am Tripelpunkt des Wassers. Das heißt, es gibt sowohl Eis als auch Wasser und Wasserdampf, also festes, flüssiges und gasförmiges Wasser. Allerdings stimmt es nur eingeschränkt. Die Erde liegt eigentlich so weit von der Sonne entfernt, dass sie von Beginn an als Eisplanet ihre Bahnen hätte ziehen müssen. Aber nach einer Übergangszeit kam ein glücklicher Umstand zum Tragen: die Ausbildung einer Gashülle, die bis heute mit ihren Eigenschaften der Wärmerückstrahlung verhindert hat, dass sich die Oberflächentemperaturen dauerhaft unter null bewegen. Für den Wärmehaushalt günstig sind darüber hinaus eine Rotation des Planeten und ein begleitender Mond, der die Rotation stabilisiert. Durch eine Rotation werden extreme Klimaverhältnisse ausgeglichen, die bei einem Stillstand zwischen sonnenzugewandter und sonnenabgewandter Seite entstehen. Die Kopplung der Rotation an einen Mond verhindert, dass extreme Neigungsschwankungen der Rotationsachse auftreten, was starke Auswirkungen auf das Klima hätte. Weiterhin sind neben der Existenz von Wasser Rohstoffe erforderlich, die zu einer Kohlenstoffchemie führen. Die Möglichkeiten der Entwicklung alternativer Lebensformen mit anderen Komponenten als Kohlenstoff, Wasserstoff und Sauerstoff, zum Beispiel auf Siliziumbasis, werden als äußerst gering eingeschätzt. Es liegen aber lediglich Erfahrungen für eine Biologie mit Kohlenstoff vor, die durch unsere begrenzte, erdbezogene Sicht begründet ist. Weiterhin ist für die Entwicklung des Lebens frühzeitig ein Magnetfeld erforderlich, das den ständig von der Sonne ausgesendeten Partikelstrom abhält. Die Bedeutung des letzten Punktes werde ich noch einmal in einer eigenständigen Betrachtung vertiefen.

2.2 Zweite Voraussetzung: Die Erde – eine Materialsammlung für den Start

Das Leben auf der Erde ist das sichtbare Zeichen, dass alle notwendigen Rahmenbedingungen für sein Entstehen vorhanden waren. Nach Bildung des Zentralgestirns unseres Sonnensystems war ausreichend Staubmaterial in seinem Umfeld vorhanden, aus dem durch fortgesetzte Kollisionen größere Objekte entstehen konnten. Die Partikel verschmolzen zu kleinen und großen Meteoriten, Asteroiden und Planetesimalen, den kilometergroßen Asteroiden, aus denen schließlich immer größere Objekte wurden. Am Ende standen die bis heute verbliebenen Gesteinsplaneten. Die Bildung der ersten Planetesimale startete vor 4,567 bis 4,568 Mrd. Jahren [1]; die durch gravitative Kräfte gesteuerte Ansammlung zu Planeten, in der Astronomie als Akkretion bezeichnet, fand in den nachfolgenden 30 bis 100 Mio. Jahren statt. Von Bedeutung ist der Zeitpunkt der Mondbildung. Er liegt vor mehr als 4,5 Mrd. Jahren, nach neuesten Berechnungen in einem Zeitfenster von 20 Mio. Jahren nach der Entstehung der Erde. Über seine Bildungsbedingungen gibt es eine intensive Diskussion, die durch alternative Modelle neuen Aufwind erfahren hat. Die größte Zustimmung hat ein Modell, das als Ursache die Kollision der jungen Erde mit einem marsgroßen Planeten, genannt „Theia", sieht [2]. Hierbei sollen Trümmer von beiden Planeten ins All geschleudert worden sein, die sich anschließend zum Erdtrabanten vereinten. Eine Variante hierzu bringt mehr Energie mit ins Spiel, die bislang ungeklärte Probleme lösen könnte. Einerseits sind die Isotopenverhältnisse der Gesteine von Mond und Erde nahezu identisch, andererseits scheint es bei der Bildung des Mondes einen Verlust an Natrium und Kalium gegeben zu haben. Der Geophysiker Simon Lock von der Harvard University hat hierzu eine viel beachtete Hypothese aufgestellt. Seinen Vorstellungen nach soll die Kollision zwischen Erde und Theia so heftig gewesen sein, dass das gesamte Material oder zumindest ein Großteil beider Planeten verdampfte und anschließend wieder zu fester Materie kondensierte. Aus dieser entstand seinen Berechnungen nach das Tandem Erde–Mond. Die Hypothese könnte sowohl die gleiche Isotopenverteilung verschiedener Elemente auf Erde und Mond als auch den Verlust an Kalium und Natrium im Mondgestein erklären helfen [3, 4].

Eine statistische Auswertung der Einschlagkrater auf dem Mond zeigt, dass es eine Phase zwischen 4,1 und 3,8 Mrd. Jahren gegeben haben muss, in der verstärkt Asteroiden auf den Planeten und dem Mond einschlugen („heavy bombardement") [5]. Mit jeder Kollision der Fragmente wurde die Bewegungsenergie überwiegend in Wärme umgewandelt. Das bedeutet, dass das Anwachsen zu einem Planeten wie der Erde nur in Verbindung mit einer starken Aufheizung möglich war. Die Temperatur erreichte so hohe Werte, dass Teile der Gesteinsmassen glutflüssig wurden, allerdings nicht der gesamte Planet. Nach älteren Berechnungen dauerte es ca. 1 Mrd. Jahre, bis durch Zerfall radioaktiver Isotope der Temperaturanstieg so hoch war, dass bei den herrschenden Druckverhältnissen in Tiefen bis 1000 km Eisen zu schmelzen begann.

Abschätzungen über die Temperaturentwicklung zeigen, dass erst hierdurch eine Materialtrennung in einen eisenreichen Kern und den Mantel aus Gesteinsmaterial möglich war. Diese Situation beschreibt heute noch die Verteilung der Materialien im Erdinneren. Allerdings wurden die Berechnungen wieder infrage gestellt, als sich die Vorstellungen über die Entstehung des Mondes konkretisierten. Sollte nach Bildung der Erde eine Kollision mit einem weiteren Planeten stattgefunden haben, war dies eine deutliche Zäsur in der Abkühlungsgeschichte des jungen Planeten. Ob eine schlagartige Temperaturerhöhung, die mit einer derartigen Kollision zu erwarten ist, zur teilweisen oder vollständigen Aufschmelzung der Erde führte, ist Stand der Diskussion (s. einleitenden Absatz zu Abschn. 2.2).

Von größter Bedeutung für die Entstehung des Lebens ist hierbei die Bildung des Erdkerns. Seine Entstehung aus einer Mischung aus flüssigem Eisen und Nickel legte den Grundstock für die Entwicklung des Erdmagnetfeldes [6]. Gleich mit der ersten Abkühlung, noch vor der Bildung des Mondes, muss es eine erste Krustenbildung aus einem Hochtemperaturbasalt gegeben haben, der besonders reich an Magnesium und arm an Silizium und Aluminium war. Dieser Basalttyp wird als Komatiit bezeichnet. Die erste Kruste wurde, sofern sich das Kollisionsmodell bestätigt, durch den Zusammenprall mit dem marsähnlichen Planeten vernichtet. Mit erneuter Abkühlung bildete sich eine Kruste, die wieder aus dem Hochtemperaturbasalt Komatiit bestand. Von diesem Gesteinstyp existieren heute nur noch wenige Relikte auf der Erdoberfläche. Über eine Atmosphäre vor und unmittelbar nach der Bildung des Mondes ist nichts bekannt. Quellen von gasförmigen Stoffen waren genug vorhanden, wobei ein Teil der Gase aus dem Erdinneren stammte. Sie gelangten durch Spalten und Vulkaneruptionen an die Oberfläche. Ein anderer Teil kam mit nachfolgenden Meteoriten und Kometen aus einem Gürtel, der einen zu großen Abstand zur Sonne hatte, als dass die flüchtigen Komponenten verdampfen konnten. Die Anziehungskraft der Erde war zu dieser Zeit eigentlich ausreichend groß, sodass Wasserdampf, Kohlenstoffdioxid und Stickstoff nicht ins Weltall entweichen konnten. Trotzdem ist die längere Existenz einer Atmosphäre zu hinterfragen, da sich vermutlich noch kein ausreichend starkes Magnetfeld in der Erde ausgebildet hatte, das Schutz vor dem Sonnenwind hätte bieten können. Das planetare Magnetfeld ist die Ursache dafür, dass der ständig abgegebene Partikelstrom von der Sonne (Sonnenwind) nicht die Erdoberfläche erreicht. Heute bekommen nur nach besonders starken Eruptionen auf der Sonnenoberfläche geladene Teilchen in den Polregionen Kontakt zur Atmosphäre, wo sie Partikel anregen, die die faszinierenden Polarlichter hervorrufen. Ein schwächeres Magnetfeld, wie es in der Frühphase der Erdentwicklung vorlag, verschob die Magnetopause dichter an die Erde heran. Die Magnetopause ist die Grenze, an der der dynamische Druck des Sonnenwinds gleich dem dynamischen Druck des Magnetfeldes ist, also die Barriere, die den Plasmastrom nicht durchlässt, sondern zur Seite ablenkt. Starke Eruptionen auf der Sonnenoberfläche können aber im Fall einer erdnahen Magnetopause dazu führen, dass der Plasmastrom die Grenze durchbricht und die Erdoberfläche erreicht. So muss für die junge Atmosphäre davon ausgegangen werden, dass Teile von ihr immer wieder durch solche Ereignisse erodiert wurden.

Die Sonne sendete in der Anfangsphase einen im Vergleich zur heutigen Zeit 100-fach stärkeren Sonnenwind aus. Dieser Partikelstrom traf zu Beginn ohne Magnetfeld ungeschützt auf die sich bildende Atmosphäre, die ihm nicht standhalten konnte. Sie wurde mitgerissen, so wie diejenige des Mars, der heute keine nennenswerte Atmosphäre mehr besitzt. Die Marsatmosphäre beträgt weniger als ein Hundertstel des Atmosphärendruckes der Erdatmosphäre. Einfache organische Moleküle konnten sich von Beginn an in geringen Konzentrationen auf Landmassen oberhalb der Wasseroberfläche entwickeln. Dies geschah durch Kontakt von Oberflächenwässern mit heißen Laven und Gasen oder durch Reaktionen, die aufgrund der energiereichen Strahlung der Sonne stattfanden. Weiterhin gab es einen geringen Eintrag organischer Moleküle aus dem Weltall. Alle ungeschützt dem Sonnenwind ausgesetzten organischen Moleküle wurden nach kurzer Zeit zerstört. Gleiche Wirkung hatte die sehr starke ultraviolette Strahlung, deren Strahlungsanteil zu Beginn der Sonnenaktivität deutlich höher war als heute. Verstärkend kam hinzu, dass es noch keine schützende Atmosphäre mit einem Ozonschild gab, der erst nach dem Beginn der biologischen Sauerstoffproduktion vor mehr als 2,4 Mrd. Jahren in den oberen Schichten der Gashülle in ausreichender Mächtigkeit gebildet werden konnte (Abb. 2.1: O_2 in der Atmosphäre).

Im Nordwesten Australiens gibt es mit die ältesten Gesteine, die auf der Erdoberfläche zu finden sind. Sedimentgesteine führen neben Quarz häufig sehr stabile Zirkone, die wiederum magnetische Einschlüsse besitzen können. Aus ihnen lassen sich Hinweise auf ein Magnetfeld erkennen, das zur Zeit des Einschlusses gerade geherrscht hat. Untersuchungen an derartigen Mineraleinschlüssen aus den Jack Hills in Westaustralien deuten darauf hin, dass bereits vor 4 Mrd. Jahren ein Magnetfeld existiert haben kann, allerdings mit einer Stärke von nur etwa 12 % des heutigen Feldes [7] Die ermittelten Werte sind aber durch temperaturbedingte Einflüsse während einer nachfolgenden Überprägung der Gesteine mit hohen Temperaturen und Drucken (Gesteinsmetamorphose) mit größeren Unsicherheiten behaftet. Aus Mineralen jüngerer Gesteine von vor 3,4 Mrd. Jahren konnten Feldstärken gemessen werden, die mindestens 50 % des heutigen Erdmagnetfeldes entsprechen [8]. Dies zeigt trotz größerer Unsicherheiten in den gewonnenen Daten, dass der Aufbau des Magnetfeldes eines größeren Zeitraums bedurfte. Durch seine anfänglich geringe Stärke muss es auf der Erdoberfläche enge Grenzen für die Entstehung organischer Moleküle gegeben haben, ihren Erhalt und das Ausbilden von Reaktionsketten, die zu komplexeren Molekülen führen konnten.

Die Besonderheit der Marsatmosphäre

Die fehlende Atmosphäre auf dem Mars soll mit einer anderen Entwicklung des Planetenkerns zusammenhängen. Dieser war zu Beginn ebenfalls flüssig, wurde aber sehr schnell fest. Während der flüssigen Phase existierte entsprechend ein Magnetfeld, das den Sonnenwind abschirmte. In dieser Zeit gab es fließendes Wasser und eine Atmosphäre. Nach Kristallisation der Eisenschmelze im Kern des Mars brach sein Magnetfeld zusammen. Es folgte der Angriff des Sonnenwindes, der die Atmosphäre und das Wasser, das verdampfte, mit sich riss [9, 10]. Es gibt Überlegungen, dass der junge Mars

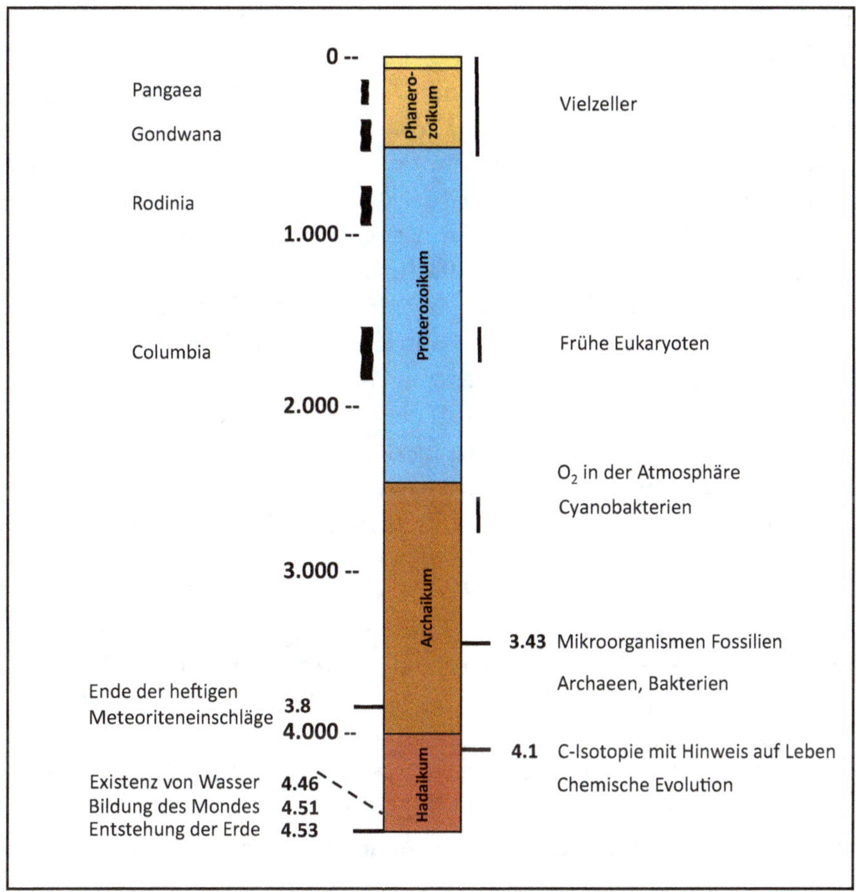

Abb. 2.1 Die Zeitepochen der Erde und bedeutende Ereignisse sowie Auftreten von Lebensformen im Zeitstrahl. Oberster Zeitabschnitt (gelb) = Känozoikum. Schwarze gewellte Balken entsprechen Zeiten der Großkontinente Columbia, Rodinia, Gondwana und Pangaea

ebenfalls Bedingungen für die Entstehung des Lebens bereitgestellt hat, eine Entwicklung zu niederem Leben aber durch die beschriebenen Verhältnisse verhindert wurde.

2.3   Dritte Voraussetzung: Das Wasser

„Wie kam das Wasser auf die Erde?" Diese Frage stand bei der Diskussion um die Entstehung des Lebens relativ früh im Raum: Die Astronomen jubeln, wenn sie auf anderen Planeten oder Monden Wasser, wenn auch nur in geringsten Spuren, identifizieren können. Bei uns scheint es ein besonderer Glücksfall gewesen zu sein, dass wir gleich so viel abbekommen haben, dass sogar zwei Drittel unseres Planeten mit Wasser bedeckt sind. Wasser ist nach Meinung aller die Grundlage des Lebens. Aber wo kam es her? Die Prozesse, die zur Entwicklung der Planeten führten, waren mit derart hohen Temperaturen verbunden, dass die Bildung von Wasser in der Anfangsphase ausgeschlossen war. Also muss es von außen gekommen sein, wie eigentlich alles andere auch – nur etwas später, als die Temperaturen nicht mehr so außerordentlich hoch waren. Als beste Kandidaten für einen Ursprung wurden die Kometen mit ihren hohen Anteilen aus H_2O- und CO_2-Eis diskutiert. Die Analyse ihrer Isotopenzusammensetzung brachte allerdings Ernüchterung. Fast alle untersuchten Wassermoleküle der Kometen unterscheiden sich deutlich von der Isotopenzusammensetzung des irdischen Wassers. Lediglich ein kleiner Beitrag kann von ihnen abgeleitet werden. Neben der Überlegung, dass möglicherweise noch nicht die richtigen Kometen mit dem entsprechenden Isotopenverhältnis gefunden wurden, konnten aber auch andere Überbringer des Wassers identifiziert werden. Modellierungen der Bahnbewegungen aller Planeten seit ihrer Entstehung ergaben, dass Abweichungen der Bahnen der großen Gasplaneten Jupiter und Saturn in der Frühphase des Sonnensystems Turbulenzen im inneren und äußeren Asteroidengürtel hervorgerufen haben müssen. Während die sonnennahen Asteroiden nur einen geringen Wasseranteil aufweisen, treten im äußeren Gürtel Planetesimale mit bis zu 10 % Wasser auf (Abb. 2.2). Durch die von den Gasplaneten erzeugten Bahnstörungen der Asteroiden innerhalb der Gürtel wurde ein Teil

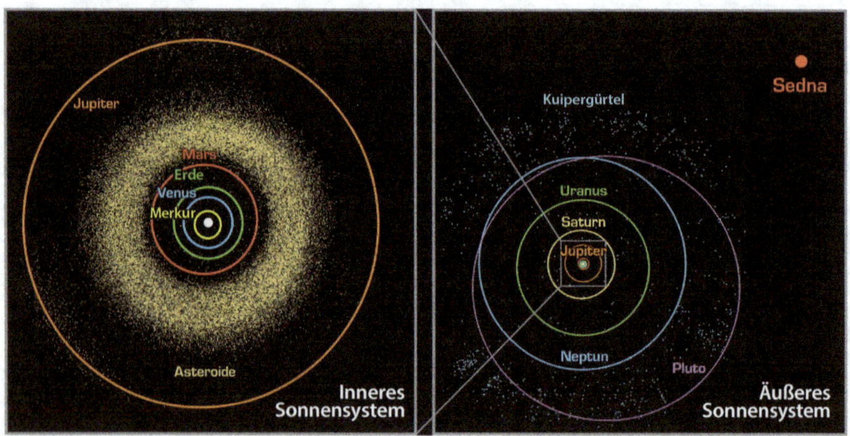

Abb. 2.2 Inneres und äußeres Sonnensystem mit Planeten, Asteroiden- und Kuipergürtel. (© Courtesy NASA/JPL-Caltech [12])

von ihnen auf Kollisionskurs mit der Erde abgelenkt. Die Berechnungen zeigten, dass ein Beitrag von 1–2 % der Erdmasse von diesem äußeren Gürtel ausreicht, um die heute vorhandene Wassermenge auf der Erde zu erklären [11]. Die Hauptmasse des Wassers erreichte die Erde nach diesen Vorstellungen erst in der Spätphase des Bombardements, dem alle Planeten ausgesetzt waren. Große Mengen davon gelangten in den Erdmantel, aus dem auch heute noch geringe Anteile während vulkanischer Eruptionen an die Atmosphäre abgegeben werden.

2.4 Vierte Voraussetzung: Eine dauerhafte Atmosphäre

Wir haben somit eine Vorstellung davon, wie der Planet gebildet wurde und die Gesteinssphäre, die Lithosphäre, sich entwickelt hat. Weiterhin gibt es plausible Erklärungen dafür, wie das Wasser hinzukam, das die Hydrosphäre bildete. Jetzt fehlt noch die dritte Größe, die Atmosphäre. Alle drei bilden eine Schnittmenge, die etwas mit der Lebensentwicklung zu tun hat. Die Ausbildung einer beständigen Atmosphäre auf einem Planeten ist an drei wesentliche Voraussetzungen geknüpft: Erstens müssen Substanzen vorhanden sein, die unter den Druck- und Temperaturbedingungen der Planetenoberfläche gasförmig sind. Weiterhin muss die Masse des Planeten ausreichend groß sein, damit die Schwerkraft die Gase vor der Flucht ins Weltall zurückhält, und schließlich muss sich ein Magnetfeld entwickeln können, das den Partikelstrahl des Zentralgestirns (Sonnenwind) von der Oberfläche fernhält.

Die Erdatmosphäre hat heute eine Zusammensetzung, die maßgeblich vom Einfluss der Photosynthese treibenden Organismen geprägt ist. Das Auftreten von Sauerstoff in der Atmosphäre ist für die Zeit nach 2,4 Mrd. Jahren vor heute dokumentiert. Hiermit haben wir eine Besonderheit, die von keinem anderen Gesteinsplaneten bekannt ist. Die eigentliche Startphase der Erdatmosphäre ist heute nicht mehr erkennbar, da sie vom Sonnenwind vernichtet wurde. Aber es lassen sich zum Teil die Lieferanten der Gase identifizieren, die, wie im Fall des Wassers, ebenfalls aus den Asteroidengürteln stammen. So gehören sie zur späten Phase der Akkretion, die vor mehr als 3,8 Mrd. Jahren endete. Aber auch die Protoerde hatte genügend Rohstoffe, aus denen Gase wie Wasserstoff, Ammoniak, Kohlenmonoxid und Kohlendioxid gebildet werden konnten. Sie lagen zum Teil gelöst im geschmolzenen Gestein im Erdinneren vor und wurden langsam durch vulkanische Eruptionen und Austritte an Bruchzonen der jungen Kruste an die Atmosphäre abgegeben. Über die Mengenverhältnisse der einzelnen Gase in einer ersten stabilen Atmosphäre lässt sich nur spekulieren. Mit Sicherheit war Wasserdampf vorhanden, der einen Großteil des Gases ausmachte. Die Größenordnung sowie die Verhältnisse von Kohlendioxid (CO_2) zu Kohlenmonoxid (CO) sowie Stickstoff (N_2) zu Ammoniak (NH_3) sind unklar. Neben Methan, Wasserstoff und Schwefelverbindungen (H_2S, SO_2 und Schwefelsäure [H_2SO_4] als Aerosol) waren Edelgase und Spuren weiterer Gase vorhanden. Je nachdem, was in den Verhältnissen CO_2/CO und N_2/NH_3 überwog, war die Atmosphäre entweder schwach oder eher stark reduzierend. Stark reduzierend bedeutet hierbei, dass chemische Reaktionen begünstigt mit der Aufnahme von Elektronen ablaufen, und zwar bei Reaktionspartnern, die diese Elektronen bei schwach reduzierenden Verhältnissen nicht freigeben würden. Dies kann entscheidend für Zwischenschritte bei der Bildung komplexer organischer Moleküle sein. Einen Überblick über den Stand der Diskussion geben Lammer et al. [10]. Die Konzentration des Kohlenstoffdioxids (CO_2) in der frühen Atmosphäre ist nicht sicher bekannt. Es gibt Abschätzungen, die weit auseinanderliegen und bis über den Gehalt des heutigen Sauerstoffanteils hinausreichen. Gemeinsam ist allen Betrachtungen, dass zu Beginn der Wert weit über dem der heutigen Konzentration angenommen wird. Eine ungefähre Größe hierzu liefert die Abschätzung des Volumens der sedimentär gebildeten Kalksteinvorkommen der Erde.

Was haben Kalksteine mit der Atmosphäre zu tun?
Eine Menge! Fast von Beginn der Atmosphärenentwicklung an startete eine sehr wirksame chemische Reaktionskette, die eine Verringerung der CO_2-Konzentration in dem Gasgemisch zur Folge hatte: die Reaktion von Kohlenstoffdioxid mit Kalziumionen aus dem Gestein der Erdkruste. Die Erdkruste enthält 4 % Kalzium. Es ist ein Hauptelement in der Zusammensetzung magmatischer Gesteine und ist zusammen mit Sauerstoff, Silizium, Aluminium und anderen Elementen im Kristallgitter gesteinsbildender Minerale eingebaut. Hierzu gehören Feldspäte oder Pyroxene. Die hellen Partien auf dem Mond sind zum Beispiel aus einem pulverisierten Gestein (Anorthosit) aufgebaut, das zu einem hohen Anteil aus kalziumreichem Feldspat besteht (Anorthit). Dieselben Minerale kommen auf der Erde ebenfalls vor. Durch Verwitterung der Gesteine auf der Erdoberfläche oder durch Kontakt von im Meerwasser gelöstem CO_2 mit Kalziumsilikaten entsteht aus CO_2 und Kalzium (Ca) über Zwischenschritte Kalzit ($CaCO_3$), das Mineral, das in verschiedenen Modifikationen Kalkstein, Muschel- oder Eierschalen aufbaut. Erst im Laufe der Erdentwicklung konnte durch Verdampfen von Meerwasser in flachen Meeresbecken Kalk ausgefällt und so ein chemisches Sediment ge-

bildet werden – ein Vorgang, wie wir ihn in Regionen mit hartem Trinkwasser in den Kochtöpfen erleben. Aus der Art der sedimentären Kalkbildung können wir sicher ableiten, dass es am Anfang auf der Erde keine sedimentären Kalksteine gab. Heute bestehen große Teile der alpinen Gesteine, der Alb, der Schreibkreide auf Rügen, in Dänemark und England sowie vielen anderen Gebieten weltweit überwiegend aus Kalkstein mit dem Mineral Kalzit. Daneben treten Dolomite aus Kalzium-Magnesium-Karbonaten auf. Wenn das ins Kristallgitter eingebaute CO_2 von allen entsprechenden Kalksteinen der Erde berechnet wird, bekommen wir eine Vorstellung davon, wie viel CO_2 durch die Mineralbildung aus der Atmosphäre entfernt wurde. Hierbei ist allerdings zu berücksichtigen, dass die CO_2-Entgasung der Erde bis heute anhält und das Volumen der über 4 Mrd. Jahre hinweg ausgetretenen Menge entsprechend berücksichtigt werden muss. Heute liegt der jährlich hinzukommende Anteil aus der Erde in einer Größenordnung von ca. 1 % des vom Menschen erzeugten CO_2-Ausstoßes [13]. Auf der anderen Seite gibt es weitere Mineralbildungen, wie zum Beispiel Eisenkarbonate, die große Mengen CO_2 aus der Atmosphäre gebunden haben.

2.5   Wie ging es weiter?

Genau das haben wir uns nach der Recherche der Ausgangsbedingungen auch gefragt. Die Beantwortung dieser Frage war von nicht geringer Bedeutung, da wir die verschiedenen Modelle zur Lebensentstehung diskutieren wollten, die ab einem bestimmten Zeitpunkt eine feste Erdoberfläche voraussetzen. Die Erdkruste stellt den Raum für Reaktionen bereit, bietet eine Grenzfläche zur Hydrosphäre und Atmosphäre, steht über Bruchzonen mit dem Erdmantel in Verbindung und liefert notwendige Ressourcen. In den späteren Kapiteln, in denen ich neue Überlegungen zur Entwicklung der ersten Zellen vorstellen werde, nimmt die Existenz einer kontinentalen Kruste auf der jungen Erde eine zentrale Stellung ein. Zuerst gab es, so viel war nach Vorstellungen zu den magmatischen Prozessen der jungen Erde klar, nur eine basaltische Kruste, die sich mit der Abkühlung nach der Kollision der Protoerde mit einem Kleinplaneten gebildet hatte. Sie besaß nur eine geringe Mächtigkeit (vielleicht einige Hundert bis Tausend Meter), die von einem hochaktiven Mantel mit starken Konvektionen unterlagert war.

Schon früh muss das Mantel-Kruste-System begonnen haben, die Stoffe für die Bildung einer kontinentalen Kruste abzutrennen. Aus ihnen bildeten sich die Kernzonen der ersten Kontinente, die im Laufe der Zeit ständig wuchsen. Ein heute noch aktives Beispiel ist Island, das seine Existenz einer besonderen Lage an zwei Plattengrenzen und einer Überlagerung von zwei magmatischen Prozessen verdankt. Vor einer näheren Beschreibung der dortigen Verhältnisse gehe ich auf die Grundlagen der alles dominierenden Plattentektonik ein. Sie kann am besten das Verständnis für die Besonderheiten Islands vermitteln.

Unter Geowissenschaftlern wird seit Langem ein Thema diskutiert, das den Zeitpunkt des Beginns der heute noch aktiven Plattentektonik zur Frage hat. Sie spielte eine entscheidende Rolle im Verlauf der Erd- und höheren Lebensentwicklung. In erster Linie steht sie für die Bildung großer Gebirge, deren Verwitterung zu einer nachhaltigen CO_2-Bindung führte. Die Verringerung des CO_2 Anteils in der Atmosphäre hatte unmittelbar Einfluss auf das Klima. Darüber hinaus entwickelten sich Sedimentationsräume, die die Sedimente der erodierten Gebirge aufnahmen, sowie Schelfgebiete, in denen sich zu späteren Zeiten die wichtigsten Entwicklungsschritte des höheren Lebens vollzogen.

Eine besondere Bedeutung hatte die Plattentektonik vor allem nach der Besiedlung der Kontinente mit der Trennung von Lebensräumen und deren Zusammenführung an anderer Stelle. Hinzu kommen die Einflüsse auf den marinen Raum mit chemischen Austauschprozessen in der ozeanischen Kruste, dem Eintrag von metallhaltigen Lösungen in den ozeanischen Rücken und vielem mehr. Für die weitere Betrachtung ist daher eine kurze Darstellung der wesentlichen Faktoren hilfreich.

Der Motor der rezenten Plattentektonik ist eine Kombination aus mehreren Faktoren. Eine wandernde Platte hat unterschiedliche Grenzen. An der einen wird sie durch Zuwachs basaltischer Gesteinsmassen gebildet. Grundlage hierfür bildet Magma, das aufsteigt, zum Teil in den Förderkanälen stecken bleibt und kristallisiert und zum anderen Teil als Lava auf den Meeresboden ausfließt. Die Lava bildet einen speziellen Basalttyp, den Kissen- oder Pillow-Basalt. Dieser Plattenrand befindet sich an den ozeanischen Rücken, an denen zu gleichen Teilen die zur Seite auseinanderdriftenden Platten ergänzt werden. Das Magma hierfür stammt aus dem Mantel, in dem durch langsam ablaufende Konvektionsströme ein Volumenausgleich hergestellt wird. Die ozeanische Platte besteht heute in der Vertikalen immer aus zwei Teilen mit basaltischem Chemismus, einem oberen – der ozeanischen Kruste mit den Förderkanälen und den Pillow-Basalten (durchschnittlich 10 km mächtig) – und einem unteren mit einer Mächtigkeit von ca. 90 km, der Teil des oberen Erdmantels ist. Letzterer besteht bei den herrschenden Drücken und Temperaturen in dieser Tiefe aus einem festen Gestein. Erst der noch tiefer nachfolgende Mantel ist so heiß, dass er einen geringen Schmelzanteil besitzt und dadurch fähig wird, langsam zu fließen. Die Temperaturunterschiede zwischen unterem und oberem Mantel treiben die langsame Zirkulation an, die den Mantel durchmischt (Abb. 2.3). Sie ist vergleichbar mit der Zirkulation von Wasser in einem Topf, der auf einer heißen Herdplatte steht. Am ozeanischen Rücken ist die Mächtigkeit der Platte noch sehr gering, vielleicht nur wenige Kilometer, bestehend aus der Kruste und einem festen oberen Mantel. Erst mit größerer Distanz zum ozeanischen Rücken kühlt die Platte mehr und mehr ab, wodurch sich der untere Teil der Platte verdickt. So erreichen die am entferntest gelegenen Plattenteile das höchste Alter und die größte Mächtigkeit von mehr als 100 km. Die magmatischen Prozesse am linearen Ursprungsort der Platte führen zu einer Anhebung des gesamten ozeanischen Rückens über das durchschnittliche Niveau der ozeanischen Kruste. Die Folge der Heraushebung ist ein der Schwerkraft folgendes Abgleiten zur Seite, das die gesamte Platte betrifft. Der gegenüberliegende Rand der Platte wird durch ihr Abtauchen in den Mantel bestimmt, entlang einer Zone, die als Subduktionszone bezeichnet wird. Entlang der Subduktionszonen bilden sich Tiefseerinnen und über der abtauchenden Platte Vulkangürtel, die in einem charakteristischen Abstand zur Subduktionszone liegen (Abb. 2.3). Die Vulkangürtel gehören bereits zur benachbarten Platte, in der durch starke tektonische Spannungen Verwerfungszonen entstehen. An ihnen finden starke Erdbeben statt. Die abtauchende Platte hat aufgrund der langen Abkühlungszeit auf dieser Seite die größte Mächtigkeit. Gleichzeitig besitzt sie eine höhere Dichte als das heiße unterlagernde Mantelmaterial. Als Folge sinkt sie in den plastisch verformbaren Mantel ein, wie eine Gehwegplatte, die in eine mit Morast gefüllte Senke gleitet. Hierdurch wird ein Zug auf die nachfolgende Masse der Platte ausgeübt, wodurch das Abgleiten von der relativ höher liegenden Position an ihrem Ursprungsort unterstützt wird. Hinzu kommt der Einfluss von Konvektionsströmungen im oberen, plastisch verformbaren Mantel, wenn diese in dieselbe Richtung verlaufen wie die Wanderung der gesamten Platte. Da die meisten Platten einen Teil mit ozeanischer und einen mit kontinentaler Kruste besitzen (z. B. die Afrikanische Platte, bestehend aus dem Hauptteil des afrikanischen Kontinents und nach Westen bis zum Mittelatlantischen Rücken aus ozeanischer Kruste/Platte), werden durch die Wanderung auch Kontinente an die Plattengrenzen herangeführt, wodurch es zu Kollisionen mit anderen Kontinenten kommen kann. Die Folgen sind die Bildung gewaltiger Gebirge und ein Wachstum der Kontinente.

Vermutlich hat es während der gesamten Frühphase der Krustenbildung bereits Bewegungen von Schollen der dünnen, heißeren Kruste gegeben, die von starken Konvektionen im Mantel angetrieben wurden. Die Prozesse, die wir heute in Verbindung mit der Plattentektonik beobachten, waren in dieser Form sicher noch nicht so deutlich ausgeprägt. Hierzu gehören die Bildung

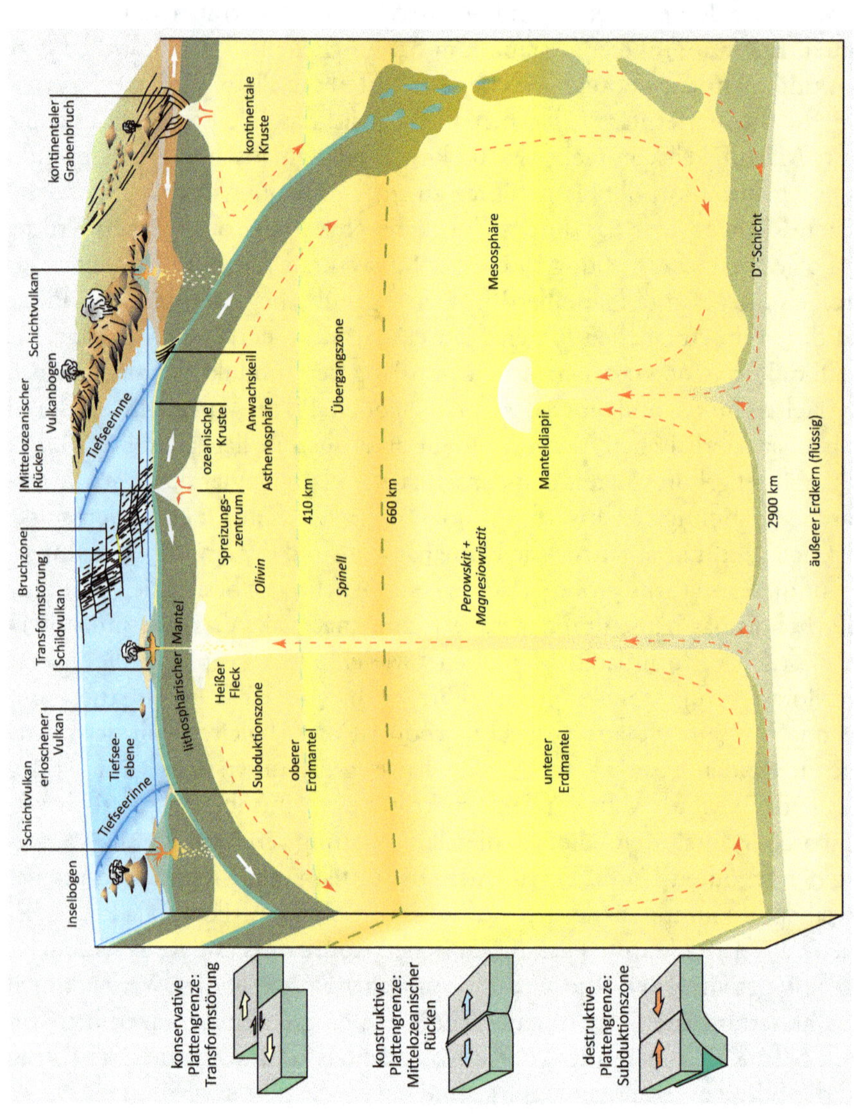

Abb. 2.3 Schematische Darstellung der plattentektonischen Vorgänge an der Erdoberfläche und im Erdmantel. (© Springer-Verlag GmbH [14, S. 28])

der Tiefseerinnen entlang der Subduktionszonen, die Vulkangürtel der Inselbögen, Kontinent-Kontinent-Kollisionen und vieles mehr. Vulkane, die auf der jungen Kruste aufsetzten, wären die erste Adresse für Modelle, die eine Landoberfläche mit flachen Tümpeln und deren speziellen Bedingungen erfordern, lange bevor sich Kontinentkerne entwickeln konnten. Allerdings konnten einzelne Vulkane nur geringe Höhen erreichen. Die aufgetürmten Massen wurden von der dünnen Kruste mit dem unterlagernden hochtemperierten Mantel nicht lange getragen und sanken förmlich ein. Die Menge des Ozeanwassers bzw. die Tiefe der Ozeane ist nicht bekannt. Es kann somit nicht abgeschätzt werden, inwieweit solche Vulkane aus dem Meer herausragten. Erst durch längere vulkanische Tätigkeit mit verstärkter Zufuhr von sich verändernden Magmen können sich lokal stabilere Mächtigkeiten der Kruste gebildet haben.

Ein ungefähres Bild für diesen Fall vermittelt Island. Es kann als Beispiel für die Entwicklung von Landmassen dienen, die es geschafft haben, aus dem Wasser herauszuragen, während die gesamte Erdoberfläche von einem Ozean bedeckt war. Auf Island verläuft von Norden nach Süden die Naht zwischen der Nordamerikanischen und der Eurasischen Platte. Islands Existenz ist zwei sich überlagernden Mantelprozessen zu verdanken. Es liegt einerseits genau auf einem Mittelozeanischen Rücken, an dem eine ständige Produktion von Magmen im Normalfall gerade ausreicht, um den Verlust ozeanischer Kruste auszugleichen, der durch seitliches Abwandern der Platten entsteht. Andererseits wird die Produktion des Rückens von der Aktivität eines Hotspots überlagert, der einen zusätzlichen Beitrag an Magmen aus einem sehr langlebigen Reservoir tieferer Zonen liefert. Hotspots sind schlauchförmige, über Hunderte Millionen Jahre existierende Mantelregionen, aus denen Vulkane gespeist werden. Der Ursprung des aufsteigenden heißen Mantelmaterials wird an der Kern-Mantel-Grenze vermutet. Das bekannteste Beispiel für einen Hotspot ist die Kette der Hawaii-Inseln. Unter der südöstlichsten Insel Hawaii (Big Island) liegt die aktive Zone, die die Vulkane Mauna Kea und Mauna Loa mit Magma versorgt. Gleichzeitig wandert die Platte nach Nordwesten und nimmt die Vulkaninsel mit. Irgendwann ist die Verbindung zu dem Zufuhrkanal über dem heißen Punkt abgeschnitten, und ein neuer Vulkan beginnt sich, wieder weiter im Südosten, aufzubauen. Je weiter man die Spur nach Nordwesten verfolgt, desto älter und stärker abgetragen sind die mit der Platte weggewanderten Vulkane. Sie sind längst erloschen und verschwinden wie die ältesten nach und nach unter der Wasseroberfläche, weil die Platte insgesamt mit zunehmendem Abstand vom ozeanischen Rücken immer weiter absinkt. Dadurch, dass Island direkt auf der Trennnaht zweier Platten liegt, kann es nicht als Einheit mit einer Platte wegwandern. Dies vollzieht lediglich die betreffende Hälfte, die mit der jeweiligen Platte gebildet wurde. Der zentrale Teil Islands verbleibt ständig über dem Hotspot. Es zeigt sehr schön, dass besondere, auch auf der jungen Erde bestimmte Bedingungen dazu führen konnten, dass sich Landmassen oberhalb des Meeresspiegels bildeten. Dies ist ein wichtiger Aspekt bei der Diskussion einiger Modelle zur Entstehung des Lebens, bei denen eine Landoberfläche gefordert wird. Aber Island bietet nicht nur eine Erklärung für die Entstehung von Land über dem Wasser. Seine besondere Lage führte zu einer Vervierfachung der Krustenmächtigkeit und der Bildung veränderter Magmen. So haben sich in einigen markanten Vulkankomplexen Magmen mit granitischem bzw. rhyolithischem Chemismus entwickelt. Rhyolithe sind die schnell abgekühlten vulkanischen Gesteine eines Magmas, aus dem in der Kruste durch langsame Kristallisation Granite gebildet werden. Sie sind eigentlich typisch für die kontinentale Kruste, die heute zwischen 30 und 40 km mächtig ist (und bis über 70 km erreichen kann, wie zum Beispiel an Gebirgswurzeln wie im Himalaya). Die Prozesse, die auf Island in einem rein basaltischen Umfeld der ozeanischen Kruste zur Bildung von typischen kontinentalen Krustengesteinen geführt haben, dauerten vielleicht 20 bis 30 Mio. Jahre. Sie machen deutlich, dass sich schon sehr früh im Zuge der fortschreitenden Abkühlung der Erde auch aus einem rein basaltischen Umfeld erste kontinentale Kruste gebildet haben kann. Dies ist für die Modellbetrachtung in Kap. 8 von Bedeutung. Die kontinentale Kruste besitzt eine größere Mächtigkeit und eine geringere Temperatur als die basaltische ozeanische Kruste. Weiterhin ist sie chemisch bzw. mineralogisch viel heterogener und liefert ein breiteres Spektrum an Ausgangsstoffen. Jüngere Arbeiten über die Entwicklung der kontinentalen Kruste gehen davon aus, dass vor 4 Mrd. Jahren bereits 25 % der heutigen kontinentalen Massen vorhanden waren [15–17].

Literatur

1. Connelly JN, Bizzarro M, Krot AN, Nordlund A, Wielandt D, Ivanova MA (2012) The absolute chronology and thermal processing of solids in the solar protoplanetary disk. Science 338:651–655
2. Canup RM (2012) Forming a moon with an earth-like composition via a giant impact. Science 338(6110):1052–1055
3. Ćuk M, Hamilton D, Lock SJ, Stewart ST (2016) Tidal evolution of the moon from a high-obliquity, high-angular- momentum earth. Nature 539:402–406

4. Lock SJ, Stewart ST, Petaev MI, Leinhardt ZM, Mace MT, Jacobsen SB, Ćuk M (2018) The origin of the moon within a terrestrial synestia. J Geophys Res 123(4):910–951
5. Morbidelli A, Lunine JI, O'Brien DP, Raymond SN, Walsh KJ (2012) Building terrestrial planets. Annu Rev Earth Planet Sci 40:251–275
6. Labrosse S, Hernlund JW, Coltice N (2007) A crystallizing dense magma ocean at the base of the earth's mantle. Nature 450:866–869
7. Tarduno JA, Cottrell RD, Davis WJ, Nimmo F, Bono RK (2015) A Hadean to Paleoarchean geodynamo recorded by single zircon crystals. Science 349(6247):521–524
8. Tarduno JA, Cottrell RD, Watkeys MK, Hofmann A, Doubrovine PV, Mamajek EE, Liu D, Sibeck DG, Neukirch LP, Usui Y (2010) Geodynamo, solar wind, and magnetopause 3.4 to 3.45 billion years ago. Science 327:1238–1240
9. Jakosky BM, Lin RP, Grebowsky JM et al. (2015) The mars atmosphere and volatile evolution (maven) mission. Space Sci Rev 195(1–4):3–48
10. Lammer H, Zerkle AL, Gebauer S et al. (2018) Origin and evolution of the atmospheres of early Venus, Earth and Mars. Astron Astrophys Rev 26:2. https://doi.org/10.1007/S.00159-018-0108-y
11. O'Brien DP, Walsh KJ, Morbidelli A, Raymond SN, Mandell AM (2014) Water delivery and giant impacts in the „grand tack" scenario. Icarus 239:74–84
12. NASA/JPL-Caltech/R Hurt (SSC-Caltech) (2004). http://www.spitzer.caltech.edu/images/2638-ssc2004-05d-Orbit-Comparisons
13. Hards VL (2005) Volcanic contributions to the global carbon cycle. Brit Geol Surv Occ Pub 10:1–20
14. Meschede M (2018) Geologie Deutschlands. Springer, Berlin
15. Rosas JC, Korenaga J (2018) Rapid crustal growth and efficient crustal recycling in the early earth: implications for Hadean and Archean geodynamics. Earth Planet Sci L 494:42–49
16. Rozel AB, Golabek GJ, Jain C, Tackley PJ, Gerya T (2017) Continental crust formation on early earth controlled by intrusive magmatism. Nature 545:332–335
17. Dhuime B, Hawkesworth CJ, Cawood PA, Storey CD (2012) A change in the geodynamics of continental growth 3 billion years ago. Science 335:1334–1336

3

Die engeren Rahmenbedingungen: Die Chemie, die Physik und die physikalische Chemie – ohne sie geht es nicht

Inhaltsverzeichnis

3.1 Die chemischen Ressourcen des Lebens

Ein Hauptproblem in der Diskussion um die Entstehung des Lebens sind die fehlenden Dokumente und Kenntnisse der Rahmenbedingungen der Anfangszeit. Nach den im ersten Teil betrachteten planetaren Gegebenheiten müssen für die Rückschlüsse der eigentlichen biochemischen Entwicklung in erster Linie der Aufbau und die Zusammensetzung der heutigen Zelle sowie die Prozesse, die in ihr ablaufen, herangezogen werden. Daraus lassen sich Minimalanforderungen erschließen, die die chemischen und physikochemischen Voraussetzungen für den Lebensursprung eingrenzen. Notwendig ist daher die Betrachtung aller relevanten Ressourcen und einwirkenden Faktoren auf den Entstehungsprozess, sofern diese aus heutiger Zeit für die Zeit

© Der/die Autor(en), exklusiv lizenziert an Springer-Verlag GmbH, DE, ein Teil von
Springer Nature 2026
U. C. Schreiber, C. Mayer, *Das Geheimnis um die erste Zelle*,
https://doi.org/10.1007/978-3-662-72716-4_3

vor 4 Mrd. Jahren übertragen werden können. Die Schwierigkeiten, die sich bei der Diskussion über das Wie bei der Entstehung des Lebens ergeben, hängen unmittelbar mit dem Ort des Geschehens zusammen. Zuerst müssen organische Ausgangsmoleküle in ausreichender Menge zur Verfügung gestanden haben. Die Elemente, die für die einfachste Form einer lebenden Zelle erforderlich sind, beschränken sich zunächst auf Kohlenstoff (C), Wasserstoff (H), Stickstoff (N), Sauerstoff (O), Phosphor (P) und untergeordnet Schwefel (S). Diese Elemente müssen ständig über einen langen Zeitraum in dem Bildungsumfeld zur Verfügung gestanden haben, sodass sich aus ihnen erste größere Moleküle bilden konnten. Die betreffenden Elemente sind im interstellaren Staub, in Meteoriten, in Kometen, in der Atmosphäre, im Ozean und in der Erdkruste in unterschiedlichen Konzentrationen vorhanden. Aber jedes größere Molekül benötigt seine eigenen Bedingungen, um aus den Ausgangsprodukten gebildet zu werden. Es ist zum Beispiel nicht denkbar, dass in einem eng begrenzten Umfeld alle notwendigen Komponenten vorhanden waren und sich daraus Aminosäuren, organische Basen oder Zucker bilden konnten. Selbst die in unserem Körper vorhandenen Aminosäuren haben, jede für sich, unterschiedliche Bildungsbedingungen. Sie hängen zum Beispiel ab vom pH-Wert der wässrigen Lösung, der Temperatur oder von den beteiligten Ionen. Aber sehen wir uns erst einmal die wenigen Elemente an, die letztendlich für das Leben notwendig sind, welche Besonderheiten sie besitzen und wie sie in und auf der jungen Erde vertreten waren.

Kohlenstoff

Kohlenstoff ist ein Element, das am Anfang der Erdentstehung überwiegend in Verbindung mit Sauerstoff als Gas oder gelöst im Erdinneren vorkam. Neben der reduzierten Form Kohlenstoffmonoxid (CO) gab es die oxidierte des Kohlenstoffdioxids (CO_2). Durch vulkanische Aktivitäten und durch Austritt aus Bruchzonen der Kruste gelangten die Gase aus dem Erdmantel in die Atmosphäre, wo sie einen wesentlich größeren Anteil hatten als heute. Die Angaben hierzu aus den bisher durchgeführten Untersuchungen variieren stark, da es nur indirekte Nachweismethoden für die Höhe der Konzentration gibt (s. Abschn. 2.4).

Wasserstoff

Unter den Bedingungen der frühen Erde war Wasserstoff im Erdmantel und der Kruste gelöst oder als Gas vorhanden. Er ist, sobald er gasförmig auftritt, wie Stickstoff oder auch Sauerstoff immer durch zwei Atome zu einem Molekül (H_2) verbunden. Mit Sauerstoff bildet H_2 ein Wassermolekül, eine sehr stabile Verbindung, die nur mit größerem Energieeinsatz getrennt werden kann. Der Wasserstoff gelangte durch vulkanische Prozesse oder stetige Ausgasung an Bruchzonen der Erdkruste in die Atmosphäre. Dort konnte er aufgrund der geringen Masse nicht lange gehalten werden und driftete in den Weltraum ab. Unter Bedingungen der oberen Erdkruste kann Wasserstoff mit CO und CO_2 reagieren und langkettige, organische Moleküle bilden. Derartige Moleküle sind zum Teil wichtige Grundbausteine für die Entwicklung komplexerer Moleküle. Eine technische Variante hierzu wird in der Fischer-Tropsch-Synthese genutzt.

Fischer-Tropsch-Synthese

Die Chemiker Franz Fischer und Hans Tropsch entwickelten 1925 am Kaiser-Wilhelm-Institut für Kohlenforschung in Mülheim an der Ruhr ein Verfahren zur Verflüssigung von Kohle, mit dem Ziel, Benzin und andere langkettige organische Verbindungen herzustellen. Die nach ihnen benannte Fischer-Tropsch-Synthese war Grundlage für die Kraftstoffherstellung im Zweiten Weltkrieg, die wegen fehlender Erdölvorkommen und Lieferblockaden aus Braun- und Steinkohle gedeckt werden musste. Das Verfahren verläuft mehrstufig. Zuerst muss aus der Kohle ein Synthesegas hergestellt werden, das aus Kohlenstoffmonoxid und Wasserstoff besteht. Anschließend wird das Gemisch unter bis zu 25 bar Druck gesetzt und auf Temperaturen zwischen 160 und 300 °C erhitzt. Unter Verwendung geeigneter Katalysatoren aus Kobalt oder Eisen reagieren die Komponenten zu langkettigen Kohlenwasserstoffen. Durch Variation von Temperatur und Druck lassen sich verschiedene Produkte gewinnen, die von Kraftstoffen über synthetische Öle bis zu hochwertigen organischen Verbindungen reichen. In Abhängigkeit der verwendeten Katalysatoren entstehen darüber hinaus Aldehyde. Neben anderen Ausgangsprodukten wie zum Beispiel Erdgas oder Biomasse kann auch Kohlenstoffdioxid mit angepassten Synthesebedingungen verwendet werden.

Haber-Bosch-Verfahren

Ein weiteres großtechnisches Verfahren, das Relevanz für Prozesse in der Erdkruste hat, ist das Haber-Bosch-Verfahren zur Herstellung von Ammoniak (NH_3). Für ihre in Zusammenhang mit der Ammoniaksynthese stehenden Forschungsergebnisse erhielten Fritz Haber 1918 und Carl Bosch 1931 den Nobelpreis für Chemie. Ammoniak wird als Grundstoff für verschiedene Stickstoffverbindungen genutzt, die überwiegend für Düngemittel verwendet werden. Wie bei der Fischer-Tropsch-Synthese werden Gase unter Verwendung geeigneter Katalysatoren unter hohen Druck und hohe Temperaturen gesetzt, sodass sich die gewünschte Reaktion einstellt. Für die NH_3-Synthese wird Stickstoff direkt aus der Luft gewonnen und mit Wasserstoff zur Reaktion gebracht. Der Prozess erfolgt bei Drucken von 150–350 bar und Temperaturen zwischen 400 und 500 °C unter Verwendung von eisenhaltigen Katalysatoren.

Stickstoff

Stickstoff ist ebenfalls im Erdmantel gelöst und wurde als Gas mit Abkühlung der Erde nach und nach freigesetzt. Er spielt für die Bildung von Mineralen im Erdmantel und der Kruste kaum eine Rolle. Stickstoff kann unter den Druck- und Temperaturbedingungen des Erdmantels und der Kruste mit Wasserstoff reagieren. Es bildet sich Ammoniak (NH_3), das möglicherweise zu Beginn einen größeren Anteil am Aufbau der Atmosphäre hatte als reiner Stickstoff. Ähnliche Bedingungen werden im Haber-Bosch-Verfahren (s. oben) zur großtechnischen Gewinnung von Ammoniak eingestellt. Weiterhin kann sich mit Wasserstoff und Stickstoff Cyanwasserstoff oder Blausäure (HCN) bilden – ein wichtiger Ausgangsstoff für die Bildung organischer Basen. Stickstoff ist unter Normalbedingungen auf der Erde ein Gas, in dem immer zwei Atome ein Molekül bilden (N_2). In dieser Form ist Stickstoff sehr reaktionsträge. Das Gas bildet heute mit einem Anteil von 78 % den Hauptanteil der Atmosphäre. Hier kann es neben Sauerstoff existieren, ohne mit ihm zu reagieren. Der Bedarf an Stickstoff für die Lebenswelt ist hoch. Obwohl die Ressourcen in der Atmosphäre nahezu unerschöpflich sind, ist Stickstoff aufgrund der Reaktionsträgheit des N_2-Moleküls für biologische Prozesse kaum nutzbar. Es waren in der Evolution bestimmte Entwicklungsschritte erforderlich, die die Voraussetzungen der Nutzbarkeit für die Lebenswelt bei steigendem Bedarf schufen.

Sauerstoff

Sauerstoff ist nach Eisen das zweithäufigste Element der Erde. Es bildet eine Hauptkomponente in den meisten gesteinsbildenden Mineralen, die durch ein Gerüst aus Siliziumdioxidtetraeder (SiO_4-Tetraeder) aufgebaut sind. Siliziumdioxidverbindungen sind chemisch sehr stabil und stehen als Sauerstoffquelle kaum zur Verfügung. Leichter verwendbar für biochemische Prozesse sind das Wassermolekül, aus dem durch unterschiedlichste Reaktionen Sauerstoff oder das Hydroxylradikal (OH-Molekül) verwendet werden kann, sowie die beiden Verbindungen des Kohlenstoffs mit Sauerstoff, Kohlenstoffdioxid und Kohlenstoffmonoxid.

Phosphor/Phosphat

Phosphor kommt weder im Erdinneren noch an der Erdoberfläche in reiner Form vor. Er ist ein wesentlicher Baustein des Kalzium-Phosphat-Minerals Apatit, das in großen Mengen in der Erdkruste enthalten ist. Apatit ist in manchen Gesteinen so stark vertreten, dass es als gesteinsbildendes Mineral gilt. Kommen Apatite in Spalten der Erdkruste mit heißen, sauren Lösungen in Kontakt, lösen sie sich vollständig auf und stellen ausreichend Phosphat für verschiedene Reaktionsschritte zur Verfügung. Phosphat ist eine Phosphor-Sauerstoff-Verbindung, die sehr leicht mit anderen Elementen stabile Verbindungen eingeht und meist Apatit bildet, der an der Erdoberfläche schlecht löslich ist. Es ist der Stoff, aus dem unsere Zähne – die härtesten Bestandteile unseres Körpers – aufgebaut sind.

Bei biochemischen Prozessen ist Phosphat die wichtigste anorganische Verbindung, ein Nährstoff, der für kräftige Algenblüte sorgt, wenn er mit phosphathaltigen Waschmitteln in die Gewässer gelangt. Phosphat bildet das Rückgrat der DNA und RNA und ist Teil der wichtigsten Energieträger der Zelle (Adenosintriphosphat [ATP] und Guanosintriphosphat [GTP]). Es gab so gut wie keine Phosphatquelle auf der Erdoberfläche, die einem beginnenden Leben zur Verfügung gestanden hat, mit einer Ausnahme: In Eisenmeteoriten tritt ein charakteristisches Phosphormineral auf, das vor 170 Jahren von dem österreichischen Chemiker Adolf Patera entdeckt wurde. Er benannte es zu Ehren des Naturwissenschaftlers Karl Franz Anton von Schreibers nach dessen Namen. Schreibersit ist wasserlöslich, sodass die chemische Verwitterung der Meteorite Phosphor freisetzt. Es wird davon ausgegangen, dass sie einen Beitrag zur Phosphatversorgung an der Oberfläche geliefert haben [1].

Heute ist der Sauerstoffgehalt der Atmosphäre die Ursache dafür, dass Phosphor schnell oxidiert und in Kontakt zu Kalzium in einem Mineralgitter fixiert wird. Auf der jungen Erde waren die Verhältnisse ohne Sauerstoff komplexer. Eine Reaktion von Phosphor mit Kohlenstoffdioxid (CO_2) konnte den erforderlichen Sauerstoff bereitstellen, sodass Phosphat (PO_4^{3-}) gebildet wurde.

Schwefel

Schwefel (S) kommt sowohl in reiner Form an der Erdoberfläche als auch in Verbindung mit Metallen oder im Kristallgitter von Mineralen vor. Er ist ein Begleiter vieler magmatischer Prozesse. Vulkanische Gase bringen Schwefel in Verbindung mit Wasserstoff (H_2S) oder Sauerstoff (SO_2) an die Oberfläche, wo er bei ausreichender Konzentration als elementarer Schwefel ausfallen kann. Ein gut erreichbares Beispiel ist der Kraterrand des Vulcano in Süditalien, der Nachbarinsel von Lipari (Abb. 3.1).

Hier haben die heißen Schwefeldämpfe Teile des Kraters mit einem satten Gelb überzogen. Große explosive Vulkanausbrüche befördern das Schwefelgas hoch in die Atmosphäre, wo es als Aerosol einen nicht zu unterschätzenden

Abb. 3.1 Schwefelausfällungen am Kraterrand des Vulcano, Äolische Inseln, Süditalien

Einfluss auf die Strahlungsbilanz des Systems Sonne–Erde ausüben kann. Der Ausbruch des Pinatubo auf den Philippinen im Jahr 1991 führte zum Beispiel im Folgejahr zu einer Abkühlung von 0,5 °C auf der Nordhemisphäre. Schwefel nimmt in der Biochemie eine zum Teil nicht ganz unbedeutende Rolle ein. Zusammen mit Eisen bildet es Eisen-Schwefel-Cluster, die an Enzymreaktionen beteiligt sind. Es gibt darüber hinaus zwei Aminosäuren, die Schwefel enthalten (Cystein und Methionin). Cystein spielt bei der Faltung der Proteine (Aminosäureketten mit mehr als 100 Aminosäuren) eine Rolle, indem es spezielle Brückenverbindungen in den Aminosäureketten ausbildet (Disulfidbrücken).

Jedes der vorgestellten Elemente war zu Beginn ausreichend auf der Erde vertreten und verfügbar, wenn auch, wie im Fall des Phosphors, unter speziellen Bedingungen. Allein ihre Verfügbarkeit gibt keinen Anlass, dass sie sich in Teilen zusammenfinden, miteinander reagieren und komplexe Moleküle bilden. Wir haben mit den Elementen im übertragenen Sinn so etwas wie Buchstaben, mit denen wir Wörter bilden können. Es ist nicht bekannt, wie lang die Wörter und die Reihenfolge der Buchstaben sein sollen, welche Bedeutung die Wörter haben, wie sie in Sätze zu integrieren sind und welche Grammatik den Sätzen einen Sinn gibt. Es gibt keine Anleitung, die darauf hinweist, dass daraus Kapitel, Seiten und Bücher geschrieben werden können, die Informationen speichern oder Handlungsanweisungen geben. Wenn also lediglich die nackten Buchstaben als große Ansammlung vor uns liegen, müssen grundlegende Regeln definiert werden, die ein sinnvolles Kombinieren der Buchstaben ermöglichen. In der Chemie unterliegen alle Elemente physikochemischen Naturgesetzen. Durch sie werden die Möglichkeiten vorgegeben, Verbindungen mit anderen einzugehen oder diese wieder zu verlassen. Das Verständnis der Gesetzmäßigkeiten ist Voraussetzung dafür, die Schritte auf dem Weg zum Leben, „die Wörter, Sätze, Seiten und ganzen Bücher", im Übergang von der rein anorganischen Chemie zur organischen Chemie und Biochemie nachvollziehen zu können.

3.2   Die Chemie hat ihre eigenen Gesetze

Chemische Reaktionen zwischen Molekülen verlaufen in einer komplexen Art und Weise, die sich in einem für jede Reaktion typischen Energiediagramm darstellen lässt. Neben den Reaktionsenergien muss die Reaktionsgeschwindigkeit als eine weitere bedeutende Größe berücksichtigt werden. In einem geschlossenen System stellt sich immer ein Gleichgewicht zwischen den Edukten, den Ausgangsmolekülen, und den Produkten, den neu entstandenen Stoffen, ein. Kommt es zu einer Verbindung von zwei Molekülen (wobei die eigentliche Anzahl der Moleküle bei kleinsten von uns verwendbaren Mengen immer gleich astronomisch hoch wird), so gibt es gleichzeitig auch einen Zerfall dieser vorab gebildeten Verbindung. Jetzt kommt es darauf an, auf welcher Seite das Gleichgewicht liegt. Vergleichbar ist dies mit einer Balkenwaage, die im Gleichgewicht ist, obwohl die Gewichte auf beiden Seiten sehr unterschiedlich verteilt sind. Erreicht wird die Balance durch die Lage des Drehpunktes, der nicht mittig unter dem Balken liegt. Die Seite mit dem höheren Gewicht hat den kürzeren Balken, die andere den entsprechend längeren, um in das Gleichgewicht zu kommen. So gibt es Reaktionsgleichgewichte, die zum überwiegenden Anteil zum Reaktionsprodukt führen und wenig Edukte auf der anderen Seite belassen. Trotzdem wandelt sich ein Teil des Reaktionsprodukts wieder in die Edukte zurück. Das läuft ständig hin und her, mit dem Ergebnis, dass sich von außen gesehen irgendwann ein Gleichgewicht eingestellt hat, mit der Bevorzugung der einen oder anderen Seite. Es handelt sich hierbei also nicht um ein statisches, sondern um ein dynamisches Gleichgewicht. Eine besondere Bedeutung bekommt die Reaktionsgeschwindigkeit bei der Bildung großer organischer Moleküle, wie der RNA oder DNA. Viele Versuchsreihen in den Laboratorien haben gezeigt, dass für die Entwicklung eines langen RNA-Stranges unter präbiotischen Bedingungen ein bislang noch nicht gelöstes Problem besteht. Der Zerfall einer RNA zu kleineren Strangabschnitten erfolgt schneller als der Aufbau zu längeren Ketten. Soll das Modell der RNA-Welt plausibel werden, müssen daher Bedingungen oder Katalysatoren gefunden werden, die die Entwicklung langer RNA-Moleküle ermöglichten, so wie es mit den heutigen Enzymen in der Zelle geschieht.

3.3 Katalysatoren beschleunigen die Reaktion erheblich

Bei einigen chemischen Reaktionen sind die Geschwindigkeiten der Produktbildung so langsam und der Zerfall der gebildeten Produkte so hoch, dass das Gleichgewicht fast vollständig auf der Seite der Ausgangsprodukte liegt. Mit anderen Worten, sie reagieren so gut wie nicht miteinander. Nehmen wir eine große Schale, an deren Außenrand zwei Kugeln genau gegenüber festgehalten werden. Jede Kugel – sie stehen hier stellvertretend für jeweils ein Molekül – hat an einer Stelle einen sehr kleinen Magneten, die eine den positiven, die andere den negativen Pol. Wir lassen die Kugeln gleichzeitig los, sie rollen schnell in die Mitte der Schale, verfehlen sich oder treffen sich. Im letzten Fall schlagen sie fest gegeneinander und stoßen sich wieder ab. Hierdurch laufen sie wieder den Rand zum Teil nach oben, kehren um und können sich erneut wieder treffen oder verfehlen. Durch leichtes Schwingen der Schale bleiben die Kugeln immer in Bewegung. Nach vielen Versuchen treffen die beiden Kugeln irgendwann einmal genau mit den kleinen Magneten so zusammen, dass sie aneinanderhaften bleiben. Sie haben es geschafft, eine Verbindung einzugehen. Auf diese Art und Weise können wir uns die meisten chemischen Reaktionen vorstellen. Jetzt lässt sich die Treffsicherheit in vielen Fällen dadurch erhöhen, dass ein Katalysator eingesetzt wird. Dies ist ein chemisches Werkzeug, das die Reaktion beschleunigt, ohne selbst verbraucht zu werden. Das Gleichgewicht der Reaktion wird allerdings nicht verschoben. Lediglich die Bildung der Produkte (und deren Zerfall) werden beschleunigt. Mit einer Trennung der Produkte vom Reaktionsprozess kann man die Ausbeute steigern. Im Fall eines Enzyms kann man sich den Katalysator wie eine Rohrzange vorstellen, die in der Lage ist, eine der Kugeln so festzuhalten, dass der kleine Magnet optimal nach außen gerichtet ist. Die Wahrscheinlichkeit, dass die zweite Kugel mit ihrem eigenen Magneten genau auf den anderen der festgehaltenen Kugel trifft, ist jetzt viel höher. In der Natur haben sich Enzyme als perfekte Katalysatoren entwickelt. Es sind lange, kompliziert gefaltete Aminosäureketten, die Taschen für jeweils ganz bestimmte Moleküle bereitstellen. Sie halten zum Beispiel Aminosäuren im wässrigen Milieu so perfekt fest, dass sie mit einer RNA (z. B. der Transport-RNA [tRNA]) verbunden werden können. Auch die Verknüpfung von zwei Aminosäuren im Wasser allein durch zufälligen Kontakt findet kaum statt. Der Grund liegt darin, dass die Verbindung nur zustande kommt, wenn von jeder der beiden beteiligten Aminosäuren ein Baustein abgegeben wird: ein Wasserstoffatom auf der einen und ein OH-Molekül auf der anderen Seite. Die beiden Bausteine werden im selben Schritt zu einem Wassermolekül verbunden und abgegeben. An den frei werdenden Stellen der Aminosäuren findet anschließend die Verknüpfung statt. Und das ist das Problem, wenn die Reaktion im Wasser stattfinden soll: Dort sind bereits überall Wassermoleküle vorhanden, die die Reaktionspartner umgeben und sie voneinander fernhalten. So sorgen sie dafür, dass die Abgabe des Wasserstoffatoms und des OH-Moleküls nur selten stattfinden kann. Dies ist aber eine Voraussetzung für die Freigabe der Verbindungsstellen an den beiden Aminosäuren, damit sie verknüpft werden können. Es stellt sich die Frage, wie Aminosäuren in der Frühphase der Erdentwicklung chemisch zu längeren Ketten reagieren konnten, und zwar im Wasser, das als Hauptmedium für die organische Chemie angenommen wird. Eine Möglichkeit wäre, das Wasser außen vor zu lassen – zumindest zeitweise, wie es bei zyklischem Trockenfallen in flachen Tümpeln der Fall ist –, oder durch Wasserentzug, wie er an einer Grenzfläche von Mineralen auftreten kann. Am leichtesten wären die Reaktionen in einem organischen Lösungsmittel abgelaufen. Hier finden die Verknüpfungen ohne Gegenspieler statt, die die Abgabe des Wassermoleküls behindern. Aber wo sollte in der Frühzeit der Erdentwicklung ein organisches Lösungsmittel wie zum Beispiel Alkohol oder Terpentin herkommen? Erst durch den Abbau von Organismen wurden die Voraussetzungen für die Bildung dieser Lösungsmittel geschaffen. Der Weg hierzu war komplex. Er bestand aus dem Ansammeln von Biomasse in sandigen und tonigen Sedimenten, ihrer langsamen Umwandlung unter Druck, den nachfolgend auflagernde Sedimentschichten ausübten, und Temperaturen, wie sie in der Tiefe von einigen Tausenden Metern auftreten, und das alles in sehr langen geologischen Zeiträumen. Erst hierdurch – durch einen langsamen Umbau der Biomasse und das anschließende Sammeln der fließfähigen Anteile in kleinen Porenräumen – entstand Erdöl, aus dem wir einen Großteil unserer organischen Lösungsmittel gewinnen.

3.4 Verdünnung – keine Reaktion ohne Konzentration

Mit dem Bild der Erdölentstehung wird bereits deutlich, dass für biochemische bzw. organisch-chemische Reaktionen eine hohe Konzentration der beteiligten Komponenten vorliegen muss, um in realistischen Zeiträumen neue Reaktionsprodukte zu bekommen. Angenommen, es gab einen Prozess, der alle für die Entwicklung des Lebens erforderlichen Bausteine zur Verfügung stellte und sie nach und nach in den Ozean entließ. Es ist leicht vorstellbar, dass die Konzentrationen von Aminosäuren, Basen und Zuckern unendlich groß gewesen sein müssten, damit sich einzelne Moleküle in den Weiten der Meere überhaupt jemals wieder treffen konnten. Ein Vorgang, der eine ständige Auslese von Molekülen und ein fortwährendes Kombinieren mit hohen Konzentrationen benötigt, ist im freien Ozean nicht denkbar. Wenn entsprechende Bausteine des Lebens ins Meer gelangten, lag eine unendliche Verdünnung vor. Von einer Ursuppe des frühen Ozeans kann keine Rede sein. Eine Anreicherung in flachen Gewässern der Randbereiche von Vulkaninseln oder ersten Kontinenten hätte eine Alternative sein können. Allerdings gab es in diesen Zonen das Problem der ständigen Überflutungen durch starke Gezeitenwellen und besonders nach Meteoriteneinschlägen. Hierdurch wäre jedes Mal ein Großteil der Moleküle in den offenen Ozean ausgewaschen worden, wodurch die notwendige Masse der Reaktionspartner verloren gingen. Nein, jedes plausible Modell erfordert einen Transport von Molekülen zu der Stelle, an der die Reaktionen stattfinden können. Hierbei ist eine hohe Konzentration mit ständigem Nachschub genauso wichtig wie eine Abfuhr überflüssiger Komponenten. Dieser letzte Aspekt ist erst in den letzten Jahren deutlich geworden. Es hat sich gezeigt, dass bei ständiger Zufuhr organisch-chemischer Verbindungen in einen geeigneten Bereich, in dem die Moleküle reagieren können, die Reaktionsfähigkeit nach und nach zum Erliegen kommt. Der unbrauchbare Teil muss ständig entsorgt werden, sonst wird der Brei zu dick, die Bildungsprozesse ersticken. Letztendlich entsteht Teer, dessen Bildung als ein mögliches Problem erkannt wurde [2]. Bei allen Überlegungen, die die Bildung der ersten Zelle zum Ziel haben, muss von Anfang an das Teerproblem berücksichtigt werden. Es kommen daher nur Umgebungen infrage, die ein offenes System mit Zu- und Abfuhr der Reaktionsstoffe garantieren.

3.5   Entropie und kein Ende

Und dann gibt es noch das Lieblingsstichwort der Physikochemiker, die Entropie, eine sehr wichtige thermodynamische Zustandsgröße. Gleich zu Beginn der Diskussion um die Entstehung des Lebens stellte sich die Frage, wie sich die Entropie in Bezug auf das Leben verhält. Im Grunde arbeitet das Leben gegen die Entropie. Was meinten die Kollegen aus der physikalischen Chemie mit den Fragen, was Entropie ist und warum sie eine so wichtige Größe ist?

Eigentlich ist es unglaublich: Es ist ein Begriff, den kaum jemand kennt. Dabei ist die Entropie mindestens genauso wichtig für alle Prozesse im Weltraum und um uns herum wie die Energie. Die meisten, die schon einmal etwas von ihr gehört haben, können sie nicht genau einordnen, und nur wenigen Spezialisten ist die Bedeutungsschwere dieses Begriffs richtig bewusst. Entropie wird umgangssprachlich auch als ein Maß für –die Unordnung bezeichnet. (Eltern kennen übrigens bestens den Vorgang der Entropieerzeugung in den Zimmern ihrer Kinder.)

Gäbe es die Entropie nicht, gäbe es das Weltall, wie wir es kennen, nicht. Gleich mit dem Beginn, wie immer er auch aussah, spielte die Entropie eine entscheidende Rolle. Das Weltall startete mit der Ausdehnung – ein Prozess, der bis heute anhält. Man kann auch vereinfacht sagen, die Unordnung im System Weltall nahm und nimmt zu. Und so ist das überall, im Großen wie im Kleinen: bei den einfachsten chemischen Reaktionen, bei komplexen physikalischen Vorgängen oder bei Abläufen, die wir selbst gestalten. Bei allen Reaktionen muss es in der Summe eine Zunahme der Entropie geben. Ein gutes Beispiel ist das Gefrieren von Wasser. Wenn Wasser gefriert, bilden sich Eiskristalle. Kristallisation bedeutet, dass jedes Wassermolekül einen festen Platz in einem bestimmten Abstand zu seinem Nachbarmolekül einnimmt und nicht mehr beweglich ist wie im flüssigen Zustand. Es bildet sich ein Kristallgitter mit einem hohen Maß an Ordnung. Dieses Bild ist vergleichbar mit einer Menschenmasse in einer Fußgängerzone vor einem Schlussverkauf oder der gleichen Anzahl an Personen, die für eine Militärparade in immer gleichem Abstand auf einem Paradeplatz stehen.

Kristallisation bzw. Ordnung verstößt somit eindeutig gegen das Prinzip der Entropiezunahme. Um das Entropieprinzip, das heißt die notwendige Erhöhung der Entropie bei einem Vorgang, dennoch zu erfüllen, wird bei der Einnahme der Wassermoleküle auf ihren Plätzen im Gitter Wärme erzeugt und nach außen abgegeben. Hierdurch wird die Entropie insgesamt größer, als sie vor dem Gefrierprozess war. Den Wärmeabgabeprozess machen sich die Obstbauern zunutze, wenn im Frühjahr die Blüte der Obstbäume bei einem

Kälteeinbruch zu erfrieren droht. Sie besprühen die Blüten mit Wasser, welches kristallisiert und dabei so viel Wärme freisetzt, dass die Blüten keinen Schaden nehmen. Um das Eis wieder aufzutauen, muss entsprechend wieder Wärmeenergie zugeführt werden, wodurch die geordneten Plätze im Gitter aufgegeben und die Wassermoleküle in eine ungeordnete Bewegung als flüssiges Wasser überführt werden. Auch hierbei erhöht sich die Entropie.

Wir selbst erleben dieses Prinzip übrigens häufig genug am eigenen Körper. Das Aufräumen der Wohnung erhöht insgesamt die Entropie, obwohl Ordnung geschaffen wird und dabei lokal im Zimmer die Entropie abnimmt. Wir werfen vieles weg, das weit entfernt von uns entsorgt wird. Wir schwitzen und geben somit Wärme ab. All dies erhöht die Entropie. Oder nehmen wir die Computer: Hier läuft allein beim Schreiben einer E-Mail eine große Anzahl ordnender Prozesse ab. Wie wird die Entropie erhöht? Wir hören es an den Laufgeräuschen des Lüfters: durch Wärme, die fortwährend abgeführt werden muss. Die großen Rechenzentren und Serverstationen haben genau dieses Problem: die Abfuhr der Wärme, die den ordnenden Prozessen in ihren Geräten auf dem Fuße folgt.

Bei einer chemischen Reaktion gibt es eine weitere Möglichkeit, das Problem der Entropieerhöhung zu lösen. Jedes Mal, wenn zwei Moleküle reagieren, entsteht Ordnung. Reagiert ein großes Molekül mit einem kleineren, kann das große Molekül mit dem kleineren verbunden werden, indem ein Teil von ihm abgespalten wird. Hierbei muss die Abspaltung zu einer etwas höheren Entropie führen, als durch die Reaktion mit dem kleinen Molekül an Entropie verringert wird. Gleichzeitig kann zusätzlich Wärme abgegeben werden.

Die Beispiele zeigen, dass in der organischen Chemie mit dem Aufbau komplexerer Moleküle ein Vorgang stattfindet, der gegen das Entropieprinzip verstößt. Es kann nur umgangen werden, indem Wärme abgegeben wird (Abb. 3.2) oder an anderer Stelle gebildete größere Moleküle in kleinere zerlegt werden. Und zumindest für die Wärmeabgabe ist eine vorgeschaltete Energiequelle erforderlich.

Am Anfang der Lebensentwicklung stand überwiegend chemische Energie, Wärmeenergie oder potentielle Energie zur Verfügung. Erst später bildeten sich biologische Zellen, die Energie aus bereits vorhandenen organischen Molekülen bzw. aus dem Sonnenlicht beziehen konnten (Konsumenten bzw. Produzenten). Letztendlich dreht sich in einem Lebewesen alles nur um Entropie. Alle biochemischen Reaktionen bewirken in der Summe, dass eine Entropieerhöhung in der Umgebung und eine Entropieabnahme in den Zel-

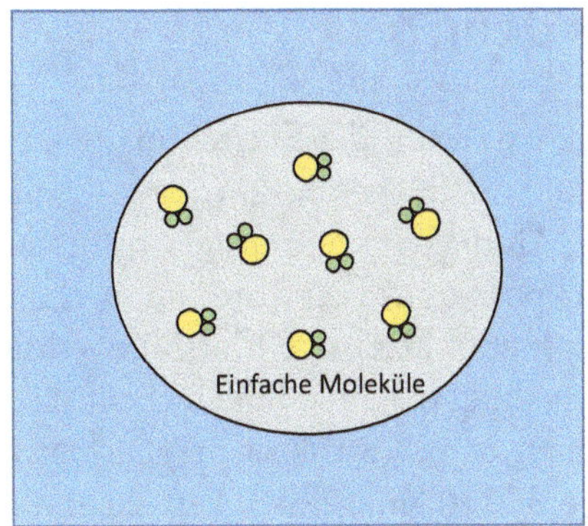

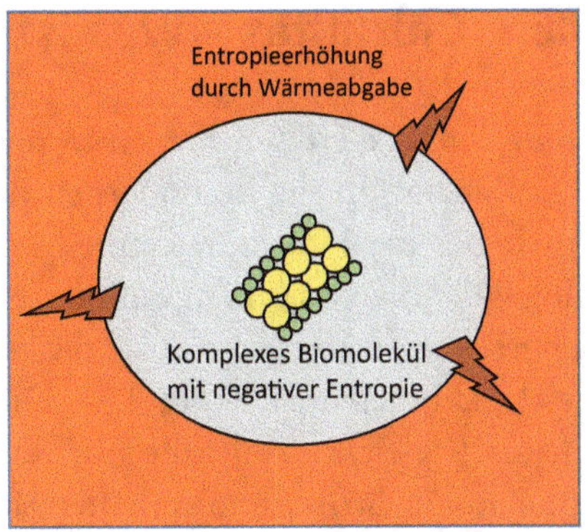

Abb. 3.2 Die Erzeugung biologischer Ordnung in einer Zelle erfolgt durch spontane Wärmeabgabe an die Umgebung

len vollzogen werden. Wir benötigen Nahrung, weil sie uns die erforderliche Energie für die Entropieerhöhung in Form der Wärmeabgabe liefert. Nur dadurch finden die Reaktionen der Moleküle miteinander in unserem Körper statt. Ist die Umgebungstemperatur zu hoch, können die Zellen keine Wärme mehr abgeben. Die Folge ist das Ausbleiben der Entropieerhöhung und somit der Molekülreaktionen. Das System Zelle stirbt. Den Prozess des Lebens zu beginnen, heißt somit, den Kampf gegen die Entropie aufzunehmen.

Wir sehen aus unserer heutigen Sicht als wärmeabgebende Lebewesen tatsächlich, dass die Gesetzmäßigkeiten der Entropie auf dem Weg zum Leben eingehalten wurden – eine der wesentlichen Voraussetzungen für unsere Existenz. Auch die anderen beschriebenen Parameter wie Konzentration der Moleküle, katalysatorgestützte Reaktionsgeschwindigkeiten oder Zu- und Abfuhr von Komponenten waren jeder für sich von entscheidender Bedeutung und trugen im notwendigen Verhältnis zur Entwicklung bei. Um ein Verständnis für die Entstehung des Lebens zu bekommen, müssen all diese Faktoren in ihrem Zusammenspiel verstanden werden. Und dabei taucht eine weitere Besonderheit der organischen Chemie auf: Es geht um die Händigkeit, die Orientierung der Moleküle im Verhältnis zu einem Bezugssystem. Auf den ersten Blick erscheint sie als ein zweitrangiges Phänomen, aber bei genauer Betrachtung wird ihre Bedeutung schnell klar. Zwei Aminosäuremoleküle können zum Beispiel bei gleicher Zusammensetzung zwei verschiedene Strukturen besitzen und dadurch jeweils unterschiedliche Eigenschaften in komplexen organischen Molekülen hervorrufen. Sie werden als chiral bezeichnet. Innerhalb dieser Moleküle befinden sich gleiche Bausteine an unterschiedlichen Stellen.

3.6 Chiralität – was ist das denn?

Es ist eine der großen Fragen in der Diskussion um die Entstehung des Lebens. Sie betrifft die Besonderheit der unterschiedlichen Struktur zweier chemisch gleicher Moleküle. Gemeint ist die Händigkeit bestimmter organischer Moleküle, die von einem definierten Blickpunkt aus betrachtet unterschiedlich ist, wie die der linken und der rechten Hand. Derartige Moleküle werden als chiral bezeichnet (Abb. 3.3). Die Ermittlung der Händigkeit dient dazu, chemisch gleiche Moleküle mit Variationen in der Struktur vergleichen zu können. Die Strukturen verhalten sich wie Bild zu Spiegelbild. Festgelegt werden die Händigkeiten anhand der Orientierung bestimmter Atome in Bezug auf das zentrale Kohlenstoffatom. Durch die chemische Evolution wurden bereits in der frühesten Phase bestimmte Strukturen in der Ausbildung komplexer Moleküle bevorzugt. In der Chemie gibt es aus der Historie heraus verschiedene Zugänge, die Struktur der Händigkeit zu definieren. Bekannt sind die links- oder rechtsdrehenden Milchsäuren. Auch für Aminosäuren und Zucker gibt es entsprechende Angaben. Hintergrund für diese Aussagen ist, dass zu Beginn der Forschung in diesem Gebiet die Händigkeit eines Moleküls anhand der Drehung durchgeleiteten, polarisierten Lichtes bestimmt wurde. Es weist zum Beispiel bei einem Molekül nach links, bei dem spiegelbildlich gleichen nach rechts. So finden sich in der Literatur für Aminosäuren oder auch Zucker Kennzeichnungen mit dem Buchstaben L für links (lat. „laevus") und D für rechts (lat. „dexter"). Bemerkenswert ist, dass bei einer Herstellung der Moleküle im Labor die Varianten D und L immer gleich häufig auftreten, bei der Bildung durch biologische Prozesse aber immer eine davon (L oder D) dominiert. So liegen die Aminosäuren in biologischen Zellen bis auf wenige Ausnahmen in der L-Form und der Zucker in der DNA

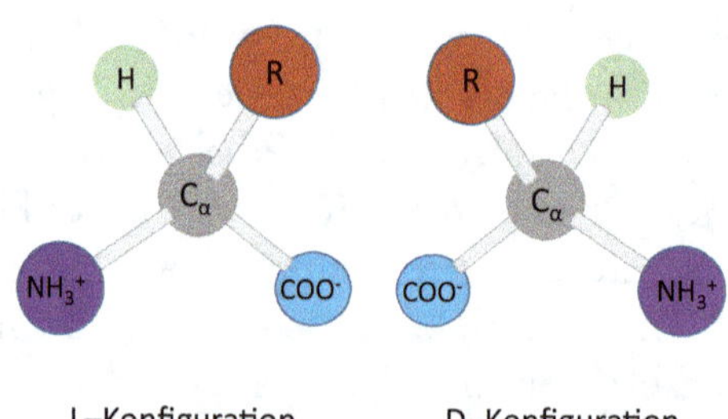

Abb. 3.3 Darstellung der L- und D-Konfiguration einer chiralen Aminosäure. Die beiden Moleküle lassen sich durch Übereinanderlegen nicht in Deckung bringen. C_α = zentrales Kohlenstoffatom, H = Wasserstoff, NH_3 + = protonierte Aminogruppe, COO^- = deprotonierte Carboxygruppe, R = variable Seitenkette

(Desoxyribose) bzw. der RNA (Ribose) immer in der D-Form vor. Es gibt aber auch Moleküle, die nur eine Strukturform besitzen. Sie sind achiral. Die in biologischen Zellen vorkommenden Aminosäuren sind bis auf eine Ausnahme alle chiral. Nur Glycin, die am einfachsten aufgebaute Aminosäure ist achiral.

Was heißt chiral genau? Es bedeutet, dass zwei chemisch identische Moleküle (oder Produkte) unterschiedliche Formen haben, die sich nicht miteinander zur Deckung bringen lassen. Als Vergleich werden häufig die Hände (daher die Händigkeit) herangezogen. Wenn wir in ihre Innenseite schauen und sie mit dieser Ausrichtung übereinanderlegen, befindet sich der Daumen der einen Hand auf der linken und derjenige der anderen Hand auf der rechten Seite. Genauso verhält es sich mit der Drehrichtung von Korkenziehern für Links- und Rechtshänder oder mit links- und rechtsdrehenden Schneckengehäusen. Wir können aber auch die Füße betrachten (Abb. 3.4a), womit wir gleichzeitig ein Gegenbeispiel, die Socken, anführen können. Socken (ungetragen) sind achiral (Abb. 3.4b).

Warum ist die Bevorzugung einer bestimmten Molekülstruktur so eine wichtige Fragestellung? Werden Aminosäuren abiotisch, durch nichtbiologische Prozesse, gebildet, entstehen immer zu gleichen Teilen die L- und D-Spezies (sogenannte Enantiomere), unabhängig davon, in welchem Umfeld sie entstehen. Es bildet sich ein sogenanntes Racemat, eine 1:1-Mischung beider Spezies. Das Bemerkenswerte daran ist, dass die chemischen und physikalischen Eigenschaften der Moleküle, egal ob sie der L- oder D- Form angehören, völlig gleich sind. Biologisch dagegen sind sie sehr verschieden, da es beim Einbau der Enantiomere in größere Moleküle sehr genau auf die Struktur ankommt. Es ist wie bei dem Einbau einer Wendeltreppe in ein Haus mit mehreren Stockwerken, deren Teilstücke immer die gleiche Drehung aufweisen sollten. Wird ein Teilstück falsch, also in die entgegengesetzte Richtung gedreht, geliefert, lässt sich die Treppe nicht mehr wie vorgesehen in dem Treppenhaus einbauen.

Welchen Einfluss die Struktur bei gleicher chemischer Zusammensetzung hat, zeigt das Schmerzmittel Contergan. Während die Substanz in der einen Form ein gefahrloses Beruhigungsmittel ist, führt die andere bei Einnahme während der Schwangerschaft zu schweren Fehlbildungen der Gliedmaßen bei den Nachkommen. Jeder, der in die Diskussion um die Entstehung des Lebens einsteigt, wird nach dem zweiten Satz mit der Frage konfrontiert, wie es sich denn mit der Chiralität verhält.

So war es auch in allen Diskussionsrunden, in denen wir uns zusammengefunden hatten. Von Anfang an wurde ein Teil der geistigen Kapazitäten für dieses Thema verbraucht. Welche Mechanismen haben bei gleichem Mengen-

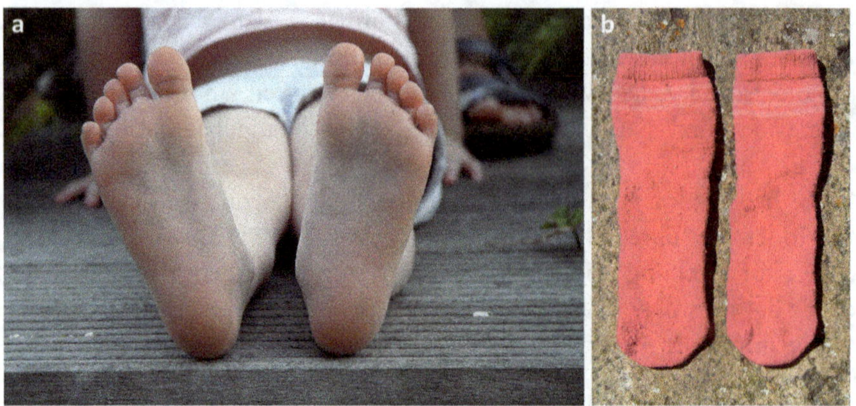

Abb. 3.4   **a** Beispiel chirale Struktur der Füße, **b** Socken sind achiral

angebot und gleichem chemischem Verhalten der Moleküle dazu geführt, dass sich jeweils nur eine Konfiguration durchsetzte [3]? Die Ursachen und der Zeitpunkt der Festlegung auf die entsprechende Form sind bislang unbekannt. Eine der jüngsten Entdeckungen ist der Einfluss von zirkular polarisiertem Licht im Weltraum auf das Gleichgewicht von L- und D-Aminosäuren, die in Meteoriten vorkommen. Das Verhältnis ist zugunsten der L-Spezies verschoben [4]. Sollte dies die Ursache für die heute dominanten L-Aminosäuren auf der Erde sein, müsste vorausgesetzt werden, dass am Anfang ein wesentlicher Anteil organischer Moleküle aus dem Weltall als Ausgangsstoff für die Zellbildung zur Verfügung stand. Aber es gibt auch eine recht einfache Lösung, die in Kap. 8 vorgestellt wird.

Das Phänomen der Chiralität bekommt dann Bedeutung, wenn es um die Anreicherung und Auswahl der ersten Moleküle für die Zellentwicklung geht. Es treten immer beide Konfigurationen der Moleküle in Konkurrenz zueinander auf. Es muss daher ein Mechanismus identifiziert werden, der die eine Richtung bevorzugte. Die Festlegung auf eine Händigkeit bei Aminosäuren ist dann entscheidend, wenn es um die Bildung größerer Moleküle wie Proteine und Enzyme geht. Obwohl die chemischen Eigenschaften der beiden verschieden orientierten Aminosäuren identisch sind, können diejenigen mit der D-Konfiguration in einer Welt aus lauter L-Aminosäuren nicht viel bewirken. Eine wahllose Verbindung von linkshändigen und rechtshändigen Aminosäuren führt zu einer ungeordneten Kette, die andere Eigenschaften aufweist als Ketten mit durchgehend nur einer Händigkeit der Aminosäuren. Wenn die Ketten ausschließlich aus der D- oder der L-Version bestehen, kommt es schneller zur Faltung. Die wiederum führt zu stabileren Strukturen und bewirkt so eine längere Lebensdauer des Moleküls. Die Festlegung auf nur eine Händigkeit in allen von LUCA ausgehenden Zellen ist ein Hinweis auf die besondere Bedeutung längerer Aminosäureketten. Sie haben vermutlich von Beginn an eine entscheidende Rolle gespielt. Ihre Faltung in eine definierte dreidimensionale Struktur war die Voraussetzung für die Entwicklung spezifischer katalytischer Funktionen, die, wie später gezeigt wird, entscheidende Unterstützung bei der Bildung komplexer Moleküle geliefert haben [5].

Literatur

1. Pasek MA (2017) Schreibersite on the early earth: scenarios for prebiotic phosphorylation. Geosci Front 8(2):329–335
2. Benner SA (2014) Paradoxes in the origin of life. Orig Life Evol Biosph 44:339
3. Meierhenrich U (2008) Amino acids and the asymmetry of life. Springer, Berlin
4. Sugahara H, Meinert C, Nahon L, Jones NC et al. (1866) D-amino acids in molecular evolution in space – absolute asymmetric photolysis and synthesis of amino acids by circularly polarized light. BBA Proteins and Proteomics 7:743–758
5. Englander SW, Mayne L, Kan Z-Y, Hu W (2016) Protein folding – how and why: by hydrogen exchange, fragment separation, and mass spectrometry. Annu Rev Biophys 45:135–152

4

Wirklich hilfreich: Ein kurzer Abriss zu Abläufen in heutigen biologischen Zellen

Inhaltsverzeichnis

4.1   Das Problem der Eingrenzung

Vom heutigen Standpunkt der Wissenschaft aus lässt sich die Entstehung der ersten selbstvermehrenden Zelle von zwei Seiten betrachten: vorwärts gewandt, von der Bildung der ersten organischen Moleküle bis zum Auftreten von LUCA aus, und rückwärts gewandt, ausgehend vom Wissen über die heutigen Zellen zu immer einfacheren Formen. Im zweiten Fall müssen die funktionalen Bausteine auf ihre minimale Ausstattung reduziert werden, ohne dass die charakteristische Grundfunktion verloren geht. Dieser Fall ist vergleichbar mit einer Großstadt, die mit den Jahrhunderten gewachsen ist und deren ursprünglicher Ortskern gesucht wird. Schon dieser kleine Kern hatte grundlegende Strukturen wie Energie und Wasserversorgung, Material- und Informationsfluss. Alles wurde ständig weiterentwickelt und hielt den größer werdenden Stadtkomplex funktionsfähig zusammen. Die Bausteine in den heutigen Zellen, jeder für sich, haben Milliarden Jahre lange Entwicklungen

© Der/die Autor(en), exklusiv lizenziert an Springer-Verlag GmbH, DE, ein Teil von
Springer Nature 2026
U. C. Schreiber, C. Mayer, *Das Geheimnis um die erste Zelle*,
https://doi.org/10.1007/978-3-662-72716-4_4

hinter sich, mit ständigen Veränderungen, Zuwächsen und Anpassungen. Den funktionalen Kern der „Molekülgroßstädte" zu entdecken ist mit viel Aufwand verbunden. Aber es kann sich lohnen, wenn hierdurch eine Brücke zur anderen Seite, der vorwärts gewandten, geschlagen werden kann. Um dies deutlich machen zu können, sind im Folgenden die wichtigsten Punkte über Bausteine und Reaktionsschritte in unseren Zellen zusammengestellt.

Es ist nicht einfach, die Prozesse zu verstehen, die in unseren Zellen zum Erhalt von sich selbst so präzise ablaufen, dass sie über einen Zeitraum von mehr als 3,5 Mrd. Jahren überlebt haben. Diese Präzision erfordert so viele Reaktionsschritte, dass die Grundlagen, die zur ersten selbstvermehrenden Zelle führten, völlig überdeckt sind. Es ist, als wollten wir aus der Technik eines der modernsten Flugzeuge auf die Entstehungsgeschichte der Steinaxt schließen. Trotzdem müssen wir bei allen Überlegungen zum Ursprung des Lebens verstehen, welche Abläufe heute in unseren Zellen stattfinden. Sie bilden das eine Ende der Entwicklungslinie. Für das andere Ende, den Anfang, ist es hilfreich, Vereinfachungen vorzunehmen oder sogar Vorgänge aus unserer technischen Welt zum Vergleich heranzuziehen. Werden die Vorgänge in lebenden Körpern betrachtet, tut sich eine extrem komplizierte, auf das Feinste abgestimmte Welt chemischer und physikochemischer Prozesse auf, die noch weit davon entfernt ist, in ihrer Gesamtheit aufgeschlüsselt zu werden. Nur wenige Spezialisten sind in der Lage, einzelne Schritte in der Vielfalt der Reaktionen zu verstehen. Dennoch lassen sich Grundprinzipien mit Modellen aus der uns vertrauten technischen Welt erkennen. Alles, was in einer Zelle an Reaktionsschritten abläuft, ist eingebunden in zwangsläufig aufeinanderfolgende Reaktionen, die jeweils die nächsten Schritte vorgeben.

Als Vergleich kann ein Spielzeug dienen, bei dem eine Kugel an der höchsten Stelle einer Rollbahn eingesetzt wird und die vorgegebene Bahn in zahlreichen Windungen durchläuft. Hierbei stößt sie andere Kugeln an, die wiederum zur Seite in eigene Bahnen rollen und dort weitere Kugeln mit jeweils zugehörigen Rohrleitungen, Kanälen oder Rinnen in Gang setzen. Unterwegs werden Schalter und Mechanismen passiert, die spezielle Funktionen starten. Das Ganze wird jeweils beendet, wenn die Kugeln ihr tiefstes Niveau erreicht haben. An dieser Stelle ist Energie von außen nötig, um sie wieder in ihre Ausgangsposition zu bringen. Jede Aktion an einer der Kontaktstellen oder Schalter kann nur dann stattfinden, wenn vorher genau die Abfolge der Kugelbewegungen erfolgt ist, die zur weiteren Reaktion notwendig ist.

Was in dem komplizierten Spielkasten mechanisch abläuft, erfolgt in der Zelle nacheinander durch chemische Reaktionen. Fällt eine Reaktion aus – das würde dem Verklemmen einer Kugel auf ihrem Weg nach unten entsprechen –, bricht die Folge ab, und das System stirbt, es sei denn, es greifen aufwendige Sicherungssysteme zum Erhalt, so wie sie im Zuge der Evolution immer komplexer ausgestaltet wurden. Was wir heute sehen, ist in Anlehnung an dieses Rollbahnmodell eine unendliche Anzahl verzweigter Bahnen, auf denen ständig Bewegung durch rollende Kugeln stattfindet. Die Energie, die notwendig ist, um die Kugeln immer wieder in ihre höchsten Positionen zu bekommen, wird durch gezielte Aufnahme von außen in Form von Nahrung oder wie bei den Pflanzen durch Sonnenenergie gedeckt.

Aus der heutigen Anzahl an Rollbahnen und deren Abhängigkeiten zueinander auf die Anfänge dieses System zu schließen, ist bisher nicht gelungen und erscheint fast unmöglich. Gesucht wird die erste Bahn mit der ersten Kugel, nach der sich alle weiteren Bahnen entwickelten. Hierbei muss es nicht in Zahlen zu beziffernde Versuche gegeben haben, diese erste Bahn mit immer neuen Varianten zu kombinieren. Nur die einzelne Kombination, die eine Fortschreibung des Prinzips oder vielleicht sogar eine Verbesserung ermöglichte, blieb erhalten. Alle anderen Ansätze wurden zwangsläufig abgebrochen. Von dieser ersten Bahn zu dem zu kommen, was wir heute als die Frühphase der drei Entwicklungslinien des Lebens erkennen können, war es noch ein großer Schritt, der sich durch eine tiefe Dunkelheit auszeichnet. Bereits die ältesten identifizierbaren Vertreter dieser Linien waren in ihrer Entwicklung schon so weit voneinander entfernt, dass aus der Kenntnis ihrer Eigenschaften nur wenig auf den allen gemeinsamen Vorfahren LUCA geschlossen werden kann. Immerhin ist es aber möglich, das Genom verschiedenster Prokaryoten, das für die Bildung von Proteinen genutzt wird, zu vergleichen. Hieraus lässt sich ein Pfad erkennen, der auf die Grundausstattung von LUCA hinweist [1]. Die Daten stützen die Theorie, dass das Leben in einer hydrothermalen Umgebung begonnen hat (dazu mehr in Kap. 8).

Um welche Entwicklungslinien des Lebens handelt es sich? Die heutigen Zellen lassen sich in drei Domänen einteilen, die zu zwei Gruppen gehören (Abb. 4.1): Die erste Gruppe bilden die Prokaryoten mit den zwei Domänen Bacteria und Archaea. Sie sind dadurch gekennzeichnet, dass ihre Erbinformation (DNA) relativ einfach strukturiert ist und nicht durch eine zusätzliche Membran separat abgegrenzt als Zellkern in der Zelle vorliegt (Abb. 4.2). Zur zweiten Gruppe gehören die Eukaryoten, die gleichzeitig die dritte Domäne bilden. Ihr deutlichstes Kennzeichen gegenüber den Prokaryoten ist die Ausbildung eines Zellkerns, in dem die DNA eingelagert ist (Abb. 4.3) [2].

Die Eukaryoten sind aus den Prokaryoten hervorgegangen und spielen daher für die Diskussion um die Entstehung des Lebens keine Rolle. LUCA hatte noch keinen Zellkern, er war ein Prokaryot. Prokaryotische Zellen haben eine erstaunliche Verbreitung erfahren. Sie kommen zum Teil an extremen Standorten vor, an denen fast alle eukaryotischen Zellen keine Überlebens-

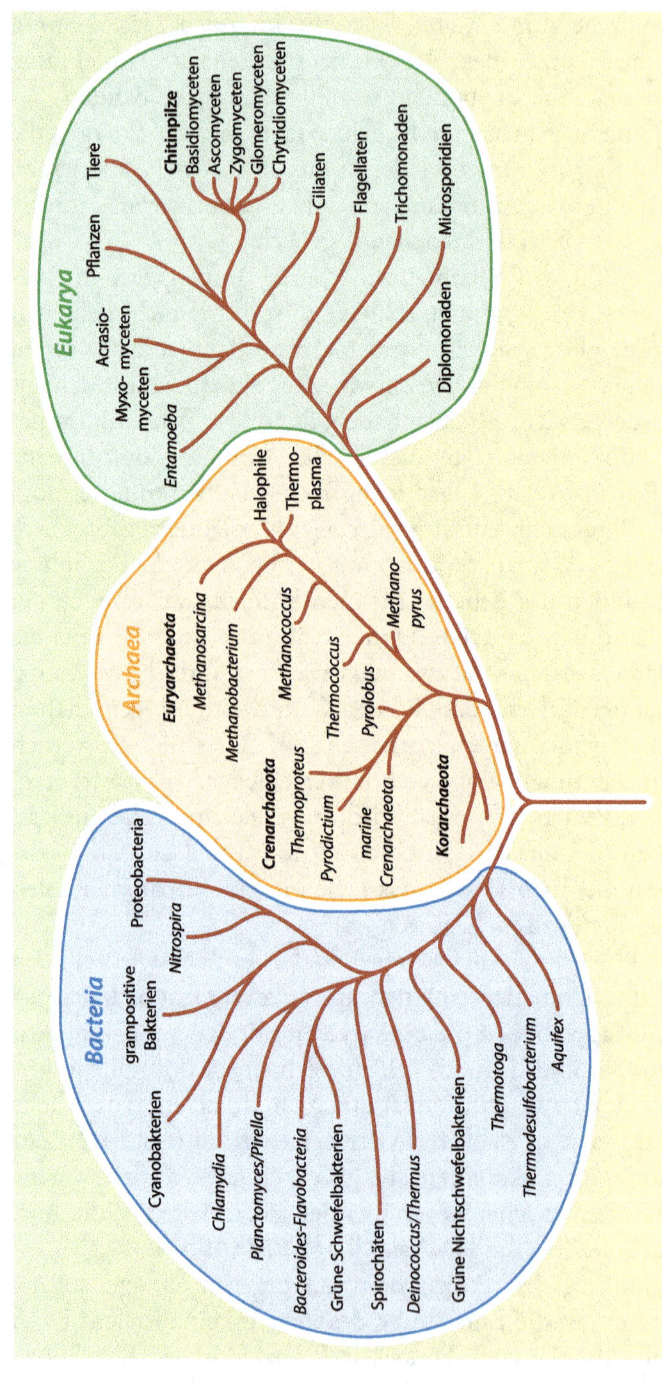

Abb. 4.1 Die drei Domänen des Lebens. (© Springer-Verlag GmbH [3])

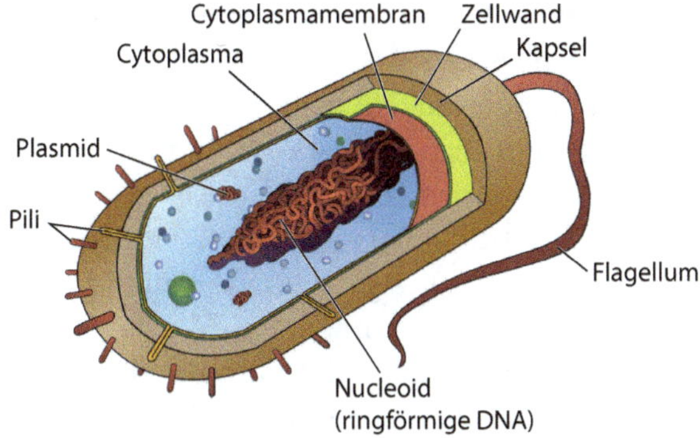

Abb. 4.2 Aufbau eines prokaryotischen Einzellers. (© Springer-Verlag GmbH [3])

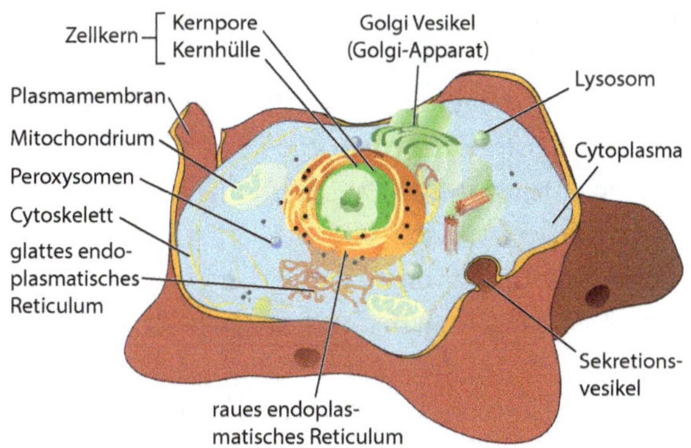

Abb. 4.3 Eukaryotische Zelle (Tierzelle). (© Springer-Verlag GmbH [3])

chance haben. Sie existieren in heißen Quellen weit über 100 °C, bei niedrigen pH-Werten, in extrem salzreichen Wässern und bei Drücken von über 1100 bar, wie sie in 11.000 m tiefen Gräben an den tiefsten Stellen der Ozeane auftreten. Darüber hinaus wurden Prokaryoten in der Erdkruste in 4 km Tiefe gefunden. Die Unzugänglichkeit der Standorte ist ein Grund dafür, dass schätzungsweise weniger als 1 % von ihnen bekannt sind. Die Anpassungsfähigkeit lässt Rückschlüsse auf die Ausstattung ihrer ersten Vorfahren und deren mögliche Umgebungsbedingungen zu. Sie bilden daher ein wichtiges Indiz für einige der weiter unten vorgestellten Hypothesen zur Entstehung des Lebens.

Bei der Erforschung der Entwicklungsschritte zur ersten Zelle kam schnell die Frage auf, ab welcher minimalen Molekülausstattung eine geschlossene biologische Hülle in der Lage ist, sich selbst zu vermehren. Aus der Kenntnis der Prozessabläufe in den heutigen Zellen lassen sich die im Folgenden beschriebenen Bausteine hierfür definieren. Die erste Zelle muss neben einer speziell mit Enzymen ausgestatteten Membran als Zellhülle einen Informationsträger gehabt haben (vergleichbar mit der heutigen RNA oder DNA oder mit Vorläufermolekülen hiervon). Weiterhin brauchte es eine Art Lesegerät, mit dem die Information abgelesen und in verschiedene molekulare Werkzeuge umgesetzt werden konnte. Heute ist es das Ribosom, ein großes Funktionsmolekül, das bei Prokaryoten aus 32 Proteinen und 3 RNAs besteht. Es organisiert die Verknüpfung der Aminosäuren zu Peptiden mithilfe eines Bauplanes der DNA, der über eine Boten-RNA (mRNA) geliefert wird.

Darüber hinaus waren komplexe Molekülverbindungen notwendig, die Hilfestellungen bei der Molekülsynthese sowie bei der Speicherung der Information gaben. Alle Informationen über die Bausteine mussten im Informationsträger gespeichert sein und gleichzeitig kopiert werden können. Hierdurch war die Möglichkeit gegeben, dass bei einer Zellteilung eine Verdopplung des Erbguts stattfand. Die Zelle, die mit der entsprechenden Ausstattung den ersten entscheidenden Schritt zur Vermehrung vollzog, hatte allerdings molekulare Werkzeuge, die wesentlich einfacher aufgebaut waren, als sie es heute sind. Die heutige Komplexität ist der Exaktheit geschuldet, mit der die gespeicherten Informationen aus der DNA in Moleküle wie RNA und Proteine umgesetzt werden müssen.

Es ist leicht verständlich, dass eine Zelle, deren Ursprung vor über 3,5 Mrd. Jahren anzunehmen ist, heute nicht mehr so einfach aufgebaut ist, wie sie es am Anfang war. Hierfür war der fortwährende Selektionsdruck durch sich ständig ändernde Umweltbedingungen zu groß. Auch wenn die heutigen molekularen Abläufe in den Zellen fehleranfällig sind, sodass sich im Zuge der Evolution ausgefeilte Reparaturmechanismen hierfür herausgebildet haben, ist die Exaktheit der Abläufe nicht mit denen der ersten Zelle, die sich teilen konnte, vergleichbar. Vielleicht waren viele Zellteilungen notwendig, bis eine der Kopien wieder in der Lage war, eine überlebensfähige Version durch Teilung herzustellen. Die anderen starben ab. Bei den Versuchen, die letztlich zum Erfolg führten, war das Vorhandensein eines belastbaren Informationsspeichers die alles entscheidende Größe.

4.2   Der Informationsspeicher – ohne Nullen und Einsen

Die erste Informationsspeicherung, die aus der chemischen Evolution hervorgegangen ist, wird in der RNA (engl. „ribonucleic acid" = Ribonukleinsäure [RNS]) vermutet. Sie besteht aus einem Kettengerüst aus Zucker (Ribose) und Phosphat, mit dem in variierender Reihenfolge organische Basen verknüpft sind. Es sind Adenin, Cytosin, Guanin und Uracil. Die heutigen Zellen nutzen statt der RNA die DNA (engl. „desoxyribonucleic acid" = Desoxyribonukleinsäure [DNS]) als Informationsspeicher. Sie ist eine verdrillte, strickleiterähnliche Molekülkette, deren Sprossen in zwei Teile geteilt sind. Die beiden Teile stehen nicht sonderlich fest miteinander in Verbindung; sie können durch höhere Temperaturen (85 °C) oder durch Zugabe von Alkalien leicht getrennt werden. Die DNA besteht ebenfalls aus vier organischen Basen, von denen Adenin, Cytosin, Guanin mit der RNA identisch sind. An die Stelle von Uracil tritt Thymin, das etwas anders aufgebaut ist als ihr Stellvertreter in der RNA. Die Basen der DNA sind in variierender Reihenfolge auf beiden Seiten der Molekülleiter fast identisch zur RNA an ein Gerüst aus Zucker (hier Desoxyribose) und Phosphatmolekülen angeordnet. Es passen immer nur Adenin (A) und Thymin (T) bzw. Guanin (G) und Cytosin (C) zusammen in eine Sprosse der Leiter. Wenn wir die DNA der Länge nach in der Mitte teilen, ergibt sich für jede Seite ein Molekül, das der RNA sehr ähnlich ist. Die RNA hat die zwei beschriebenen Unterschiede zur DNA: Neben dem bereits erwähnten Austausch des Thymins gegen Uracil liegt auch am Zucker eine Veränderung vor. Die Desoxyribose ist durch die Ribose ersetzt, die fast gleich aufgebaut ist, aber ein Sauerstoffmolekül mehr besitzt (Abb. 4.4).

Im Vergleich von DNA und RNA ist Letztere durch den etwas veränderten Zucker deutlich instabiler und deshalb für eine dauerhafte Informationsspeicherung unter den Bedingungen, wie sie in einer Zelle herrschen, nicht besonders geeignet. Trotzdem konnte sie die zu Beginn notwendigen Speicheraufgaben übernehmen – für eine Zelle, die nur eine kurze Lebensdauer hatte. Für die Annahme, dass die Entwicklung der RNA zeitlich vor derjenigen der DNA lag, gibt es verschiedene Hinweise. Die Moleküle, aus denen die DNA zusammengebaut wird, werden heute in der Zelle aus Bausteinen der RNA gebildet. Es ist daher wahrscheinlich, dass auch in der Frühphase der Entwicklung die ersten Zellen in der Lage sein mussten, zuerst RNA aufzubauen, um anschließend DNA herstellen zu können.

Der strukturelle Aufbau der DNA ist seit 1953 bekannt. Röntgenstrukturaufnahmen von Rosalind Franklin, die von dem US-Amerikaner James Watson und dem Briten Francis Crick als Grundlage für ihr Doppelhelixmodell verwendet wurden, brachten den Durchbruch im Verständnis zur genetischen Informationsspeicherung [4]. Hierdurch wurden gleichzeitig die Unterschiede von RNA und DNA deutlich. Das vermutlich spätere Auftreten der DNA in einem fortgeschrittenen Entwicklungsschritt der Evolution führte nicht dazu, dass die „Erfindung" RNA aufgegeben wurde. Im Gegenteil: Sie wurde weiterhin in vielfältiger Weise eingesetzt, dort, wo eine kurze Überlebenszeit nicht nachteilig, sondern teilweise sogar von Vorteil war. So werden

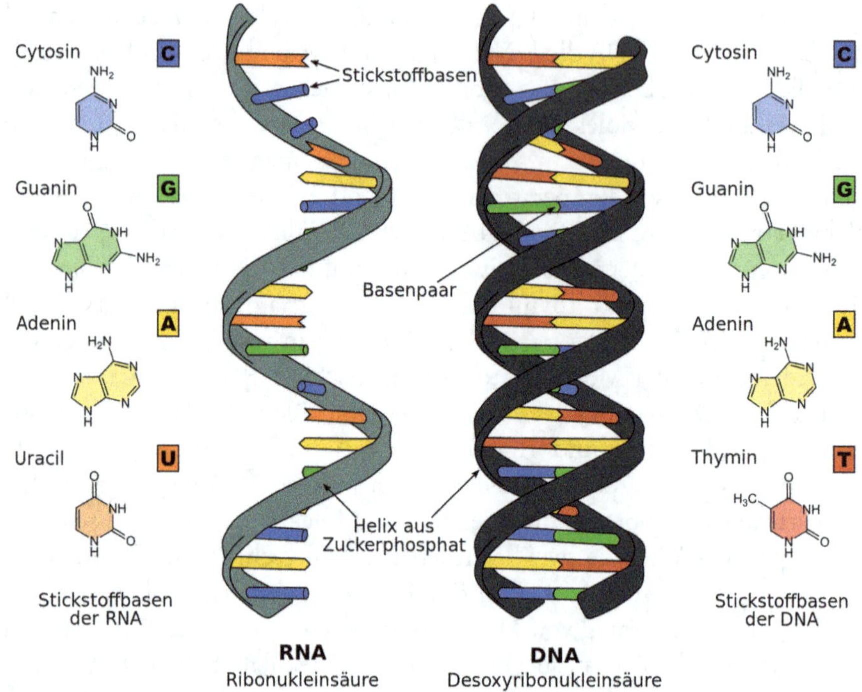

Abb. 4.4 Unterschiede zwischen RNA und DNA. (© MesserWoland/Wikipedia/CC BY-SA 3.0)

in den heutigen Zellen ständig unterschiedliche RNA-Typen mit spezifischen Codierungen benötigt und hergestellt. Nach dem Einsatz werden sie wieder zerteilt und recycelt.

Es gibt zum Beispiel eine RNA, die direkt Informationen aus der DNA kopiert und mit zu einem Einsatzort nimmt (Boten- oder Messenger-RNA [mRNA]), oder eine speziell dreidimensional strukturierte RNA, die nur die eine Aufgabe hat, eine Aminosäure von einem Beladungsmolekül zu einem Verarbeitungsmolekül zu bringen (Transport-RNA [tRNA]). Inzwischen konnten mehr als zehn weitere RNA-Typen unterschieden werden. Es stellt sich die Frage, was eigentlich das Besondere an der DNA als Datenspeicher ist, und gleichzeitig, wie eine chemische Datenspeicherung funktionieren kann. Physikalische Datenspeicherung kennen wir in komplexer Art und Weise spätestens seit der Erfindung der Computer. Eine inzwischen fast steinzeitlich anmutende Form war zu Beginn der Entwicklung die Lochkarte. Das Speichermedium Lochkarte ließ an einigen Stellen, die gelocht waren, Licht hindurch, das von einem geeigneten Lesegerät in einen Stromfluss umgewandelt wurde. Einfache Texte oder Zahlenfolgen benötigten ganze Schuhkartons voller Lochkarten für kleinere Operationen.

Mit der Computertechnik entstand die Möglichkeit, Zahlenkolonnen, Bilder oder Texte über ein System von zwei Zahlen, der Null und der Eins, abzuspeichern. Für dieses binäre System musste nur definiert werden, welche Anzahl und welche Reihenfolge von Nullen und Einsen einer Zahl, einem Buchstaben oder einem Symbol entsprechen. So kann zum Beispiel ein „A" als 1000001, ein „B" als 1000010 und ein „C" als 1000011 festgelegt werden. Die Definition allein reicht natürlich nicht aus. Erst ein System von Schaltern, das in der Lage ist, den Wechsel zwischen zwei Zuständen abzubilden, kann Rechenoperationen oder eine Datenspeicherung durchführen. Die häufigste Form ist das Anlegen einer Spannung für die 1 im Wechsel mit dem Zustand 0, bei dem keine Spannung angelegt ist.

Die Natur ist uns in diesem Fall einen großen Schritt voraus. Sie nutzt seit mehr als 3,5 Mrd. Jahren überaus erfolgreich ein System, das durch Verwendung von mehr als zwei Variablen aufgebaut ist. Die Informationsspeicherung in der DNA erfolgt durch die vier Basen Adenin, Cytosin, Guanin und Thymin, kurz A, C, G und T. Mit vier Buchstaben ist eine größere Variationsmöglichkeit gegeben und somit die Datendichte wesentlich höher als mit nur zwei Buchstaben bzw. zwei Zahlen. Um die Situation etwas verständlicher zu beschreiben, können die Basen der DNA mit den Zahlen 1 bis 4 gleichgesetzt werden. Bei den Basen gibt es nur zwei Paarungsmöglichkeiten, um die Stufen der Leiter zu vervollständigen. A verbindet sich nur mit T und C nur mit G. Übertragen auf die Zahlen von 1 bis 4 bedeutet dies, dass die Summe der beiden gegenüberliegenden Zahlen immer 5 ergeben muss. So kann nur die (Base) 1 mit der (Base) 4 eine Sprosse bilden und entsprechend 2 nur mit der 3. Aus den vier Zahlen lässt sich ein komplexes Informationssystem aufbauen, das folgendermaßen hätte aussehen können: Die Aminosäuren würden in den Zellen in einer von einem Code vorgegebenen Reihenfolge miteinander verknüpft, um Proteine zu bilden. Der Code, der entscheidend für den Platz der jeweiligen Aminosäure in den Peptiden ist, muss unverwechselbar sein und garantieren, dass kein anderes Molekül in die Kette eingebaut wird. Er könnte mit den Zahlen 1 bis 4 für eine Aminosäure vierstellig sein, sodass maximal 256 (4^4) Aminosäuren in unseren Zellen Verwendung finden würden. Das war für die Entstehung des Lebens wohl zu viel des Guten an Komplexität, zumal eine derart hohe Anzahl an Aminosäuren zu Beginn sicher nicht verfügbar war. Nein, es ging auch anders und immer noch komplexer als das binäre System der Computer.

Die Evolution hat sich auf nur drei Variablen aus den vier Zahlen eingelassen. Das heißt, es gibt bei Variation aller Möglichkeiten (z. B. 213, 341,

223) maximal 64 (4³) eindeutige Zuordnungen mit drei Zahlen aus dem Pool der vier verwendbaren Zahlen (bezogen auf die Basen gehören zu einem Code immer drei Basen als Basentriplett [Codon] aus den vier möglichen). Letztlich ließen sich mit dieser Zahlenkombination 64 unterschiedliche Aminosäuren im Zellsystem verwenden. Aber auch diese Größenordnung war anscheinend noch zu hoch. Das System Zelle muss am Anfang mit weniger als den rezent verwendeten 20 Aminosäuren funktioniert haben, da nicht vorausgesetzt werden kann, dass alle heutigen Aminosäuren verfügbar waren.

In heutigen Zellen sind neben den 20 Kombinationen für Aminosäuren (kanonische, heute verwendete Aminosäuren) vier Codierungen, eine für Start- und drei für Stoppfunktionen, belegt (Abb. 4.5). Der Start wird zum Beispiel immer mit der Aminosäure Methionin begonnen. Für das Ende des Ableseprozesses stehen dagegen drei verschiedene Tripletts zur Verfügung, die

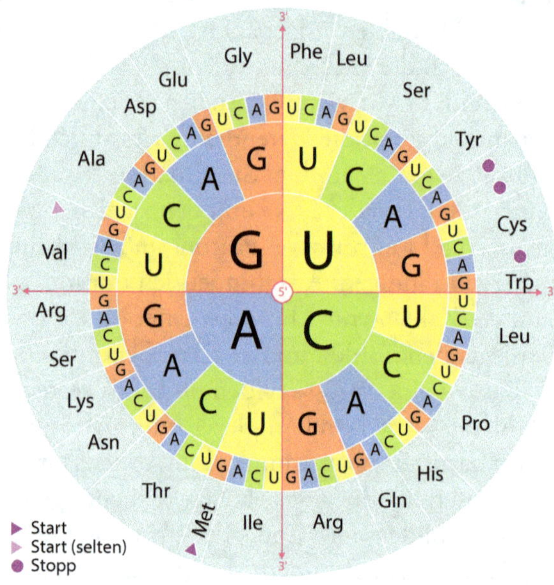

Abb. 4.5 Zuordnung des genetischen Codes aus den Basentripletts (Codons) der mRNA zu den kanonischen Aminosäuren (mit den Basen Adenin, Uracil, Guanin, Cytosin; von innen nach außen gelesen). Die Aminosäuren Serin (Ser), Leucin (Leu) und Arginin (Arg) besitzen sechs unterschiedliche Codons, Tryptophan (Trp) und Methionin (Met) nur jeweils ein Codon. Die C-Atome des Zuckers sind im Uhrzeigersinn von 1′ bis 5′ durchnummeriert, beginnend mit 1′ an der Verknüpfung zur Base. In einem DNA- oder RNA-Strang kann somit die Ableserichtung der Basenfolge hieran orientiert werden, entweder von 5′ nach 3′ oder in umgekehrter Richtung. Auffällig ist die enge Verwandtschaft der Codons für eine Aminosäure, für die vier oder mehr Kombinationen vorliegen. Bei einer zufälligen Zuordnung wäre diese nicht gegeben. (© Springer-Verlag GmbH [3])

eine Stoppfunktion besitzen. Wenn zu Beginn genau eine Codonkombination für jeweils eine Aminosäure verwendet worden wäre, blieben von den 64 möglichen Kombinationen 40 weitere übrig, die 40 andere Aminosäuren hätten codieren können. Aber das wurde im Rahmen der Evolution nicht ausgenutzt. Stattdessen gibt es doppelte, vierfache und sogar sechsfache Belegungen verschiedener Codes für einzelne Aminosäuren, da die Zahlenkombination für 60 Fälle nicht mit 20 Aminosäuren ausgeschöpft werden kann. So gibt es für die Aminosäure Leucin allein sechs verschiedene Code- Kombinationen (Code-Wörter), mit denen sie jeweils einem Basentriplett der mRNA zugeordnet werden kann. Und hieraus ergibt sich eine ungeklärte Frage: Warum unterscheiden sich die Codons bei den Mehrfachbelegungen so wenig, überwiegend in der dritten Position? Wenn es für die Belegung eine statistische Zuordnung gegeben hätte, gäbe es keine derartige Verwandtschaft. Daraus folgt, dass eine entscheidende physikochemische Ursache dazu geführt hat.

4.3 Wie wird in der Zelle die gespeicherte Information umgesetzt?

Der Vorgang der Informationsübernahme aus der DNA ist an komplexe Reaktionsschritte speziell angepasster Moleküle gebunden. Er spielte für die grundlegenden Entwicklungsschritte auf dem Weg zum Leben noch keine Rolle. Dennoch ist es hilfreich, die Grundlagen der heute stattfindenden Reaktionen zu betrachten, da sich hier Abläufe verstetigt haben und Moleküle verwendet werden, deren einfache Vorläufer die Basis für die späteren Prozesse bildeten. Für das Ablesen der in der DNA gespeicherten Information wird diese kurzzeitig entdrillt und in der Länge aufgespalten, sodass ein Längsteil von ihr kopiert werden kann. Die Kopie erfolgt durch Anlagerung komplementärer RNA-Bausteine, der Nukleotide, an dem einen Teilstrang der DNA (Abb. 4.6).

Hierbei wird die Aufteilung in Dreierblöcke (Codons) genau so übernommen, wie sie von der DNA vorgegeben wird. Verständlich wird es wieder mit dem Vergleich mit einer Zahlenkombination. Eine Reihe von wechselnden Zahlen zwischen 1 bis 4 wird auf der gegenüberliegenden Seite so mit Zahlen ergänzt, dass die Summe immer 5 ergibt. Die gegenüberliegende Reihe entspricht der Boten-RNA (Messenger-RNA [mRNA]), die die Information zu einem molekularen Werkzeug (Ribosom) transportiert, das die Peptidbildung generiert. Wenn wir die Basen betrachten, gibt es allerdings

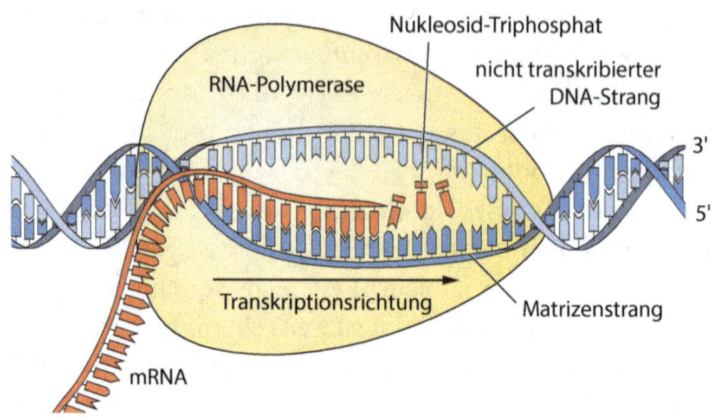

Abb. 4.6 Ableseprozess einer teilentdrillten DNA (Translation). Erstellung einer Messenger-RNA (mRNA), die die Information durch sukzessive Anlagerung und nachfolgende Verknüpfung von Nukleotiden übernimmt. (© Springer-Verlag GmbH [3])

eine kleine Variation, da eine Base der DNA (Thymin [T]) eine etwas andere Zusammensetzung hat als ihr Pendant in der RNA (Uracil [U]). Aus der Position G der DNA wird C bei der RNA und umgekehrt. Aus A der DNA wird U der RNA, und aus T der DNA (das durch Uracil U in der RNA ersetzt wird) wird A der RNA. Die mRNA wandert zum Ribosom, dem molekularen Werkzeug zur Peptidbildung, durch das sie in einer bestimmten Schrittfolge durchgeleitet wird. Hierbei geschieht der wichtigste Vorgang in der Produktion der Enzyme und Proteine, der Werkzeuge und des Baumaterials der Zelle. Die mRNA stellt mit jedem Dreierblock (Codon) aus den Basen eine Informationseinheit zur Verfügung, die genau für eine Aminosäure steht.

Und jetzt passiert Folgendes: Das Ribosom lässt eine andere RNA, die Transport-RNA (tRNA) mit einer genau auf den Code abgestimmten Aminosäure auf dem Dreierblock Platz nehmen (Abb. 4.7). Die tRNA ist das wichtigste Bauteil in dem ganzen Geschehen. An dem einen Ende trägt sie das Anticodon, den Code, und an dem anderen Ende die zugehörige Aminosäure (Abb. 4.8). Die Platznahme geschieht nur, wenn die Informationseinheit aus den drei Basen, dem Codon, genau zu dem Gegenstück, dem Anticodon der tRNA, passt. Das heißt in Zahlen mit der Bedingung, dass alle drei Summen wieder 5 ergeben: Zu 214 passt 341, zu 444 passt 111 usw. Jede tRNA hat ihren eigenen Code und ihre eigene (spezifische) Aminosäure. Die Verbindung im Ribosom ist nur kurzzeitig. Sie dauert so lange, bis sich die Aminosäure von ihrem Transporter getrennt und mit der Aminosäure ihres Vorgängers verknüpft hat. So entsteht eine Kette, die durch fortwährendes Kombinieren von mRNA und tRNA gebildet wird.

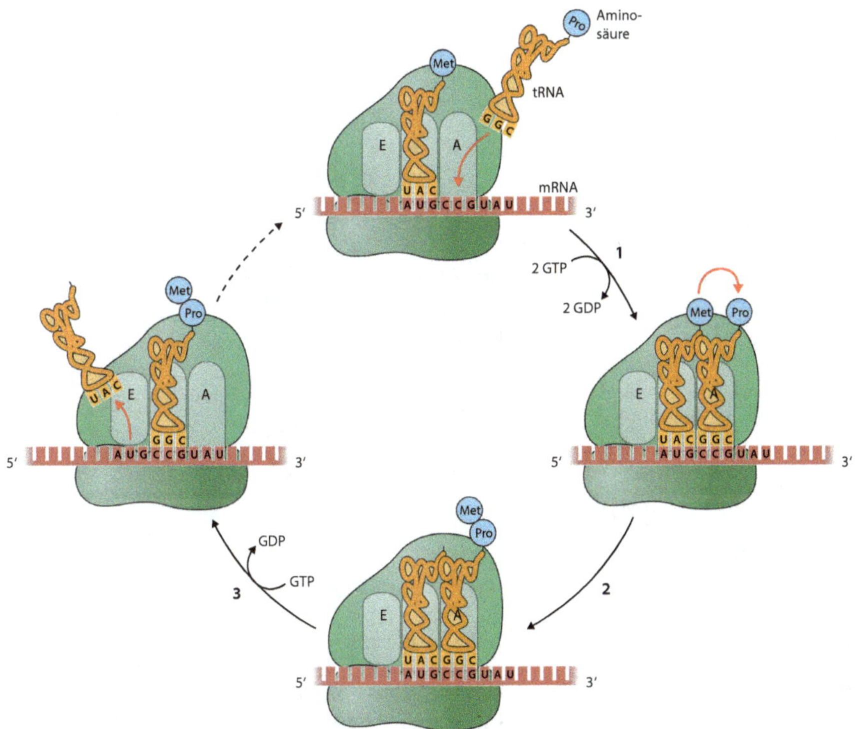

Abb. 4.7 Verknüpfung von Aminosäuren im Ribosom nach Platznahme spezifisch beladener tRNAs am Codon des mRNA-Stranges. Im Ribosom wird am Startcodon der mRNA die erste tRNA platziert. Es beginnt bei jedem Vorgang immer mit der gleichen tRNA-Aminosäureeinheit Methionin (Met). Es folgt die nächste Einheit (Pro), die zu dem Code der mRNA passt (Schritt 1). Die zweite Aminosäure wird mit der ersten (Met) verknüpft (Schritt 2), anschließend rückt das Ribosom um eine Codoneinheit nach rechts weiter (Bewegung von 5' nach 3'; Abb. 4.5), wodurch Platz für die nächste beladene tRNA entsteht, und die entladene tRNA von Met wird entlassen (Schritt 3). A auf der rechten Seite entspricht der Stelle, an der die beladenen tRNA aufgenommen wird, E der Position, an der die entladene tRNA abgestoßen wird. Mit jeder nachfolgenden tRNA auf A wird eine neue Aminosäure an die Kette gebunden, exakt nach Vorgabe der Information aus der mRNA. GTP (Guanosintriphosphat) liefert die notwendige Energie durch Abspaltung eines Phosphatmoleküls. Hierdurch wird es zu GDP (Guanosindiphosphat). (© Springer-Verlag GmbH [3])

Um es noch einmal aus einer anderen Sicht verständlich zu machen, lässt sich die Situation von der DNA beginnend anhand einer Zahlenkolonne darstellen. Die DNA gibt entdrillt die Reihe 311 421 131 als Code heraus. Daraus bildet die mRNA die Reihe 244 134 424 (Summe 5). In dem Ribosom wartet die mRNA auf die tRNA mit einer Aminosäure, die den Code 311 hat. Hat sie Platz genommen und die Aminosäure abgeladen, kommt die nächste tRNA mit dem Code 421 und danach die mit dem Code 131. Es wird deut-

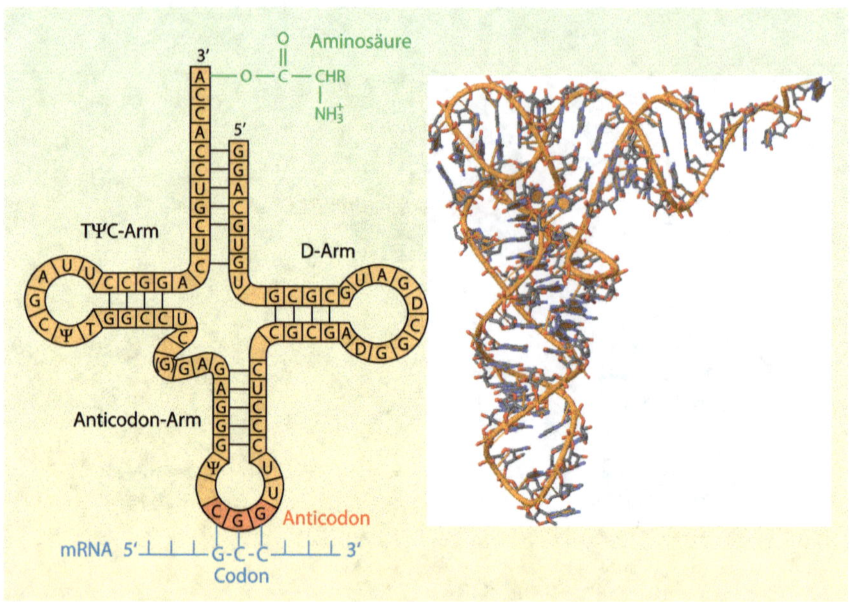

Abb. 4.8 Transport-RNA (tRNA) in zwei- und dreidimensionaler Darstellung. An dem in der zweidimensionalen Darstellung nach oben überstehenden Strang (ACC) werden die Aminosäuren verknüpft. Diese „Anhängerkupplung" wurde am Anfang der Lebensentwicklung herausselektiert und ist bis heute bei allen tRNAs gleich und für alle Aminosäuren nutzbar. Sie ist unspezifisch, sodass die erforderliche genaue Zuordnung der tRNAs zu den zugehörigen Synthetasen („Beladestationen") über andere Erkennungsabschnitte an der tRNA erfolgt. Kennzeichen der tRNA sind Wechsel von Doppelstrangabschnitten mit Schleifenbildungen, in denen modifizierte Standardbasen vorkommen (TΨC-Arm, mit T für Thymidin, Ψ für Pseudouridin und C für Cytidin; D-Arm mit der Base Dihydrouracil). Am Anticodon-Arm befindet sich das Basentriplett, die Informationseinheit als komplementäres Gegenstück (Anticodon) zum Codon der mRNA. (© Springer-Verlag GmbH [3])

lich, dass die Anticodons der tRNA genau mit dem Zahlencode der DNA übereinstimmen.

An dieser Stelle muss ich ein besonders großes Ausrufungszeichen setzen. Das Verständnis dieses Prozesses ist unbedingte Voraussetzung dafür zu erkennen, dass hierin der Schlüssel für die gesamte Lebensentwicklung liegt, wie sie später ausgeführt wird – nur dass die skizzierten Prozesse am Anfang etwas anders abgelaufen sind (dazu mehr in Kap. 8).

Wenn wir uns in unserer technischen Welt umsehen, erkennen wir, dass viele Prozesse in ähnlicher Art und Weise ablaufen, wie es die Biochemie vorgibt. Fließbandproduktionen benötigen ein engmaschiges Informationssystem, das garantiert, dass immer zur richtigen Zeit an der richtigen Position genau das erforderliche Bauteil zur Verfügung steht. An einem Informationsträger wird abgelesen, welches Teil als Nächstes für den Zusammenbau zum Beispiel eines Roboters erforderlich ist.

Das Teil wird von einem passenden Transportwagen geliefert und auf das Band gelegt. Dort wird es sofort mit dem schon bestehenden Teil des Roboters verbaut. Der Transportwagen fährt zum erneuten Beladen zurück und steht nach kurzer Zeit wieder in der Reihe, um bei entsprechender Anforderung entladen zu werden. Wie oben ausgeführt, wurden trotz der gegebenen 60 Möglichkeiten einer genauen Zuordnung von Codons aus vier verschiedenen Basen im Lauf der Evolution für die meisten Fälle nur 20 Aminosäuren ausgewählt, die heute für die unendliche Vielfalt der Enzyme in einer Zelle stehen. Die von der mRNA übertragenen Information aus der DNA wird entsprechend für die Bildung von Ketten genutzt, in denen im Normalfall alle 20 Aminosäuren vorkommen. Ihre Anzahl variiert und kann in den Ketten der Peptide und Proteine in die Tausende gehen. Und hier lässt sich gleich erkennen, warum die Evolution bei „nur" 20 Aminosäuren haltgemacht hat, um Variationen in den Ketten für die Bildung von funktionsfähigen Proteinen auszuprobieren. Die Anzahl der unterschiedlichen Kombinationen von 20 Aminosäuren in einer Kette von 60 Einheiten ergibt bereits eine Größe, die der Anzahl der im Weltall vorkommenden Atome entspricht. Die Zahl der Variationsmöglichkeiten in einem Protein mit 1000 oder gar 10.000 Einheiten ist nicht mehr bezifferbar.

Diese Zahlen verdeutlichen, dass mit den bestehenden 20 Aminosäuren bereits so viele Kombinationen möglich sind, dass sie in Gänze nie ausgenutzt werden können. Und es zeigt, dass der Aufbau eines Informationssystems nur starten konnte, indem es mit einer minimalen Anzahl beteiligter Moleküle begann und durch einen effektiven Auswahlprozess begleitet wurde. Die Sequenz der Aminosäuren, ihre Reihenfolge in den Ketten, bestimmt heute der Code der DNA. Zu Beginn war es vermutlich derjenige der RNA. Er war von Anfang an Veränderungen unterworfen, die überwiegend durch Mutationen hervorgerufen wurden. Es bleibt an dieser Stelle die Frage, wie die sehr exakte Beladung der tRNA erfolgt, damit genau diejenige Aminosäure in die Kette eingebaut wird, die der Code der mRNA vorgibt. Entsteht hier ein Fehler, ändert sich sofort die gesamte Konfiguration der Kette. Es ist bei der Komplexität der gefalteten Peptide leicht verständlich, dass sich hierdurch andere Strukturen ausbilden können, die zum Beispiel die Katalysatoreigenschaften eines Enzyms verschlechtern. Sind hiervon Enzyme betroffen, die wichtige Stoffwechselprozesse steuern, kann es zu Zellschäden oder im Extremfall zum Absterben der Zelle kommen.

Die fehlende Ausnutzung der 40 noch zur Verfügung stehenden Code-Wörter durch weitere Aminosäuren hat dazu geführt, dass manche der kanonischen, heute verwendeten Aminosäuren mehrere Transporter für ihren Transport nutzen können. So gibt es neben der Einfachbelegung Aminosäuren, die zwei, vier oder sogar sechs verschiedene tRNAs spezifisch besetzen können. Erstaunlicherweise hat sich aber bei heutigen Arten eine Bevorzugung des Einsatzes einer ganz bestimmten tRNA herausgebildet, obwohl, wie in manchen Fällen möglich, noch fünf weitere zur Verfügung stehen. Die Frage ist, wie diese Zuordnung mit einer hohen Anforderung an Zuverlässigkeit organisiert ist. Hierfür haben sich im Zuge der Evolution große Enzyme entwickelt, die tRNA-Synthetasen, die diese Aufgabe übernehmen. Es sind spezielle molekulare Werkzeuge, die die Verknüpfung jeweils nur einer Aminosäure mit der dazu passenden tRNA gewährleisten. Jede Aminosäurespezies hat ihre eigene Synthetase, die nur sie und eine der passenden tRNAs zusammenführt. Und somit schließt sich der Kreis. Die Synthetasen beladen die tRNAs sehr genau abgestimmt mit jeweils einer speziellen Aminosäure. Die Transporter bringen die Aminosäuren zu einer Art Reißverschlusssystem, wo sie passgenau auf Grundlage der Information aus der DNA zu Ketten verknüpft werden. Diese Peptide bzw. Proteine falten sich, je nachdem, welche Funktion sich bei ihnen entwickelt hat, und bilden einen Großteil der erforderlichen molekularen Werkzeuge, die zum Funktionieren einer Zelle erforderlich sind. Hierzu gehören auch Enzyme, die die Bildung der DNA, RNA, Ribosomen etc. katalysieren.

Aminosäureketten

Aminosäuren können untereinander zu Ketten verknüpft werden. Sie sind alle aus dem gleichen Grundmolekül aufgebaut, das je nach Aminosäure durch zugehörige Anhänge, sogenannte Seitenketten, erweitert ist. Durch die gleiche Grundstruktur lassen sich die Moleküle jeweils immer an den gleichen Stellen unter Abspaltung eines Wassermoleküls verbinden. Hierzu wird von der einen Seite der ersten Aminosäure eine OH-Gruppe und von der zweiten Aminosäure ein H^+-Ion beigesteuert. Die frei werdenden Anknüpfungspunkte verbinden sich und aus zwei Molekülen entsteht ein Dipeptid. Bei weiterem Zuwachs ergibt sich ein Tripeptid, Tetrapeptid usw. oder allgemein ein Oligopeptid bei bis zu zehn Einheiten.

Polypeptide schließen sich mit höheren Stückzahlen in einer Kette an. Eine weitere Grenze ist in etwa bei der Zahl 100 erreicht. Die nachfolgend längeren Ketten werden als Proteine bezeichnet. Die Ketten können sich verdrillen und eine Alpha-Helix bilden. Es ist eine häufige Sekundärstruktur, die dem Protein die größte Stabilität verleiht. Daneben treten als weitere Sekundärstruktur Beta-Faltblätter auf, oder es bilden sich komplexere Strukturen aus den Sekundären aus, die zu Tertiärstrukturen werden. Die gefalteten Proteine wiederum können sich zusammenlagern und Riesenmoleküle bilden (Quartärstrukturen mit bis zu 30.000 Einheiten in den größten Proteinen). So entstehen die meisten Enzyme, die wichtige Funktionen in den Zellabläufen besitzen. Es gibt aber auch einige Enzyme, die nicht aus Proteinen aufgebaut sind. Hierzu gehört die katalytisch aktive RNA (Ribozym), die im Ribosom die Verknüpfung der Aminosäuren unterstützt. Von Bedeutung ist die exponentiell ansteigende Anzahl der Kombinationen bei 20 beteiligten Aminosäuren. Die Kombinationen berechnen sich nach der Potenz 20^n. Das bedeutet, dass bei der möglichen Nutzung von 20 Aminosäuren eine Viererkette bereits 160.000 verschiedene Kombinationen einnehmen kann (20^4). Wenn wir in die Proteinwelt eintauchen, fangen wir bei 20^{100} Variationen an – eine Anzahl an Möglichkeiten, die auch von der Natur nicht mehr in Milliarden Jahren ausprobiert werden kann. Trotzdem haben sich einige Kombinationen durchsetzen können und sind in der DNA gespeichert. Es macht deutlich, dass sehr leicht ab einer bestimmten Länge der Kette katalytische Eigenschaften entwickelt werden können. Träten diese Eigenschaften nur selten auf, würden bei der großen Anzahl an Kombinationen auch in den langen Zeiträumen kaum passende Funktionsmoleküle gefunden. Gleichzeitig wird sichtbar, dass zu Beginn an der Wechselwirkung zwischen Peptiden und RNA-Speicher nur sehr wenige Aminosäuren beteiligt gewesen sein konnten, sodass die Kombinationsmöglichkeiten nicht zu astronomischen Verhältnissen ausuferten. Werden zum Beispiel nur zwei Aminosäuren miteinander kombiniert, ergeben sich für ein Peptid mit 30 Einheiten bereits eine Milliarde verschiedene Möglichkeiten (2^{30}). Es ist nicht abwegig anzunehmen, dass bereits hierbei funktionale Moleküle gebildet werden können.

Und genau an dieser Stelle entsteht das eigentliche Problem bei der Diskussion um die Entstehung des Lebens. Es wird im übertragenen Sinn als das Henne-Ei-Problem bezeichnet. Es beinhaltet die Frage, was zuerst da war, die Henne oder das Ei. Das Problem besteht darin, wie die Information über den Aufbau der Enzyme und hier besonders der Synthetasen in die DNA oder zumindest in den Vorläufer, die RNA, gekommen ist. Die Synthetasen sind Moleküle, die erst ab einer bestimmten Größe die Funktion eines Katalysators einnehmen können. Die exakt hierfür notwendige Reihenfolge der Aminosäuren kann nicht durch Zufall entstanden sein, wie das Rechenbeispiel mit den großen Zahlen zeigt – schon gar nicht bei zwanzig verschiedenen Spezies. Die Synthetasen sind aber unbedingt notwendig, um eine genaue Zuordnung der jeweiligen Aminosäuren zu dem Code aus dem Informationsspeicher zu gewährleisten. Das heißt, sie müssten eigentlich schon vorhanden sein, um das erste Mal selbst gebildet zu werden. Auf diese wichtigste aller Fragen werde ich in Kap. 8 eine Antwort geben.

Literatur

1. Weiss MC, Sousa FL, Mrnjavac N et al. (2016) The physiology and habitat of the last universal common ancestor. Nat Microbiol 1:16116. https://doi.org/10.1038/NMICROBIOL.2016.116
2. Hug LA, Baker BJ, Anantharaman K et al. (2016) A new view of the tree of life. Nat Microbiol 1:16048. https://doi.org/10.1038/nmicrobiol.2016.48
3. Fritsche O (2015) Biologie für Einsteiger. Springer, Berlin
4. Watson JD (1968) Double helix. A personal account of the discovery of the structure of DNA. Athenaeum, New York

5

Die bisherigen Modelle: Das Sichten des großen Nebels

Inhaltsverzeichnis

5.1 Von der Antike bis zur modernen Wissenschaft

Die Informationen der vorangegangenen Kapitel sind das Minimum, das für die weiterführende Diskussion um die Entstehung des Lebens benötigt wird. Dabei wird deutlich, dass nur eine Gruppe von Wissenschaftlern in der Lage ist, alle Bereiche der einbezogenen Wissenschaftsdisziplinen nach neuesten Erkenntnissen einigermaßen tiefgehend abzudecken. Das Wichtigste hierbei ist, dass die Mitglieder der Gruppe die Grundlagen der Nachbardisziplinen so weit beurteilen können, dass sie Impulse und verknüpfende Überlegungen für

U. C. Schreiber, C. Mayer, *Das Geheimnis um die erste Zelle*, https://doi.org/10.1007/978-3-662-72716-4_5

die Gesamtfragestellung mit einbringen können. Die günstigen Voraussetzungen, wie ich sie für die Essener Gruppe beschrieben habe, konnte es verständlicherweise in früheren Zeiten nicht geben. Allein die naturwissenschaftlichen Grundlagen fehlten. Wie in der Wissenschaft insgesamt gab es auch für die Frage nach der Entstehung des Lebens eine Entwicklung, die von nichtwissenschaftlichen Vorstellungen über vorsichtige Erklärungsversuche Einzelner bis hin zu Laborversuchen kleinerer Arbeitsgruppen führte.

In der Antike und im Mittelalter galt unter den Gelehrten dieser Zeit die Vorstellung, dass Leben spontan aus Erde oder Schlamm hervorgehen konnte. Der Begründer dieser Idee war der griechische Philosoph und Naturforscher Aristoteles, der die spontane Erzeugung aus unbelebter Materie propagierte. Es war ein Trugschluss aus Beobachtungen, die mangels technischer Hilfsmittel nicht tief genug in die Materie schauen konnten. Die Entwicklung von Würmern und Larven im schlammigen Umfeld oder Schimmel auf den Lebensmitteln war seinerzeit allen bekannt. Ein Nachweis über die Vermehrungswege konnte mit dem damaligen Kenntnisstand noch nicht geführt werden; Bakterien oder Sporen entzogen sich der Wahrnehmung durch ihre geringe Größe. Die Verhältnisse änderten sich in dieser Beziehung nicht bis in die Neuzeit. Es gab somit über Jahrhunderte keinen Grund, die Interpretation eines der bekanntesten Gelehrten der Antike anzuzweifeln. Noch im 19. Jahrhundert bestand die Vorstellung, dass Leben neben den bekannten Wegen der Vermehrung (Biogenese) auch jederzeit durch eine als Urerzeugung bezeichnete Variante (Abiogenese) möglich sein sollte. In dieser Zeit ging es in der Diskussion um die Urerzeugung allerdings nicht mehr so sehr um die grundsätzliche Frage der Lebensentstehung, sondern um die zusätzliche Möglichkeit, parallel zum bereits bestehenden Leben neues spontan zu erhalten. Der Diskussion setzten die Forschungen des französischen Chemikers Louis Pasteur in der zweiten Hälfte des 19. Jahrhunderts ein Ende. Er konnte durch Versuche zu Gärprozessen und Sterilisationsverfahren den Einfluss von Mikroorganismen auf die Gärung und Schimmelbildung nachweisen. Auf sie hatte sich in der Spätphase der Auseinandersetzung um die Spontanerzeugung inzwischen das Hauptaugenmerk gerichtet.

5.2   Die modernen Anfänge

Die naturwissenschaftliche Betrachtung der Frage nach dem Ursprung des Lebens begann nur zögerlich im letzten Drittel des 19. Jahrhunderts, einer Zeit, in der der britische Naturforscher Charles Darwin seine Überlegungen hierzu formulierte. Er vermutete als Ursprungsort des Lebens einen warmen

Tümpel, in dem bei Vorhandensein ausreichender anorganischer Verbindungen und Energie die Entwicklung komplexerer Moleküle begann. Aus ihnen sollte sich schließlich das Leben entwickelt haben. Dieser Prozess sei heute allerdings nicht mehr möglich, da die biologische Aktivität sämtliche Versuche eines Neuanfangs sofort zunichtemachen würde. Die eigentlichen Grundlagen zur Erforschung der präbiotischen Evolution legte aber erst im 20. Jahrhundert der 1894 geborene sowjetische Biochemiker Alexander Iwanowitsch Oparin. Er formulierte eine Hypothese, in der er deutlich machte, dass die Anfangsbedingungen der jungen Erde sich erheblich von denen der heutigen Zeit unterschieden. So machte er Angaben über die Zusammensetzung einer Uratmosphäre, forderte Blitzentladungen, Sonnenlicht und Vulkanismus als Energiequelle und prägte die Sammlung aller entstandenen Moleküle in einem Urozean mit dem Begriff der Ursuppe [1]. Seine Überlegungen gelten heute als überholt, da für die Uratmosphäre eine andere Zusammensetzung angenommen wird, die planetaren Voraussetzungen wegen fehlenden Kenntnisstands nicht berücksichtigt werden konnten und die möglichen Konzentrationen für eine reaktive Ursuppe viel zu gering waren. Aber er hatte die theoretischen Grundlagen für einen der bekanntesten Versuche der Wissenschaften gelegt, das als Ursuppenexperiment in die Wissenschaftsgeschichte eingegangen ist. Es war der Versuch von dem US-amerikanischen Chemiker Harold Clayton Urey und seinem Doktoranden Stanley L. Miller in den 1950er-Jahren. Er baute auf Oparins Hypothese auf und führte im Labor zur Bildung von Aminosäuren direkt aus einfachen anorganischen Komponenten.

5.3 Der Versuch von Harold C. Urey und Stanley L. Miller

Warum führen wir nicht einfach einen Versuch durch, der die Überlegungen von Oparin möglicherweise unterstützt? So oder ähnlich müssen sich Urey und Miller es irgendwann in den frühen 1950er-Jahren gefragt haben, bevor sie begannen, eine Apparatur zu ersinnen, in der in einfachster Weise einige vermutete Bedingungen der jungen Erde nachgestellt werden konnten (Abb. 5.1) [2]. Sie überführten verschiedene Gase, die sie als charakteristisch für die Uratmosphäre annahmen, in ein Kolbensystem, das zum Teil mit Wasser gefüllt war.

Es waren Ammoniak (NH_3), Methan (CH_4), Wasserstoff (H_2) und Kohlenstoffmonoxid (CO). Das Wasser wurde im Kolben erhitzt, sodass Wasser-

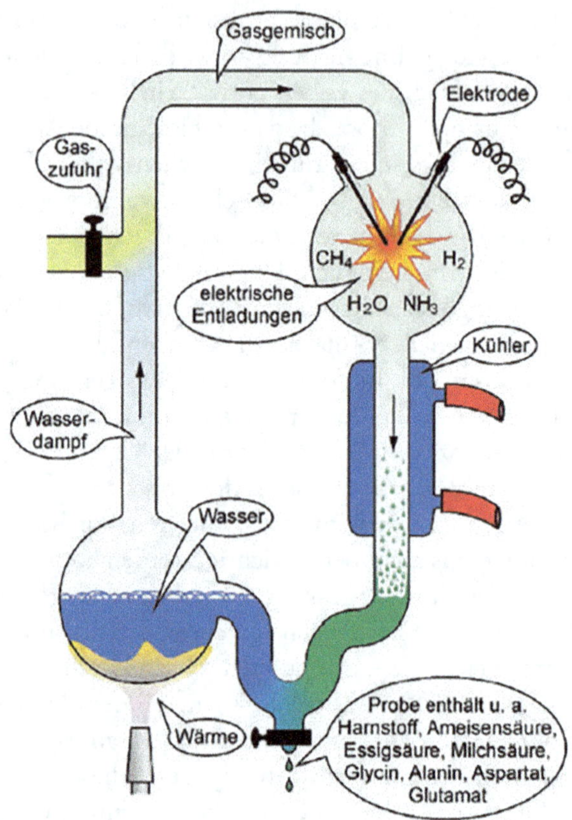

Abb. 5.1 Versuchsaufbau von Urey und Miller zur abiotischen Synthese von organischen Molekülen. (© Springer-Verlag GmbH [3])

dampf aufstieg und eine Zirkulation in Gang setzte. Diesem Gemisch wurde durch elektrische Entladung Energie zugeführt, ein Vorgang, der dem Einschlag von Blitzen entsprechen sollte. Es gab eine große Überraschung. Aus den anorganischen Stoffen und Methan bildeten sich relativ schnell Aminosäuren, Karbon- und Fettsäuren, die eine wichtige Größe in der organischen Chemie und der Biologie darstellen. Die Sensation war perfekt. Fortan glaubte man, die gebildeten Moleküle seien aus der Atmosphäre in die Ozeane ausgewaschen worden, wo sich eine „Ursuppe" entwickelt hatte, in der sich alles Weitere auf dem Weg zum Leben abspielte.

Es schien nur noch eine Frage der Zeit, bis die Erkenntnisse zur Entwicklung der ersten Zelle vorlagen. Aber schnell regte sich Kritik. Als Erstes war klar, dass die Konzentrationen der Moleküle bei dieser Art der Bildung so gering waren, dass sie, bevor sie überhaupt ein weiteres Molekül im Ozean hätten treffen können, wieder zerfallen wären. Außerdem änderte sich die Vorstellung von der Zusammensetzung der Atmosphäre. Miller und Urey nahmen eine reduzierte Atmosphäre an, sichtbar an dem CO und NH_3 im Versuch. Die Ausgasung der Erde brachte aber vermutlich überwiegend CO_2 und N_2 hervor. Darüber hinaus gab es das Problem der Chiralität. Im Versuch entstanden zu gleichen Anteilen die linkshändigen und rechtshändigen Aminosäuren. In der Natur treten aber bis auf wenige Ausnahmen nur die linkshändigen Aminosäuren auf. Eine Anbindung der Versuchsergebnisse an eine Zellbildung oder gar an eine RNA war durch dieses Experiment nicht möglich. Aber so sehr die Kritik berechtigt war – es war letztendlich der Durchbruch in der Forschung über die Entstehung des Lebens. Der Versuch zeigte zum ersten Mal eine Möglichkeit auf, sich mit experimentellen Schritten dieser unlösbar scheinenden Frage zu stellen.

5.4 Der Damm war gebrochen

In der Folgezeit wurde eine Vielzahl von Experimenten durchgeführt, um die Probleme der Verknüpfung von Aminosäuren zu Peptiden oder die Verbindung von Nukleotiden zu RNA-Strängen in den Griff zu bekommen. Untersuchungen von Tonmineralen ergaben, dass deren meist negativ geladenen Oberflächen einen wirkungsvollen Kontakt zu positiv geladenen organischen Molekülen bieten und als Katalysatoren bei der Verknüpfung dienen können [4]. Dies geschieht ebenso am Eisendisulfid Pyrit (FeS_2), das im Kontakt mit Wasserstoff reduziert wird. Das bedeutet, dass ein Schwefelatom aus der Verbindung mit dem Eisen herausgenommen wird und sich mit dem Wasserstoff einlässt. Dieser Vorgang liefert gleichzeitig Energie, die zum Beispiel für die Verknüpfung der Aminosäuren verwendet werden kann.

Pyrit ist ein Mineral, das gerade auf der jungen Erde häufig vertreten war. Die Forschung hierzu ist mit dem Namen Günter Wächtershäuser verknüpft, einem Münchner Patentanwalt, der in den 1980er-Jahren ein alternatives Szenario für die frühe Evolution des Lebens entwickelt hat, nicht ohne weitreichende Kritik zu erfahren [5, 6]. Seine Hypothese zur Biogenese unterscheidet sich deutlich von allen bis dahin diskutierten Modellen. Während die RNA-Welt-Hypothese (s. Kap. 6) zum Beispiel für die Startphase des Lebens ein System fordert, das sich durch fortlaufendes Kopieren einer chemisch gespeicherten Information selbst erhält, steht für Wächtershäuser der Stoffwechsel (Metabolismus) an erster Stelle. Er geht davon aus, dass die Bildung organischer Moleküle mit Kohlenstoff des CO_2 oder CO eine mineralische Oberfläche benötigte, die als Elektronenlieferant zur Verfügung stand. Der

Schwerpunkt seiner Diskussion dreht sich um die Bildung von Eisen-Schwefel-Mineralen, bei der am Ende das Mineral Pyrit (FeS_2) entsteht. So kann aus einer Eisen-Schwefel-Verbindung (FeS) im Kontakt mit Schwefelwasserstoff (H_2S) zu FeS_2 oxidiert werden. Hierbei werden ausreichend Elektronen und H^+-Ionen freigesetzt, die anhaftenden CO_2- bzw. CO-Molekülen direkt für den Aufbau komplexerer Moleküle zur Verfügung gestanden haben sollen. Ganz von der Hand zu weisen sind seine Überlegungen nicht. Einige der heutigen Enzyme besitzen sogenannte Eisen-Schwefel-Cluster. Sie übernehmen dort wichtige katalytische Funktionen, wobei sie gerade die Stoffe umsetzen, die ganz am Anfang der Entwicklung als Ausgangsprodukte zur Verfügung standen, wie H_2, N_2 oder CO. Aber Wächtershäuser kam mit seinen Überlegungen nicht sehr viel weiter. Es fehlten die Anbindung der Enzymentwicklung und die Bildung der RNA.

5.5   Black Smokers – eine Parallelwelt

Interessant war Wächtershäusers Hypothese in Verbindung mit der Entdeckung der Black Smokers 1979 vor den Galapagos-Inseln, die quasi eine Eisen-Schwefel-Welt darstellen (Abb. 5.2). Es handelt sich hierbei um Austrittsstellen bis über 400 °C heißer Tiefseequellen, an denen eine Fülle gelöster metallischer Verbindungen aus den Spalten der Kruste aufsteigen, mit dem Meerwasser reagieren und Ablagerungen aus Metallsulfiden, -oxiden und -sulfaten bilden. Es entstehen hierdurch regelrechte Wolken schwarzer feinverteilter Massen, die nach dem Absinken zum Teil schlotartige Strukturen aufbauen. Die hydrothermalen Quellen sind Teil aktiver Ozeanrücken, an denen zwei gegenüberliegende Platten auseinanderdriften. Magma aus dem unterlagernden Erdmantel steigt entlang der Naht zwischen den Plattengrenzen auf und liefert die Energie, die ein gewaltiges Zirkulationssystem am Leben erhält. An den Seiten der aktiven Ozeanrücken sickert Meerwasser durch die Spalten der geklüfteten dünnen Kruste in die Tiefe. Hier wird es aufgeheizt und reagiert mit den Mineralen des Basalts, des Gesteins, das die ozeanische Kruste ausschließlich aufbaut. Vor allem Metalle, die mit Schwefel reagieren, werden aus den Mineralen herausgelöst und abtransportiert. Die Zirkulation schließt sich mit dem Aufstieg dieser heißen, mineralbeladenen Wässer zu den Austrittsstellen der Black Smokers.

Direkt in Verbindung mit den Black Smokers stehend, hat sich ein hochspezialisiertes Ökosystem entwickelt, dessen Nahrungsgrundlage als eine der ganz seltenen Ausnahmen nicht das Sonnenlicht ist. Das gesamte System ist auf der chemischen Energie aufgebaut, die durch die austretenden Metall-

Abb. 5.2 Black Smokers – Gipfelregion des aktiven Vulkans North Su im östlichen Manus-Becken in ca. 1200 m Wassertiefe. (© MARUM – Zentrum für Marine Umweltwissenschaften, mit freundlicher Genehmigung)

sulfide für chemolithotrophe Bakterien und Archaeen zur Verfügung gestellt wird. Die Mikroorganismen nutzen Elektronen aus Redoxvorgängen, um chemische Reaktionen für ihren Stoffwechsel zu steuern. Aus dem anorganischen Kohlenstoff des CO_2 und CO gewinnen sie den für ihre eigenen Zellbestandteile notwendigen Kohlenstoff. Darauf aufbauend hat sich eine Nahrungskette entwickelt, die Würmer, Krebse und andere höhere Tiere miteinschließt. Die Entdeckung der hochspezialisierten Einzeller führte schnell zur Überlegung, dass die Black Smokers ein Modell für die Entstehung des Lebens sein könnten [7]. Die thermophilen Mikroorganismen schienen ein ideales Bindeglied zu denen zu sein, die sich vermutlich später im Lauf der Evolution auf kühlere Umgebungen spezialisiert hatten. Sie sind die einfachsten Organismen, die wir kennen. Darüber hinaus war deutlich, dass die Tiefe der Ozeane Schutz vor Sonnenwind und UV-Strahlung bot. Auch einschlagende große Meteorite hätten nur eine Teilverdampfung des Wassers vollzogen, sodass ein Fortbestehen der sich entwickelnden Lebenswelt nicht gefährdet worden wäre.

Allerdings gab es Einwände, weil die Schlote nur eine kurze Lebensdauer von wenigen Jahren besitzen und somit keinen langlebigen Bedingungen über die notwendigen Zeiträume bereitstellen. Weiterhin wurde deutlich, dass die Lösungsfracht mit Metallen und die Temperaturen innerhalb der Aufstiegswege zu hoch sind, sodass sich kaum organische Moleküle wie Nukleotide bilden können. Der Zerfall solcher Moleküle geschieht bei den hohen Temperaturen schneller als ihre Bildung. Bilden sie sich unter bestimmten Randbedingungen mithilfe von Mineraloberflächen dennoch, ist die weitere Anbindung an eine Entwicklung zur ersten biologischen Zelle nicht erkennbar. Weiterhin ist die Verknüpfung von Aminosäuren zu Peptiden im Wasser sehr problematisch. Die Verbindung zweier Aminosäuren erfolgt wie oben beschrieben durch Abspaltung eines Wassermoleküls, das sich aus einem OH-Molekül der einen Aminosäure und aus einem Wasserstoffatom der anderen bildet. Im Endeffekt verlor das Black-Smoker-Modell mehr und mehr an Zustimmung und wurde nicht weiter verfolgt.

5.6 Eine neue Entdeckung – die „White Smokers"

Die Aufgabe der Black Smokers als Modellfall für ein Ursprungsgebiet der Lebensentstehung lief fast parallel mit einer Entdeckung, die auf einer Forschungsfahrt im mittleren Atlantik zur Jahrtausendwende stattfand. Im Jahr 2000 wurde ein neues hydrothermales Gebiet angetroffen, das deutlich andere Eigenschaften aufweist als alle bisher bekannten heißen Quellen auf dem Meeresgrund. Es liegt in einer tektonisch aktiven Zone am Mittelozeanischen Rücken, am Rand eines submarinen Massivs aus Mantelgestein (Lost City im Atlantis-Massiv). Das ist das Besondere an dieser Position: Es handelt sich nicht, wie in den meisten anderen Fällen, um einen großen Vulkankomplex, sondern um ein durch Einengung emporgehobenes Teilstück des oberen Erdmantels [8]. Die Zusammensetzung des Gesteins besteht aus Mineralen, die typisch für Mantelgestein sind. Sie sind sehr reich an Magnesium und Eisen, aber arm an Silizium. Durch zirkulierende, aufgeheizte Wässer werden die vorherrschenden Minerale Olivin und Pyroxen in neue, wasserreiche Serpentinminerale umgewandelt (Serpentinisierung). Hierbei werden Wasserstoff und Methan freigesetzt. Bis zu 60 m hohe Türme aus Kalk haben sich auf dem Meeresgrund gebildet, aus denen niedrig temperierte Wasser mit bis zu 90 °C austreten – ein deutlicher Unterschied zu den Temperaturen der Black Smokers mit mehr als 400 °C (Abb. 5.3). Die White Smokers sind im Gegensatz zu den Black Smokers nicht mit so hoher Metallfracht beladen.

Abb. 5.3 Spezielle Smokers in der Gipfelregion des aktiven Vulkans North Su im östlichen Manus-Becken vor Papua-Neuguinea in ca. 1200 m Wassertiefe. Es sind Smokers, aus denen flüssiger Schwefel und Blasen aus CO_2 austreten. Die Wässer sind mit einem pH-Wert von 1,4 sehr sauer. (© MARUM – Zentrum für Marine Umweltwissenschaften, mit freundlicher Genehmigung)

Mit den Wässern treten gelöste Kalziumverbindungen aus den Spalten und Kanälen der Kalktürme aus und lassen diese in Kontakt mit dem CO_2-reichen Meerwasser weiterwachsen. Die White Smokers existieren seit mindestens 300.000 Jahren und sind somit wesentlich langlebiger als die Quellen der Black Smokers. Methan, Schwefelwasserstoff und Wasserstoff sind Begleiter der karbonatreichen Lösungen und bieten eine Lebensgrundlage für Bakterien und Archaeen, die wiederum Grundlage einer komplexen Nahrungskette sind. Allerdings ist der Reichtum an Lebensformen bei den White Smokers wesentlich geringer als bei den Black Smokers.

Die niedrigeren Temperaturen dieser Quellen sowie die löchrig strukturierten Kalktürme gaben Anlass dazu, dieses Milieu als ideales Umfeld für die Entstehung des Lebens zu definieren. In den folgenden Jahren, zum Teil bis heute, fokussierte sich daher ein Teil der Forscher auf das White-Smoker-Modell, das sie an vergleichbaren Positionen in den Ozeanen der frühen Erde annahmen [9]. Es verbleiben aber auch hier elementare Probleme. Neben der ebenfalls problematischen Umgebung des Wassers sind noch stärker ausschlaggebend die hohen pH-Werte der alkalischen Fluide, die zwischen 9 und 11 liegen. Sie sind das Totschlagargument für die Entwicklung einer RNA. Sie wird bei hohen pH-Werten schnell hydrolytisch zersetzt.

Es gibt aber noch weitere Argumente, die White-Smoker-Theorie als Bestimmung der Ursprungsorte des Lebens infrage zu stellen. Sie sind ein rezentes Produkt, gebildet unter den heutigen Bedingungen des Ozeans, mit der heutigen Zusammensetzung des Ozeanwassers. Es muss vorausgesetzt werden, dass das Ozeanwasser in der Frühzeit der Erde einen deutlich geringeren pH-Wert besaß, bedingt durch hohe Anteile gelöster Kohlensäure und Schwefelverbindungen. Die Löslichkeit von Kalk nimmt in einem solchen Milieu deutlich zu, sodass die Bildung von langlebigen Kalktürmen an den hydrothermalen Austrittsstellen äußerst fraglich ist. Das versunkene Plateau in der Nachbarschaft der White Smokers besaß sehr wahrscheinlich ein Korallenriff. Die Lage innerhalb der 30-Grad-Zone nördlich des Äquators ließ eine Riffbildung seitens der Wassertemperaturen durchaus zu. Die Nähe zur Wasseroberfläche des wahrscheinlich in früheren Zeiten höher gelegenen Komplexes muss gegeben gewesen sein, wie ein Profil des Standortes der White Smokers von Kelley et al. [10] zeigt (Abb. 5.4). Hierin wird deutlich, dass die Kalkschlote von einem Talus (Kalkschutt eines Korallenriffes) und einer sedimentären Kalksteinfolge unterlagert werden. Diese Situation mag die Bildung der Kalkschlote begünstigt haben und ist für die Frühphase der Erde nicht denkbar.

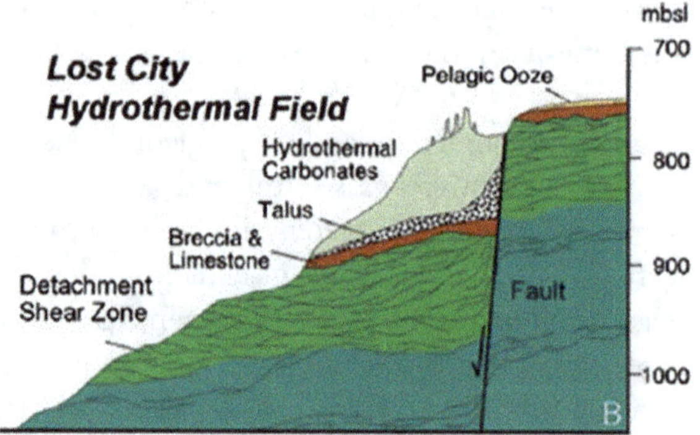

Abb. 5.4 Geologisches Profil des hydrothermalen Feldes Lost City mit White Smokers. Deutlich wird die unterlagernde Schichtenfolge aus Kalkstein (Breccia & Limestone) und Schutt eines Korallenriffes (Talus). Sie überlagert eine tektonische Scherzone (Detachment Shear Zone) im oberen Bereich des Mantelgesteins. Der gesamte linke Block ist an einer Abschiebungsstörung (Fault) nach unten versetzt. Auf dem rechten Block befinden sich Lagen feinkörniger Sedimente (Pelagic Ooze). mbsl = Meter unterhalb des Meeresspiegels. (Kelley et al. [10], Fig. 4 B)

Auch neueste Funde von Austrittsstellen im östlichen Manus-Becken, die White Smokers ähneln (Forschungsfahrt FS Sonne SO216, 2011 [11, 12]), zeigen extreme Verhältnisse mit austretendem flüssigen Schwefel, die für eine Entwicklung des Lebens ungeeignet sind.

5.7 Die Suche ging weiter – warme Tümpel

Charles Darwin hatte als Erster die Überlegung ins Spiel gebracht, dass das Leben möglicherweise in einem warmen Tümpel begann. In einem Brief an den Botaniker Joseph Hooker spekulierte er im Februar 1871: „But if (and oh what a big if) we could conceive in some warm little pond with all sorts of ammonia and phosphoric salts, light, heat, electricity etcetera present, that a protein compound was chemically formed, ready to undergo still more complex changes" [13]. Gerade in neuerer Zeit ist diese Idee aufgegriffen worden, da sie augenscheinlich eines der Hauptprobleme lösen hilft. Durch Feucht-trocken-Zyklen an Land sind die Verknüpfung von Aminosäuren zu Peptiden und die Bildung von Polynukleotidsträngen möglich, etwas, was im Wasser ohne bereits bestehende Enzyme nicht funktioniert. Unterstützung erhalten die Verfechter dieses Modells durch Funde organischer Moleküle in Meteoritgesteinen, in denen eine Vielfalt unterschiedlicher Aminosäuren gefunden wurde, unter anderem auch solche, die in den biologischen Zellen nicht vorkommen. Dies ist ein wichtiges Indiz dafür, dass es sich bei den Funden nicht um eine Kontamination handelt, die sehr schnell im Kontakt mit der Atmosphäre und dem Boden stattfinden kann.

Das Szenario gestaltet sich wie folgt: Lange nach Bildung einer festen Kruste regneten auf einen über den Meeresspiegel erhobenen Vulkaninselkomplex Meteorite und kosmischer Staub nieder, die im Weltall entstandene organische Moleküle mitbrachten. Ein Teil der Moleküle überstand den Aufprall und gelangte durch Verwitterung der Meteorite in die Regenwässer. Bäche, die vom Vulkangebirge ins Vorland flossen, speisten Seen und Tümpel, von denen ein Teil jahreszeitlich bedingt trockenfiel und anschließend wieder geflutet wurde. Einige von ihnen hatten ihren Ursprung in hydrothermalen Systemen, durch die weitere organische Verbindungen hinzukamen. Als Beispiel können Schlammtümpel und flache Becken im Umfeld vulkanisch aktiver Regionen dienen (Abb. 5.5). Von diesen Tümpeln ausgehend, gab es über Flüsse eine Verbindung zum Meer [14]. Darüber hinaus wird nicht ausgeschlossen, dass zusätzliche Moleküle an Land unter UV-Einfluss gebildet wurden und zur Vielfalt des Angebots beitrugen.

Das Trockenfallen der Tümpel war der Moment, in dem die Aminosäuren zu Peptiden und Nukleotide zu einem Strang verknüpft werden konnten. Die

Abb. 5.5   Beispiel eines Schlammtümpels mit Anbindung an ein Hydrothermalsystem (Island)

weiteren Schritte sind komplex und nicht voll ausformuliert. Es sollen sich innerhalb kürzester Zeit Zellen entwickelt haben, die mit dem weiteren Abfließen ins Meer erste Bakterienkolonien (Stromatolithen) bildeten. Die hierfür angesetzte Zeitspanne erscheint extrem kurz, bedenkt man die Millionen Jahre, die notwendig waren, um entscheidende Veränderungen in der Entwicklung der späteren Zellen zu erhalten. In späterer Zeit lag aber bereits ein funktionierendes System an Abläufen vor, das den Selbsterhalt der Zellen sicherte. Es ist sehr wahrscheinlich, dass die Anfangsphase bis zur ersten Zelle viel Zeit für die unendlich vielen Versuche nach dem Trial-and-Error-Prinzip benötigte. Es besteht keine Einigkeit über den Zeitrahmen, da die Schritte zum Leben noch zu weit im Dunkeln liegen. Es lassen sich lediglich Zeiten für einzelne Reaktionsschritte angeben.

Aus den vielen Versuchen, die notwendig waren, um die Bandbreite der Möglichkeiten auszuschöpfen, lässt sich nur eins feststellen: Es war viel Zeit notwendig. Und hierbei kann nicht einmal berücksichtigt werden, dass eine Entwicklung, die kurz vor dem Durchbruch stand, durch ein globales Ereignis ausgelöscht wurde. Danach begann alles wieder von vorn. Die geologischen Prozesse, die an den ersten Vulkanen oberhalb des Meeresspiegels abliefen, waren dagegen alles andere als langsam. Saure Regenwasser setzten dem ungeschützten Gestein intensiv zu, da weder Boden noch eine Pflanzendecke die Gesteinsoberfläche schützten. Die Folge war eine intensive Verwitterung, die bei kräftigen Niederschlägen zu hohen Erosionsraten führte. Dies führte wiederum zu einer hohen Sedimentfracht in Bächen und Flüssen, die jedes entstehende Becken oder kleinere Tümpel in kürzester Zeit auffüllte. Gerade die trockenfallenden Tümpel mit geringer Aufnahmekapazität waren nach wenigen Hundert Jahren geschlossen. Sollten auf ersten Kontinenten aride Zonen wie zum Beispiel in Australien existiert haben, müssen trockenfallende Becken schnell durch aus Lösungen ausgefällte Salze und Karbonate gefüllt worden sein, sofern nicht vulkanische Aschen dies übernahmen. Entsprechende Beispiele sind heute noch in ariden Regionen weit verbreitet. Sollten sich neue Tümpel gebildet haben, waren diese in den meisten Fällen nicht an die Prozesse ihrer Vorgänger angebunden, sodass dies jeweils einem Neustart glich. Der Raum für die Entwicklung des Lebens sollte allerdings über Jahrmillionen zur Verfügung gestanden haben.

Es gibt weitere Argumente gegen das Tümpelmodell. Die Meeresgezeiten waren durch die große Nähe des Mondes zur Erde kurz nach seiner Entstehung extrem kräftig ausgebildet. Die auf die Inselberge im Ozean treffenden Wassermassen führten zu einer wesentlich schnelleren Erosion, als es heute der Fall ist. Hinzu kamen nicht seltene Impakt-Ereignisse, die statistisch gesehen überwiegend im Meer stattfanden und vermutlich die Inseln komplett überspülten.

Anders sieht es bei größeren Komplexen wie Island oder ersten Kleinkontinenten aus, die von den großen Überflutungen verschont blieben. In diesem Fall müssen für ein Modell, das die ungeschützte Erdoberfläche als Entstehungsort zur Grundlage hat, die eingangs angesprochenen Faktoren diskutiert werden. Die Sonne hatte in der Anfangsphase zwar eine um 30 % verminderte Strahlkraft, die UV-Strahlung war aber um Größenordnungen stärker. Die Ursache hierfür lag in der anfänglich hohen Eigenrotation der Sonne, die einen starken Dynamoeffekt mit verstärkter Aktivität an der Sonnenoberfläche erzeugte [15]. Da der Atmosphäre vor der Entwicklung der Photosynthese betreibenden Einzeller der Sauerstoff fehlte, gab es keine Ozonschicht, die die UV-Strahlung abhalten konnte. So prallte die wesentlich stärkere Strahlung in dem Zeitraum der ersten Milliarden Jahre ungeschützt auf die Erdoberfläche.

Mögliche Bildungen langkettiger Verbindungen waren hierdurch von Beginn an einem extremen Auslesefaktor ausgesetzt. Gleiches galt für den starken Partikelstrom, der als Sonnenwind auch heute noch an manchen Tagen in schwächerer Form Einfluss auf die Erdatmosphäre ausübt. Bei einem fehlenden oder sehr gering ausgebildeten Magnetfeld hatte der Partikelstrom von der Sonne ungehinderten Zugriff auf alles, was sich auf der Erdoberfläche entwickelte. Solange nicht geklärt ist, ab wann ein wirksames Magnetfeld vorlag, muss der mögliche Partikelstrom von der Sonne als wichtige Größe mitdiskutiert werden.

Ein weiteres Problem ist die Konzentration der durch die kosmischen Partikel im Beipack gelieferten Moleküle. Es gibt nur eine kleine Größenfraktion der Meteorite, bei denen ein Überleben der organischen Substanzen auf dem Weg durch den Weltraum und durch die schon damals existierende Atmosphäre bis zur Erdoberfläche möglich war. Kleinere Partikel bieten den Molekülen keinen Schutz vor der alles zerstörenden UV-Strahlung im Weltraum. Die nächstgrößeren Einheiten in Zentimeter- und Dezimetergröße werden beim Queren einer möglichen Atmosphäre so stark aufgeheizt, dass die organischen Moleküle zerstört werden. Nicht anders sieht es bei den richtig großen Körpern aus, die bei der Kollision mit der Erde so viel Bewegungsenergie in Wärme umwandeln, dass alles verdampft.

Nur eine kleine Fraktion dazwischen ist groß genug, um den Molekülen im Inneren ausreichend Schutz vor der Strahlung im Weltall zu bieten und beim Kontakt mit der Atmosphäre bzw. der Erdoberfläche nicht zu verglühen. Die erste Frage, die hieran anschließt, ist die nach der Häufigkeit der Ereignisse in einem Einzugsgebiet für einen angenommenen trockenfallenden Tümpel. Sind die extrem geringen Molekülkonzentrationen (im Bereich von 1 zu 10^{12} pro Meteoritenmaterial) ausreichend – bei einem angenommenen Meteoritenfall von 1 pro Jahr (oder pro 10 Jahren) –, um eine biochemische Evolution in Gang zu setzen? Hierbei muss berücksichtigt werden, dass die Moleküle für notwendige Reaktionen nicht alle gleichzeitig zur Verfügung standen. Die Freisetzung erfolgte im Zuge der Verwitterung von der Oberfläche her und von kleinsten Rissen ausgehend auch aus tieferen Partien, Mikrometer für Mikrometer über einen Zeitraum von Hunderten von Jahren. Das bedeutet, die ersten freigesetzten organischen Verbindungen wurden lange vorher in die Fließsysteme gespült oder im Sediment eingebettet, bis die letzten Moleküle aus den Meteoriten zur Verfügung standen.

Nur viele Milliarden gleichzeitig verwitternder Meteorite mit der passenden Größe wären in der Lage gewesen, eine Ressource für die erforderlichen organisch-chemischen Prozesse bereitzustellen. Dass diese Moleküle bei ihrer Freisetzung und dem nachfolgenden Transport einer Vielzahl von Zerstörungsmechanismen ausgesetzt waren, ist bereits weiter oben beschrieben worden. Und noch eine zusätzliche Überlegung: Die gesamte vorangegangene Argumentation ist hinfällig, wenn die Erdoberfläche vor dem Vorhandensein einer Atmosphäre vollständig vereist war (s. Abschn. 2.4).

5.8 Panspermie – Weltraumsamen

„Das Weltall lebt, unvorstellbare Kreaturen kämpfen um die Vormacht in der letzten zu verteidigenden Galaxie, Raumschiffe schießen durch das All …" Unsere Köpfe sind voll von Bildern aus Filmen und Romanen der Science-Fiction-Welt, die seit vielen Jahrzehnten all die begeistern, denen es gedanklich auf der Erde zu eng geworden ist. Die Erzählungen prägten ganze Generationen in ihren Vorstellungen von intelligentem, außerirdischem Leben, das durch die gleichen Charakterschwächen ausgezeichnet ist wie das des irdischen. Auch Naturwissenschaftler sind nicht frei von diesen Gedanken, obwohl sie die überall geltenden Gesetze der Physik, die in den Science-Fiction-Romanen außer Kraft gesetzt zu sein scheinen, genauer einschätzen können. Allerdings geht es ihnen nicht um Weltraumschlachten, die geschlagen werden, sondern um viel grundlegendere Dinge, nämlich das Leben selbst.

In den Anfängen der modernen Naturwissenschaften erschien es den Wissenschaftlern sehr fragwürdig, dass das Leben auf der Erde entstanden sein sollte. Der Kosmos bot ihrer Ansicht nach für eine Lebensentwicklung sehr viel mehr Möglichkeiten, sodass die Wahrscheinlichkeit für eine Impfung der Erde von außen durchaus als Alternative angesehen wurde. Es erstaunt, dass diese Überlegungen bereits vor mehr als 100 Jahren diskutiert wurden, in einer Zeit, in der es kaum Kenntnisse von Planeten außerhalb unseres Sonnensystems und den Gesetzmäßigkeiten des Weltalls gab. Die Vorstellungen rankten sich um weit entfernte Planeten, auf denen günstigere Verhältnisse für die Entstehung des Lebens vorhanden waren als auf der Erde. Sie wurde anschließend durch Transfer von Keimen infiziert – eine Vorstellung, die heute als Panspermie bezeichnet wird.

Nicht nur der Transportmechanismus war unklar, auch die Überlebenschancen im Weltraum und bei der Landung auf der Erde waren spekulativ. Dieser frühe Gedanke, der sehr an Science-Fiction erinnert, wurde selbst von namhaften Wissenschaftlern wie Francis Crick und Leslie Orgel in den 1970er-Jahren geäußert. Crick erhielt zusammen mit James Watson und Maurice Wilkins den Medizin-Nobelpreis für die Entdeckung der Molekularstruktur der DNA (vgl. Abschn. 4.2). Der Chemiker Leslie Orgel forschte auf dem Gebiet der chemischen Evolution. Crick und Orgel diskutierten sogar die Möglichkeit einer gerichteten Panspermie. Ihrer Vorstellung nach sollten vom Untergang bedrohte Zivilisationen fremder Planeten gezielt Körner mit Bakterien ins Weltall ausgesandt haben, um entfernte Planeten mit Lebenskeimen zu infizieren. Nachfolgend wäre dann eine Kolonisation möglich [16].

Dieser Ansatz lässt sich schnell hinterfragen, da die zeitlichen Größenordnungen zwischen einer Impfung eines Planeten mit Biosporen und einer möglichen Bewohnbarkeit durch nachfolgende intelligente Lebensformen völlig auseinandergehen. Allein die Produktion von Sauerstoff auf der Erde hat über 1 Mrd. Jahre gedauert; so lange brauchte es, bis der Verbrauch durch oxidative Reaktionen mit Eisen und Schwefel so weit zurückgegangen war, dass überschüssiger Sauerstoff in der Atmosphäre angereichert werden konnte. Diese Zeit hatten die bedrohten Zivilisationen auf den fremden Planeten sicher nicht.

Lässt man die Begründung von Crick und Orgel außer Acht, wirft der auf den ersten Blick faszinierende Gedanke einer Impfung der Erde von außen bei genauer Betrachtung erheblich mehr Fragen auf, als dass er Antworten gibt. Als Erstes trägt er nicht dazu bei zu klären, wie das Leben entstanden ist. Das Problem wird nach außen verlagert, in eine unbekannte Region, für die die Kenntnis sämtlicher Rahmenbedingungen fehlt. Weiterhin fehlen Informationen über die Verhältnisse der Region, aus der der Start erfolgte, und darüber, wie der Transport über sehr lange Zeiträume bei ständigem Beschuss kosmischer Strahlung überstanden werden kann. Den kleinen Körnern würde letztlich jegliche Schutzhülle fehlen. Das Hauptproblem wäre aber die Partikeldichte.

Von einem angenommenen Ausgangspunkt im Weltall aus müsste eine gewaltige Partikelanzahl in eine Richtung geschossen werden, die nach wenigen Lichtjahren eine derart große Streuung aufweisen würde, dass ein Treffen mit einem Planeten ein enorm großer Zufall wäre. Eine kleine Vorstellung davon bietet das Bild eines Brausekopfes einer Dusche, der auf dem Mond in Richtung Erde sprüht. Lassen wir die Anziehungskräfte des Mondes und die Atmosphäre der Erde außen vor und positionieren wir auf der Erde genau einen Menschen. Wenn ein Strahl überhaupt auf der Erde einträfe, wäre die Wahrscheinlichkeit, dass dieser Mensch getroffen würde, äußerst gering. Oder nehmen wir eine Supernova-Explosion in einer benachbarten Galaxie, bei der wirklich viel Material ins All geschleudert wird: Wie viele Partikel kommen davon auf der Erde an? Sollte tatsächlich ein mit Bakterien beladenes Partikel auf einen Planeten treffen, der sich in der habitablen Zone befindet, und der Inhalt den Landeanflug überstehen, wären die Mikroben mit ganz profanen Dingen wie der Einbettung im Sediment oder der Auflösung in aggressiven Wässern konfrontiert. Die Chance für ein Aufblühen des Lebens ginge hierbei gegen null.

Nicht ganz so unrealistisch scheint der Austausch von Materie allerdings zwischen zwei benachbarten Planeten zu sein. So sind Milliarden Tonnen Gesteinsmaterial durch Einschläge großer Meteorite vom Mars zur Erde gelangt.

In umgekehrter Richtung war der Anteil vermutlich kleiner. Die Mengen können aber ausgereicht haben, um resistente Einzeller mit den Gesteinen in beide Richtungen zu transportieren [17]. Die Chance ist rein theoretisch gegeben, wenn die Einzeller im porösen Gestein von einer mindestens 1 m starken Gesteinsschicht ummantelt sind. Hier ist auch nach einer zu erwartenden Flugzeit von mehr als 1 Mio. Jahre (auf Bahnen, die sich langsam der Erde nähern) keine Auswirkung der UV-Strahlung zu erwarten. Und dass Einzeller einen derart langen Zeitraum überstehen können, ist zumindest für Bakteriensporen nachgewiesen. So konnten mindestens 25 Mio. Jahre alte Exemplare aus Bienen gewonnen werden, die über diese Zeit in Bernstein eingeschlossen waren [18]. Die Frühphase des Mars bot mit ausreichend Wasser zu Beginn durchaus ähnliche Bedingungen für eine Lebensentwicklung wie die Erde. Interessant ist die Überlegung, ob das Leben zweimal entstanden ist, vielleicht auf dem Mars und der Erde parallel. Bei einem Treffen der beiden Formen ist ein Austausch allerdings schwer vorstellbar. Mit jedem genetischen Code, der sich selbstständig entwickelt, entsteht eine Art selbstständiger Sprache. Die biologische Kommunikation zwischen den beiden separat entwickelten Linien des Lebens wäre nicht möglich.

Dass im Weltraum und auf anderen Planeten organische Verbindungen gebildet werden, ist inzwischen gut belegt. Analysen des 1969 in Viktoria, Australien, eingeschlagenen Murchison-Meteoriten ergaben eine erstaunliche Vielfalt organischer Moleküle, die den Aufprall auf der Erde überlebt haben [19]. Das Auftreten von 70 Aminosäuren, von denen die meisten nicht in biologischen Materialien vorkommen, sowie die hohe Prozentzahl der D-Konfiguration statt der L-Konfiguration machen eine Kontamination unwahrscheinlich. Selbst organische Basen, die Grundbausteine von RNA und DNA, wurden in kohlenstoffhaltigen Meteoriten gefunden. Darunter waren in einigen Fällen Basen, die nicht oder nur sehr selten auf der Erde vorkommen. Dies wird als ein deutlicher Hinweis auf eine extraterrestrische Herkunft gewertet [20].

Insgesamt bestätigt sich, dass die Bildung organisch chemischer Moleküle nicht auf die Erde begrenzt, sondern weit verbreitet im Weltall möglich ist. Es scheint nicht das Problem zu sein, die Entstehung von Aminosäuren, Lipiden und organischen Basen generell zu erklären. Das Problem ist, sie an einem Ort so zusammenzuführen, dass sie über einen sehr langen Zeitraum in hoher Konzentration miteinander wechselwirken können und dass es einen Motor gibt, der diese Wechselwirkungen anschiebt. Erst unter solchen Voraussetzungen besteht die Möglichkeit, eine so komplexe Maschinerie wie die der biologischen Zelle zu entwickeln.

5.9 Weitere Überlegungen

Es gibt zahlreiche weitere Ideen und Modelle, die einzelne Aspekte behandeln und Hinweise auf besondere, im Detail mögliche Entwicklungsschritte geben. Eine komplette Darstellung aller Forschungsansätze würde schnell den Rahmen dieses Buches sprengen. Erwähnenswert sind aber zwei weitere Ansätze, die kurz erwähnt werden sollen. Ein auch in mehreren populärwissenschaftlichen Veröffentlichungen vorgestelltes Modell beinhaltet den Gefrierprozess von Meerwasser als Basis für die Lebensentstehung. Kern des Modells ist eine Aufkonzentrierung organischer Moleküle durch das gefrierende Meerwasser. Beim Gefrieren werden zuerst Eiskristalle aus Süßwasser gebildet, wodurch sich Salze und organische Moleküle in verbleibenden Poren anreichern, die wiederum von Eismembranen umgeben sind. Hierdurch sollen Bedingungen entstehen, die für eine Verknüpfung der Moleküle günstig sind. Wie auch für andere Umgebungen beschrieben, ist Wasser für die Verknüpfung von Molekülen zu Peptiden oder RNA-Strängen eine große Hürde. Durch das Gefrieren wird es den Poren aber ausreichend entzogen, wodurch die Reaktionen ablaufen können. Dieses stark umstrittene Modell wurde von dem 2016 verstorbenen Physiker Hauke Trinks von der Universität Hamburg-Harburg entwickelt [21]. Er setzte voraus, dass es auf der jungen Erde bereits Phasen der Vereisung gab, was nicht ausgeschlossen werden kann. Sein Modell erklärt allerdings nicht die Herkunft der Moleküle und nicht, wie die verschwindend geringen Anteile im Urmeer die notwendig hohen Konzentrationen für Reaktionen in den Eisporen erbringen konnten.

Ein anderes, viel diskutiertes Modell stammt von Manfred Eigen, Chemie-Nobelpreisträger 1967 vom Max-Planck-Institut für biophysikalische Chemie in Göttingen. Eigen entwickelte auf Grundlage der Darwin'schen Evolution mathematische Modelle, die auf die Selbstorganisation größerer Moleküle zielen. Die Selbstorganisation sollte zur Bildung von sich selbst reproduzierenden Einheiten führen und gleichzeitig funktionsfähige Großmoleküle entwickeln. Von ihm stammen die Begriffe „Quasispezies" und „Hyperzyklus" [22].

Literatur

1. Oparin AI (1938) The origin of life. Academic Press, New York
2. Miller SL (1953) A production of amino acids under possible primitive earth conditions. Science 117(3046):528–529
3. Müller-Esterl W (2018) Biochemie. Springer, Heidelberg

4. Pedreira-Segade U, Feuillie C, Pelletier M, Michot LJ, Daniel I (2016) Adsorption of nucleotides onto ferromagnesian phyllosilicates: significance for the origin of life. Geochim Cosmochim Acta 176:81–95

5. Wächtershäuser G (1990) Evolution of the first metabolic cycles. Proc Nat Acad Sci 87:200–204

6. Wächtershäuser G (2000) Origin of life: life as we don't know it. Science 289(5483):1307–1308

7. Russell MJ, Hall AJ, Cairns-Smith AG, Braterman PS (1988) Submarine hot springs and the origin of life. Nature 336:117

8. Karson JA, Früh-Green GL, Kelley DS, Williams EA, Yoerger DR, Jakuba M (2006) Detachment shear zone of the Atlantis massif core complex, mid-Atlantic ridge, 30°N. Geochem Geophy Geosys 7(6):21. https://doi.org/10.1029/2005gc001109

9. Martin W, Russell MJ (2007) On the origin of biochemistry at an alkaline hydrothermal vent. Philos Trans R Soc B 362:1887–1925

10. Kelley DS, Früh-Green GL, Karson JA, Ludwig KA (2007) The lost city hydrothermal field revisited. Oceanography 20(4):90–99

11. Bach W (2011) Wochenbericht SO-216 (BAMBUS), 1506–22062011, Townsville, Australien – östliches Manus-Becken, Papua-Neuguinea. https://epic.awi.de/37102/20/SO216_wr.pdf. Zugegriffen: 29. Apr. 2019

12. Reeves EP et al. (2011) Geochemistry of hydrothermal fluids from the PACMANUS, northeast Pual and Vienna woods hydrothermal fields, Manus Basin, Papua New Guinea. Geochim Cosmochim Acta 75:1088–1123

13. Darwin C (1887) The life and letters of charles Darwin, including an autobiographical chapter. John Murray, London

14. Van Kranendonk MJ, Deamer DW, Djokic T (2017) Life on earth came from a hot volcanic pool, not the sea, new evidence suggests. Sci Am 317:28–35

15. Cnossen I, Sanz-Forcada J, Favata F, Witasse O, Zegers T, Arnold NF (2007) Habitat of early life: solar X-ray and UV radiation at earth's surface 4–3.5 billion years ago. J Geophys Res 112:1–10. https://doi.org/10.1029/2006je002784

16. Crick FHC, Orgel LE (1973) Directed panspermia. Icarus 19:341–346

17. Mileikowsky C, Cucinotta FA, Wilson JW, Gladman B, Horneck G, Lindegren L, Melosh J, Rickman H, Valtonen M, Zheng JQ (2000) Natural transfer of viable microbes in space. 1. From mars to earth and earth to mars. Icarus 145:391–427

18. Cano RJ, Borucki MK (1995) Revival and identification of bacterial spores in 25- to 40-million-year-old Dominican amber. Science 268(5213):1060–1064

19. Meierhenrich UJ, Munoz Caro GM, Bredehöft JH, Jessberger EK, Thiemann W (2004) Identification of diamino acids in the Murchison meteorite. PNAS 101:9182–9186

20. Callahan MP, Smith KE, Cleaves HJ, Ruzicka J, Stern JC, Glavin DP, House CH, Dworkin JP (2011) Carbonaceous meteorites contain a wide range of extraterrestrial nucleobases. PNAS 108(34):13995–13998

21. Trinks H, Schröder W, Biebricher CK (2005) Ice and the origin of life. Orig Life Evol Biosph 35:429–445
22. Eigen M, Schuster P (1979) The hypercycle – a principle of natural self-organization. Springer, Berlin

6

Die RNA-Welt: Der Start mit einem ganz besonderen Molekül?

Inhaltsverzeichnis

6.1 Die RNA – ein Molekül mit Fähigkeiten

Die Geschichte der Erde wird von den Geologen gern in Abschnitte eingeteilt, in denen global über lange Zeiträume gleichbleibende Verhältnisse herrschten. Eine etwas unscharfe, mehr ergänzende Einteilung wird mithilfe von Lebewesen getroffen, die zu bestimmten Zeiten die vorherrschenden Gruppen stellten. Am bekanntesten ist die Zeit der Dinosaurier, die vor etwa 230 Mio. Jahren begann und bis zur Kreide-Paläogen-Grenze vor 66 Mio. Jahren andauerte. Es folgte die Zeit der Säugetiere. Vor den Dinosauriern gab es zum Beispiel die Zeiten der Amphibien, Fische oder auch der Trilobiten. Für den Beginn des Lebens wurde relativ früh vermutet, dass der komplexe Informationsspeicher DNA eine evolutiv höhere Entwicklung darstellt als die RNA, die in gewisser Weise auch Information speichern kann. Die Überlegungen hierzu stammten vom US-amerikanischen Mikrobiologen Carl Richard Woese. Darauf aufbauend schlug Walter Gilbert, ein US-amerikanischer

Biochemiker, Mitte der 1980er-Jahre den Begriff „RNA-Welt" vor. Das Zeitalter der RNA war geboren, wobei der genaue Anfang und das Ende bis heute unklar sind. Seit dieser Zeit wird jedenfalls von vielen Wissenschaftlern, die den Ursprung des Lebens erforschen, die RNA-Welt-Hypothese befürwortet.

Und was macht die RNA-Welt Hypothese so attraktiv? Es war die Entdeckung einer speziellen RNA, die in der Lage ist, katalytische Eigenschaften zu entwickeln [1]. Sie wurde im Ribosom eines eukaryotischen Einzellers aufgespürt, in dem molekularen Werkzeug, das für den Zusammenbau der Proteine zuständig ist. Mit anderen Worten, diese RNA kann etwas, das normalerweise an anderer Stelle von Enzymen durchgeführt wird. Allerdings ist die Geschwindigkeit der katalytischen Vorgänge wesentlich geringer als bei den heutigen Enzymen. Schnell entwickelte sich die Vorstellung, dass zu Beginn des Lebens primär eine RNA mit katalytischen Eigenschaften vorlag und erst nach und nach ein Übergang der Funktionen auf die effizienteren Enzyme erfolgte. Und das ist noch nicht alles. Die RNA ist gleichzeitig über die Reihung der Basentripletts ein Informationsspeicher, der nur in die richtige Beziehung zu den anderen Molekülen gebracht werden musste. Möglicherweise begann mit der RNA sogar der Start der Aminosäureverkettung zu Peptiden, die sich bis heute in den Ribosomen fortsetzt.

Darüber hinaus kann die RNA sich unter bestimmten Umständen selbst kopieren – die ideale Voraussetzung für eine Verknüpfung der Proteinwelt mit der RNA-Welt. Laborversuche ergaben, dass die Ribose, der Zucker der RNA, wesentlich leichter aus verfügbaren präbiotischen Ausgangsstoffen zu erhalten ist als die Desoxyribose, der Zucker der DNA. In heutigen Zellen wird die Desoxyribose mithilfe eines Enzyms aus Ribose hergestellt. Darüber hinaus wird die DNA aus Bausteinen der RNA erzeugt, die folglich in der Zelle erst einmal vorhanden sein muss. Dies sind Hinweise auf die lebensgeschichtliche Altersstellung der Moleküle, die nahelegen, dass die RNA vor der DNA existierte.

Der Übergang von der RNA- in die DNA-Welt hatte anscheinend Vorteile, die durch die deutlich geringere Lebensdauer der RNA aufgrund ihrer chemischen Instabilität bedingt waren. Ursache hierfür ist der etwas anders zusammengesetzte Zucker Ribose in der RNA im Vergleich zur Desoxyribose in der DNA. Während die Ribose ein OH-Molekül an einer Stelle des ringförmig aufgebauten Zuckers besitzt, befindet sich an gleicher Stelle im Zucker der DNA nur ein Wasserstoff; der Sauerstoff fehlt („desoxy" = ohne Sauerstoff). Treten bei höheren pH-Werten durch vorhandene Basen verstärkt OH$^-$-Ionen auf, entreißen diese der 2'OH-Gruppe der Ribose das Proton (H$^+$), um ein Wassermolekül zu bilden. Mit dem einzelnen Wasserstoff der Desoxyribose passiert dies nicht, da das H-Atom zu fest an den Ring des Zuckers gebunden ist. Mit dem Verlust des Protons bei der Ribose greift das verbliebene Sauerstoffanion den Phosphor im Phosphatrückgrat an, was zur Abspaltung von der Ribose führt. Das Rückgrat wird somit gespalten; die RNA zerfällt [2]. Sie wird hydrolysiert.

Die Reaktion zeigt gleichzeitig, dass die RNA bei höheren pH-Werten keine Stabilität besitzt. Und genau das war eines der Argumente aus biochemischer Sicht gegen die White Smokers. An ihnen treten Wässer mit hohen pH-Werten auf, die einer RNA keine Überlebenschance geben. In den heutigen Zellen ist die Lebensdauer der mRNA-Moleküle auf wenige Minuten begrenzt. Danach haben sie ihre Funktion erfüllt, werden in Einzelbausteine zertrennt und stehen für den Zusammenbau neuer RNA mit neuen Aufgaben zur Verfügung. Die DNA hat dagegen bei gleichem Speicherprinzip eine hohe Stabilität, was allein durch Funde in Knochen von Menschen aus prähistorischer Zeit wie den Neandertalern belegt ist.

Der Vergleich von RNA und DNA macht wahrscheinlich, dass sich zu Beginn des Lebens die RNA gebildet und mit fortschreitender Evolution daraus der stabilere Langzeitspeicher DNA entwickelt hat. Die RNA wurde beibehalten und entwickelte sich zu unterschiedlichsten Funktionsträgern weiter. Jetzt stellt sich aber die Frage, wie der Informationsspeicher aussah bzw. funktionierte, bevor die stabilere DNA die RNA ablöste. Und damit tangieren wir eine der wesentlichen Schwierigkeiten in der RNA-Welt. Als die DNA im Rahmen der Evolution die Bühne betrat, waren die Abläufe der Speicherung und Informationsinhalte der Basentripletts sehr wahrscheinlich seit Langem etabliert. Das bedeutet, die Funktion, die die DNA neu übernommen hatte, muss vorher von der weniger stabilen Form der RNA ausgeführt worden sein.

6.2 Probleme der RNA-Welt

Bisherige Experimente zur Erzeugung langer RNA-Stränge haben gezeigt, dass der Abbau durch die eigene katalytische Aktivität schneller voranschreitet als der Aufbau [1, 3]. Das heißt, ein zufällig entstandener längerer RNA-Strang hat eine nur sehr kurze Lebensdauer, da er sofort wieder in kurze Abschnitte zerteilt wird. Darüber hinaus entstehen bei der Kopie eines RNA-Stranges häufig Fehler, die zu einer Fehlfunktion möglicher katalytischer Eigenschaften führen. Es zeigt sich bereits jetzt, dass die Fehlerfortpflanzung schneller abläuft als die Selektion zu funktionsfähigen Einheiten. Die im Labor verwendete RNA ist immer enantiomerenrein, das heißt, die Nukleobasen sind nur mit der D-Ribose verbunden. Zu Beginn der Lebensentwicklung müssen aber in den gebildeten RNAs sowohl D- als auch L-Versionen der Ribose verknüpft worden sein. Da für die RNA-Welt längere Stränge mit zum Beispiel 50 Basen erforderlich sind, gibt es allein für eine bestehende Basensequenz durch die beiden Ribosehändigkeiten 10^{15} verschiedene Variationen. Wie in Abb. 9.1 dargestellt, ist die Selektion zu längeren Ketten schwer zu erklären.

Bislang im Labor in Experimenten entwickelte Ribozyme (katalytisch aktive RNA-Moleküle) hatten eine relativ hohe Fehlerquote bei der Reproduktion, und es ließen sich nur sehr kurze Abschnitte reproduzieren [3]. Aber davon einmal abgesehen – auch wenn sich eine zufällig gebildete RNA beliebig oft kopiert, Kopierfehler bekommt und ständig (in Richtung einer verbesserten Katalyse) weiterentwickelt –, ist es ausgeschlossen, dass sie zufällig Enzyme katalysiert, die gleichzeitig bis zu 20 verschiedene Synthetasen bilden, die wiederum tRNAs so spezifisch beladen, dass daraus die Peptidmaschinerie entstehen kann. Das ist das Huhn, welches aus dem Ei schlüpft, das es selbst gelegt hat.

6.3   RNA im Labor

In unseren Laboratorien in Essen haben Versuche in Autoklaven unter hohem Druck mit überkritischem CO_2 und unterkritischem Wasser erste Erfolge bei der Verknüpfung von Basen mit Zucker (Ribose) und Phosphat ergeben (Analysen Prof. O. J. Schmitz, Applied Analytical Chemistry). Die Strangbildung selbst steht vor der Erforschung. Als günstig für die Stabilität der RNA erweisen sich hierbei die Bedingungen in der Kruste. Untersuchungen von Jarvinen et al. [4] belegen, dass bei einer Temperatur von 90 °C die größte Stabilität der RNA im pH-Bereich zwischen 4 und 5 liegt – genau dem Bereich, der in 1000 m Tiefe mit einem Überschuss an CO_2 und variierenden N_2-Konzentrationen seitens des pH-Wertes plausibel ist.

Anders verhält es sich mit der Stabilität der DNA. Sie hat ihr Optimum bei höheren pH-Werten im neutralen Bereich. Hierin könnte in der späteren Entwicklung der Übergang von der RNA zur DNA als Speicher begründet liegen. Alle Produkte, die sich in der Tiefe bildeten, wurden durch Aufstieg der Wässer in höhere Stockwerke transportiert und durch Geysireruptionen direkt auf die Oberfläche katapultiert. Hierdurch gelangten auch die ersten Zellen in höhere Zonen, in denen je nach Verhältnissen höhere pH-Werte vorliegen konnten. Die Ursache war der Zutritt von Oberflächenwässern mit höheren pH-Werten, der die Werte der Mischwässer insgesamt erhöhte.

Unter Berücksichtigung der höheren Krustentemperaturen in der Frühzeit der Erde und den Temperaturschwankungen durch die Phasenübergänge der Gase kann ein Temperaturfenster von ca. 30 ± 10 °C bis 70 ± 10°C in 1000 m

Tiefe abgeschätzt werden (s. Kap. 7). Das bedeutet, die RNA liegt an dem postulierten Ort ihrer Entstehung in einem Stabilitätsoptimum, wodurch das Überleben längerer Stränge auch für einen größeren Zeitraum gegeben ist. Gefördert wird die Stabilität weiterhin durch das Auftreten von Magnesiumionen (Mg^{2+}) [5] und Bor. Magnesium wird in der Kruste unter anderem durch Auflösung von Olivin bereitgestellt. Olivin ist eines der Hauptminerale basaltischer bzw. gabbroider Gesteine und wird in allen tieferen Bereichen der Störungszonen angetroffen. Gabbros sind chemisch mit Basalten verwandt, aber durch langsame Abkühlung und Kristallisation in der Tiefe mit größeren Kristallen ausgestattet. Die hydrothermalen Lösungen zersetzen Olivin und andere magnesiumhaltige Minerale leicht, sodass Magnesiumionen in hoher Anzahl zur Verfügung stehen.

Bor ist bedeutend für die Stabilität der Ribose, des in der RNA verwendeten Zuckers [6]. Es bildet in Verbindung mit anderen Ionen verschiedene Minerale, die überwiegend unter ariden Bedingungen in übersalzenen Becken kristallisieren. Es wird dagegen in Minerale, die aus Magmen kristallisieren, nur sehr geringfügig eingebaut. Bor ist zum Beispiel als Borsäure oder Borat in wässrigen Fluiden hochlöslich und findet sich deshalb angereichert in Restlösungen kristallisierender Magmen und in hydrothermalen Wässern. Die Konzentrationen der verschiedenen Ionen in den Fluiden der Störungszonen variieren mit der Stärke des Gasaufstiegs bzw. des Zustroms an Wasser aus der Tiefe und dem Anteil des Wasserzutritts von der Erdoberfläche. Es kann auf jeden Fall vorausgesetzt werden, dass es Milieus in den kontinentalen Störungszonen gab, in denen ausreichend Bor als stabilisierendes Element für die RNA zur Verfügung stand.

Literatur

1. Mills DR, Peterson RL, Spiegelman S (1967) An extracellular Darwinian experiment with a self-duplicating nucleic acid molecule. Proc Natl Acad Sci USA 58:217–224
2. Alberts B, Johnson A, Lewis J, Raff M, Roberts K, Walter P (2002) Molecular biology of the cell. Garland Science, New York
3. Szostak JW (2012) The eightfold path to non-enzymatic RNA replication. J Syst Chem 3:2
4. Jarvinen P, Oivanen M, Lonnberg H (1991) Interconversion and phosphoester hydrolysis of 2′, 5′-and 3′, 5′-dinucleoside monophosphates: kinetics and mechanisms. J Org Chem 56(18):5396–5401

5. Fischer NM, Polêto MD, Steuer J, van der Spoel D (2018) Influence of Na+ and Mg2+ ions on RNA structures studied with molecular dynamics simulations. Nucleic Acids Res 46(10):4872–4882. https://doi.org/10.1093/nar/gky221
6. Furukawa Y, Horiuchi M, Kakegawa T (2013) Selective stabilization of ribose by borate. Orig Life Evol Biosph 43(4–5):353–361. https://doi.org/10.1007/s11084-013-9350-5

7

Das neue Modell: Hydrothermale Systeme der frühen kontinentalen Kruste

Inhaltsverzeichnis

7.1   Die kontinentale Kruste – zerbrechlich und gestört

Der Start des Projekts zur Entstehung des Lebens war an der Universität Duisburg-Essen völlig anders, als wir es für die bisherige Forschung kennengelernt hatten. Es gab keinen Wissenschaftler, der aufbrach, um das Leben in seinen Anfängen zu erkunden, keine Forschergruppe, die diese Fragestellung nach einem erfolgreichen Antrag hochfinanziert in einem Forschungsauftrag zu bearbeiten hatte. Das Thema stolperte fast nebenbei herein, in eine Situation, die alles andere als mit der Suche nach der Entstehung des Lebens zu tun hatte. Die Frage, die ab einem bestimmten Zeitpunkt im Raum stand, war für mich: Welche Bedingungen herrschen in tektonischen Störungen?

Es sind Bruchzonen in der Erdkruste bis zum Erdmantel, die heiße Wässer und Gase führen, in denen Minerale aus gelösten Stoffen kristallisiert werden und in denen Erdbeben losschlagen können. Es waren hügelbauende Wald-

U. C. Schreiber, C. Mayer, *Das Geheimnis um die erste Zelle*,
https://doi.org/10.1007/978-3-662-72716-4_7

ameisen, die bei Kartierungen in der Eifel immer wieder auf solchen Störungen gefunden wurden und diese Frage auslösten. Das anschließende Sammeln von Fakten über gasoffene Bruchzonen führte neben geologisch bekannten Rahmenbedingungen zu Gasen wie Stickstoff, Kohlenstoffdioxid, Wasserstoff, zu Phosphat und Schwefel und zu Bedingungen der Fischer-Tropsch-Synthese in hydrothermalen Systemen.

Und plötzlich war es da, das Bild von der Entstehung des Lebens in diesem so unbekannten Umfeld. Es war so deutlich, dass es unausweichlich war, sich tiefergehend damit zu beschäftigen. Nach kurzer Suche fand sich, wie oben beschrieben, eine Gruppe von Naturwissenschaftlern der Universität Duisburg-Essen, die sich das Ziel setzte, die heutigen Verhältnisse an tektonischen Störungszonen auf die Anfangsphase der kontinentalen Krustenbildung zu übertragen und die Möglichkeiten chemischer Reaktionen mit Blick auf die Bildung organischer Moleküle zu überprüfen [1].

Die hydrothermalen Systeme der Black Smokers und White Smokers haben gezeigt, dass im Übergang von der dünnen ozeanischen Kruste zur Hydrosphäre ein temperaturgesteuerter Zirkulationsprozess besondere Voraussetzungen für ein eigenständiges Ökosystem schafft. Hydrothermale Quellen sind auch an Land interessante Lebensräume für hochangepasste Bakterien und Archaeen, die Temperaturen deutlich über 100 °C tolerieren. Die hohen Temperaturen stehen zum Teil in Verbindung mit tiefreichenden Zirkulationen von Wässern, die an höheren Positionen der Gebirge versickern und über Bruchzonen mehrere Kilometer tief in die Erdkruste gelangen. Dort nehmen sie die Temperatur der Kruste an und werden durch nachströmendes Wasser wieder nach oben gedrückt. Liegt das Ende des Aufstiegsweges morphologisch tiefer als die Gebirgsregion, treten die Wässer selbstständig (artesisch) als heiße Quellen aus. In den meisten Fällen stammen die hohen Temperaturen jedoch aus der Nähe der Wässer zu magmatischen Aktivitäten.

Es gibt Magmen, die in der Erdkruste bei ihrem Aufstieg in Magmakammern stecken bleiben und die überlagernde Kruste stark aufheizen. Oder sie schaffen es, durch Bruchzonen die komplette Kruste zu durchschlagen und Vulkane auszubilden. Je geringer die Abstände der Wässer zu dem heißen Gestein sind, desto stärker heizen sie sich auf. Beispiele hierfür sind der Yellowstone-Nationalpark der USA oder die Phlegräischen Felder in Süditalien mit ihren Geysiren und heißen Quellen. Mit größerer Distanz zu magmatisch aktiven Zonen verringert sich der Temperaturgradient in der Kruste. Er erreicht heute Durchschnittswerte, die im Kontinent ca. 30 °C Temperaturerhöhung pro Kilometer Tiefe betragen. In der frühen Phase der kontinentalen Krustenentwicklung waren die Temperaturen vielleicht doppelt so hoch, bedingt durch die höheren Anteile radioaktiver Isotope (Kalium [^{40}K], Uran,

Thorium), die mit ihrem Zerfall einen hohen Beitrag zur Temperaturerhöhung innerhalb der Erde leisteten.

An dieser Stelle muss ich eine Sache besonders hervorheben: Es lassen sich viele hypothetische Modelle zur Entstehung des Lebens entwickeln und diskutieren. Eine Akzeptanz ist aber nur zu erreichen, wenn Laborversuche einzelne Schritte der Hypothesen untermauern, zusätzlich unterstützt von molekulardynamischen Simulationen (MD-Simulationen), aus denen eine überprüfbare Theorie entwickelt werden kann. Von besonderem Wert ist es, wenn für das vorgeschlagene Modell physikalische Rahmenbedingungen angegeben werden können, für die realistische Größen abschätzbar sind. Und genau dies ist hier der Fall. Wir kennen den Druck in einer offenen Wassersäule, der unter Vernachlässigung des atmosphärischen Druckes früher genau gleich dem heutigen war. Er beträgt 1 bar pro 10 m. In 1000 m Tiefe herrschten seinerzeit auch in der jungen Kruste 100 bar in der offenen Wassersäule, und die Temperaturen lagen mit etwa dem doppelten Wert von heute bei vielleicht 50–60 °C. Genau diese Informationen werden gebraucht, um im Labor Bedingungen der kontinentalen Kruste nachzustellen.

Wie in Abschn. 2.5 am Beispiel von Island beschrieben ist, lassen sich durch Überlagerung verschiedener Mantelprozesse große Mengen basaltischer Laven zu Inseln auftürmen, die nach einigen Millionen Jahren ein großflächiges Festland ergeben. Werden Teile dieser Gesteine wieder aufgeschmolzen, können sich neue Magmen mit einer völlig anderen Zusammensetzung bilden. Die neuen Gesteinsschmelzen kristallisieren durch langsame Abkühlung zu einem Gestein, das mit Graniten verwandt ist. Granitische Gesteine haben eine geringere Dichte als Basalt und schwimmen quasi auf dem dichteren Untergrund des Erdmantels. Ihre fortwährende Bildung im Lauf der Erdgeschichte führte deshalb zu einer eigenständigen Kruste, die heute noch die Kernzonen der Kontinente bildet. Die Dichteunterschiede sind die Ursache dafür, dass die Kontinente höher als die ozeanische Kruste und sogar höher als der Meeresspiegel liegen. Und damit bekommen wir für die Frühphase der Erde eine neue Situation. Es gibt mit den ersten kleinen Kontinenten größere Bereiche, die über einem für die damalige Zeit anzunehmenden Meeresspiegel liegen. Hierdurch erschließen sich neue Räume, die Auswirkungen auf das beginnende Leben haben konnten.

Weiterhin ist der Temperaturgradient in der kontinentalen Kruste deutlich kleiner als in der ozeanischen, während gleichzeitig die Mächtigkeit das Mehrfache beträgt. Hiermit verbunden ist ein viel weiter gespannter Druck- und Temperaturbereich über die vertikale Erstreckung, der für die Entwicklung organisch chemischer Moleküle zur Verfügung stand.

Wir bekommen durch Island somit eine Vorstellung, wie sich der Start der kontinentalen Krustenbildung vollzogen haben konnte. Einige Hundert Millionen Jahre nach der Bildung der ersten basaltischen Kruste waren bereits größere Einheiten entstanden. Sobald diese Urkontinente eine kritische Größe erreicht hatten, müssen durch Spannungen tektonische Bruchzonen entstanden sein. Ursache können zum Beispiel lokal verstärkte Ansammlungen von Magmen unter der Kruste an der Kruste-Mantel-Grenze gewesen sein. Hierdurch bildet sich eine Art Kissen, das die überlagernde Kruste in einem begrenzten Bereich aufwölbt. Sie wird gedehnt, reißt auf und bildet tiefreichende Störungen, an denen Gase und Magmen aufsteigen können.

Ein rezentes Beispiel ist der südliche Oberrheingraben (Abb. 7.1). Ein Gebiet von ca. 400 km Durchmesser nordwestlich der Alpen wurde in den letzten 100 Mio. Jahren kontinuierlich angehoben und großflächig abgetragen. Durch die Aufwölbung kam es zur Dehnung, es entstanden Störungen, an denen der Oberrheingraben einbrach, während Schwarzwald und Vogesen weiter aufstiegen. Durch tektonische Einengung Mitteleuropas entstanden

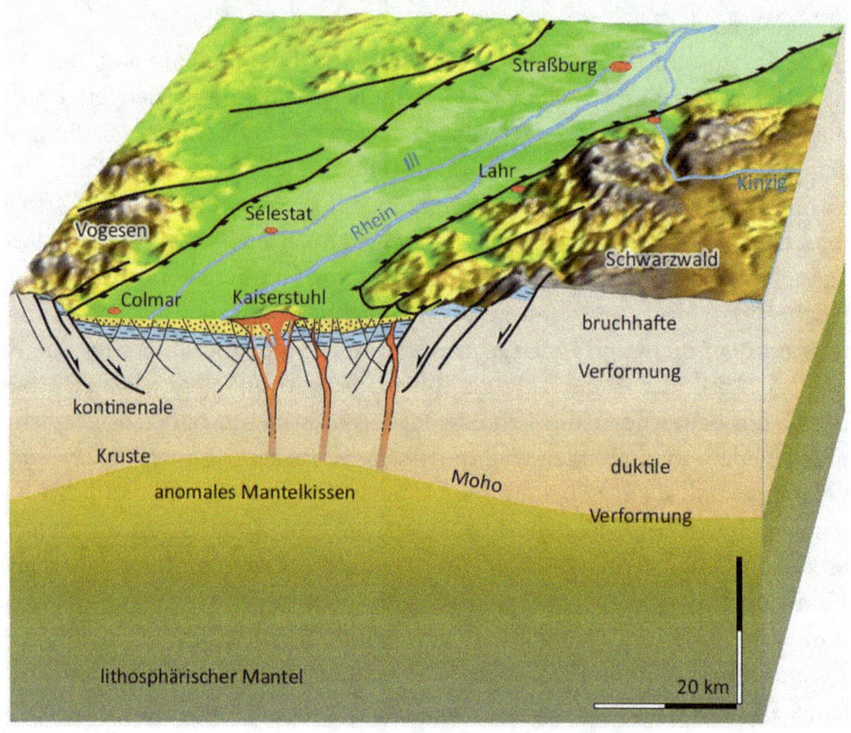

Abb. 7.1 Die Tektonik des südlichen Oberrheingrabens. Der Aufstieg heißeren Mantelmaterials und die Ansammlung in einem Mantelkissen führten zur Hebung der gesamten Kruste. Die hiermit verbundene Dehnung bildete den Oberrheingraben. (© Springer-Verlag GmbH [2], Abb. 13.10)

Seitenverschiebungen, die die Kruste bis in den Mantel durchschlugen. Begleitet wurde diese Entwicklung von vulkanischer Aktivität, deren bekanntester Vertreter der Kaiserstuhl bei Freiburg ist. Hiermit haben wir bereits ein Bild vor Augen, das alle Voraussetzungen für die Bildung organisch-chemischer Moleküle in den Störungszonen einer kontinentalen Kruste beinhaltet.

Tektonische Störungen

Tektonische Störungen sind Bruchzonen in der Erdkruste, an denen Gesteinsschollen gegeneinander bewegt werden. Es gibt drei Grundtypen, die unterschieden werden: Die erste erfolgt durch Dehnung der Kruste. Es bilden sich hierdurch wie am Oberrheingraben Abschiebungen, an denen Schollen absinken. Bei einer Einengung werden die Schollen gegeneinandergedrückt, wodurch sich Aufschiebungen bilden. Hierbei wird ein Gesteinspaket über ein anderes hinweggeschoben. Diese beiden Störungstypen bilden im Normalfall keine direkten Kanäle in die Tiefe, an denen Gase aufsteigen können.

Die dritte Möglichkeit der Störungsbildung ist das Aufreißen der Kruste entlang von Seitenverschiebungen durch seitliches Verschieben der Krustenblöcke gegeneinander. Sie bilden vertikal stehende Bruchzonen, die bis in den Mantel reichen können. Prominentestes Beispiel ist die San-Andreas-Störung in den westlichen USA, an der der südwestliche Teil Kaliforniens gegenüber dem restlichen Kontinent nach Nordwesten verschoben wird.

Der Mantel hatte in der Frühzeit aufgrund seiner höheren Temperatur eine stärker ausgeprägte Dynamik mit einer zwangsläufig stärkeren Konvektion als heute. Spannungen, die durch die Mantelbewegungen über Scherkräfte auf die Kruste übertragen wurden, können ausreichend für die Bildung von Seitenverschiebungen gewesen sein. Beim Verschieben der Krustenblöcke gegeneinander öffnen sich an gewellten Flächen Kanäle zur Tiefe, die die gesamte Kruste senkrecht durchziehen. Hier können Gase, Flüssigkeiten und Magmen aufsteigen.

Störungen treten immer in einem komplexen Netzwerk auf, sind miteinander verbunden, kreuzen sich und tauschen Stoffe aus. Sind sie geöffnet, führen sie Wasser. Aufsteigende Gase führen zu einem Transport von Wasser mit gelösten Stoffen und unterschiedlichsten Molekülen aus großer Tiefe nach oben. In Hochlagen der Gebirge versickerndes Wasser kann tief in die Kruste eindringen und an anderen Störungsbahnen artesisch aufsteigen.

Ein wesentlicher Anteil der atmosphärischen Gase wurde von Beginn an durch derartige Störungszonen, die in ähnlicher Form auch in der ozeanischen Kruste auftreten, aus dem Mantel abgegeben. Aus ihnen lassen sich die Ausgangssubstanzen der organischen Chemie ableiten. Das bedeutet, dass die Rohstoffe für die biologische Entwicklung, bezogen auf das tektonische Störungsmodell, in einer unbegrenzten Menge zur Verfügung standen. Hierzu gehören Kohlendioxid, Kohlenmonoxid, Stickstoff, Wasserstoff, Ammoniak oder auch Schwefelverbindungen. Hinzu kommt Phosphat, das durch saure Wässer aus dem Mineral Apatit, einem Kalziumphosphat, herausgelöst werden konnte.

Eindeutige Belege für ehemals geöffnete Bereiche der Störungszonen sind zum Beispiel Gangerze, die durch Kristallisation von Metallsulfiden und Gangmineralen wie Quarz oder Kalkspat (Kalzit) verschlossen wurden (Abb. 7.2). Wiederholte Öffnungen und Zufuhr von Erzlösungen führten zu charakteristischen Wechseln von Erz und Gangmineralen, die spiegelbildlich auf beiden begrenzenden Seitenwänden kristallisierten. Diese Gangerze, die aus unterschiedlichsten Metallsulfiden wie Kupfer-, Eisen- oder Zinksulfid bestehen können, müssen von Beginn an in wasserführenden Störungszonen der kontinentalen Kruste gebildet worden sein. Es sind Dokumente für das reichhaltige Angebot metallischer Sulfide, die als Wandtapeten die Begrenzungsflächen der Störungen auskleideten. Hier lassen sich Pyrit und andere Metallsulfidoberflächen finden, die bei Wächtershäuser (s. Abschn. 5.4) eine Rolle für den Metabolismus spielten.

Und jetzt kommen wir zu den Eigenschaften einer offenen Störungszone, die eigentlich alles andere in den Hintergrund drängen. Sie ist bei ausreichender Zufuhr des bekannten Gascocktails eine hochproduktive chemi-

Abb. 7.2 Gangerz mit Metallsulfiden (Zinkblende, Chalkopyrit), Gangmittel Kalzit und etwas Quarz, Bad Grund/Harz

sche Fabrik zur Herstellung organischer Moleküle (Abb. 7.3). Sind die Verhältnisse in einer Störung so neu? Nur zum Teil. In der technischen Chemie werden mithilfe der Fischer-Tropsch-Synthese unter hohen Drucken und Temperaturen aus Kohlenmonoxid und Wasserstoff langkettige organische Moleküle hergestellt (z. B. für Benzin aus der Kohlevergasung).

So erhält man bei Temperaturen von bis zu 300 °C und Drucken bis 25 bar (entspricht einer Wassertiefe von 240 m bei 1 bar Luftdruck) zum Beispiel Alkohole oder Methan, Propan oder noch komplexere Verbindungen. Diese sind je nach Art der verwendeten metallischen Katalysatoren Alkane oder Al-

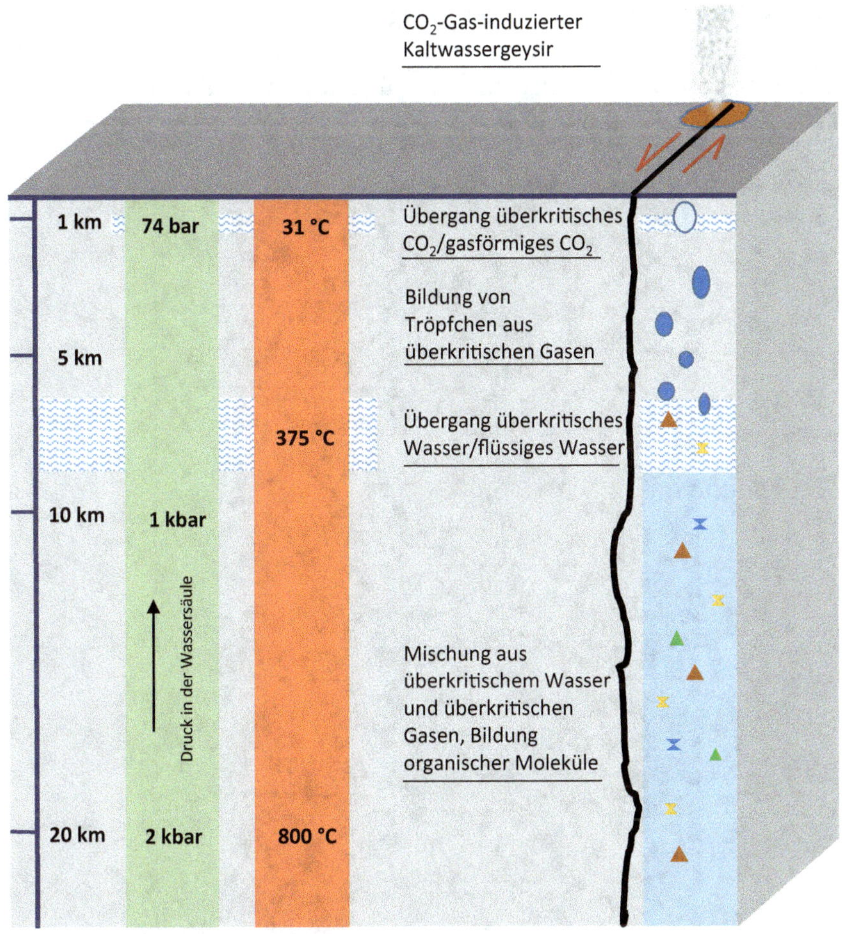

Abb. 7.3 Blockmodell der jungen kontinentalen Kruste mit bis zu doppelter geothermischer Tiefenstufe im Vergleich zu heute (heute 30 °C pro km). Rechts sind die Fluidphasen in einer vertikalen Störungszone dargestellt. Die bunten Symbole symbolisieren vor Ort gebildete organische Moleküle

dehyde. Hieraus lässt sich mit weiteren Reaktionsschritten eine Vielzahl von Kohlenwasserstoffketten herstellen, die für eine biologische Entwicklung erforderlich sind, unter anderem auch Molekülketten, die für den Aufbau einer Zellhülle, einer Membran, benötigt werden.

Und das ist genau das, was wir mit unserem kontinentalen Störungsmodell vor Augen hatten. Dort war in der offenen Wassersäule von Beginn an eine Vielzahl von Druck- und Temperaturbedingungen vorhanden, die weit über das hinausgehen, was bei der Fischer-Tropsch-Synthese als Rahmen vorgegeben wird. Darüber hinaus war und ist auch heute noch das Angebot an Ausgangsstoffen und metallischen oder mineralischen Katalysatoren ungleich höher, wie das Beispiel der Gangerze zeigt.

Die Begrenzungsflächen der Bruchzonen sind rau, verspringen häufig und bieten eine hohe Zahl an kleinen Vorsprüngen und Kavitäten, in denen sich aufsteigende Gase sammeln können (Abb. 7.4). Sie sind genau genommen

Abb. 7.4 Typischer Verlauf einer verspringenden Störung. Bei Wasserfüllung können in den Eckbereichen in Tiefen >1000 m überkritische Gase gesammelt werden (Pfeile). Sie bilden in diesem Fall autoklavenähnliche Reaktionsräume. (Foto: Dr. Frederik Kirst)

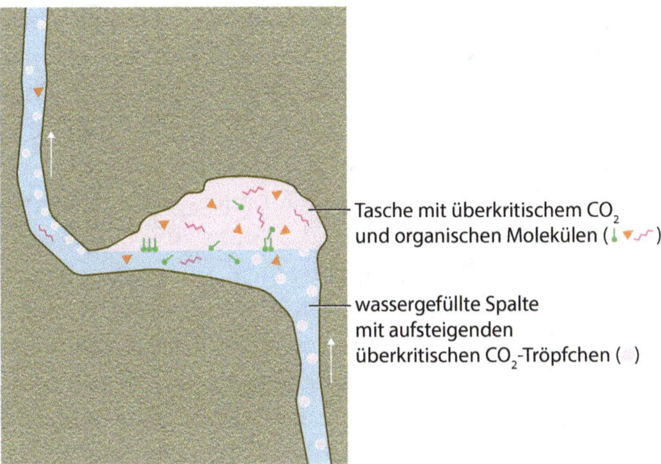

Abb. 7.5 Kavität (Mikroautoklav) in der kontinentalen Kruste mit Wasser, überkritischem CO_2 und organischen Molekülen

kleine Mikroautoklaven in unendlicher Anzahl, wobei jeder Autoklav, der eine Art Dampfdrucktopf darstellt, seine ganz speziellen physikochemischen Bedingungen hat (Abb. 7.5). Jetzt lässt sich erahnen, welches Potential in einem derartigen Störungssystem steckt. Es ist fast für jede der wichtigsten organischen Verbindungen, die im Zuge der Lebensentstehung benötigt werden, ein Reaktionsgefäß vorhanden, das den passenden Druck und die passende Temperatur für seine Synthese bereitstellt. Selbst der pH-Wert ist über die Mischungsverhältnisse der Gasanteile von CO_2 und N_2 in gewissen Bereichen variierbar. Während ein hoher CO_2-Anteil unter Druck pH-Werte im sauren Bereich bis minimal 3 ergibt, liegt bei ausschließlich vorhandenem Stickstoff der pH-Wert über 6. Sind höhere Konzentrationen von Schwefelverbindungen beteiligt, kann der pH-Wert niedriger als 3 werden.

7.2   Überkritische Gase – Dampf unter Druck?

Es gibt im Leben eines forschenden Naturwissenschaftlers vielleicht eine, bei einigen wenigen mehrere, bei vielen gar keine persönlichen Sternstunden der Wissenschaft. Ich habe eine für mich definiert, ein fast banales Wissen, abgerufen aus dem Internet zu einem Zeitpunkt, an dem die Begeisterung für die Frage nach der Entstehung des Lebens in unserer Gruppe bereits einer gewissen Ernüchterung zu weichen drohte. Gase nehmen ab einer spezifischen Temperatur und einem spezifischen Druck einen besonderen Phasenzustand ein. Sie werden überkritisch. Die Dichte überkritischer Gase beträgt etwa die Hälfte von der einer Flüssigkeit derselben Substanz, bezogen auf die Druckverhältnisse in der oberen Kruste. Für CO_2 findet der Übergang vom Gas zur überkritischen Phase bei etwa 31 °C und 74 bar statt.

Und da stand es so nebenbei im Internet: CO_2 kann bei einer erhöhten Temperatur in der Kruste bereits in 740 m Tiefe überkritisch werden. Der Moment, abends nach 23 Uhr ist unvergessen. Übertragen auf eine offene Störung in der Kruste mit einer CO_2-gesättigten Wassersäule bedeutete dies für die junge Erde, dass ab etwa 740 m Tiefe der Übergang zum überkritischen CO_2 stattgefunden haben musste (Abb. 7.6). Der damals herrschende Temperaturgradient hatte hierfür sicher ausgereicht. Heute liegt der Übergang bei der durchschnittlichen Temperaturzunahme von 30 °C/km eher in Richtung der 1000-m-Marke. In vulkanisch aktiven Regionen wird die Temperatur von 31 °C bereits in geringerer Tiefe erreicht. Maßgeblich für den Phasenwechsel ist dann der Druck.

Neben CO_2 war auch Stickstoff (N_2) als Gas in der Frühphase der Erdentwicklung in der Kruste vorhanden. Wie jedes Gas kann auch N_2 überkritisch werden. Dies geschieht ab einer kritischen Temperatur von −147 °C und einem kritischen Druck von 33,9 bar. Reines Stickstoffgas in einer gesättigten Wassersäule würde daher in ca. 340 m Tiefe in die überkritische Phase übergehen. Überkritische Gase sind untereinander unbegrenzt mischbar. Die Mischungen bekommen in Abhängigkeit der Konzentrationen der beteiligten Substanzen andere kritische Werte, die von den Einzelwerten der Gase abweichen. So ergeben sich bei einer Mischung von CO_2 und N_2 Zwischenwerte, die anderen Tiefenbereichen des Phasenübergangs von überkritisch zu unterkritisch entsprechen.

Was für eine Entdeckung! Christian Mayer meinte am nächsten Tag nur, damit können wir jetzt alles machen. Es musste anscheinend erst ein vollständiges Bild über eine nicht direkt zugängliche Region entstehen, bevor die harten Daten Einzug halten konnten. Wir hatten von heute auf morgen eine Substanz für unsere Gedankenspiele zur Verfügung, die alles zurück auf Los setzte.

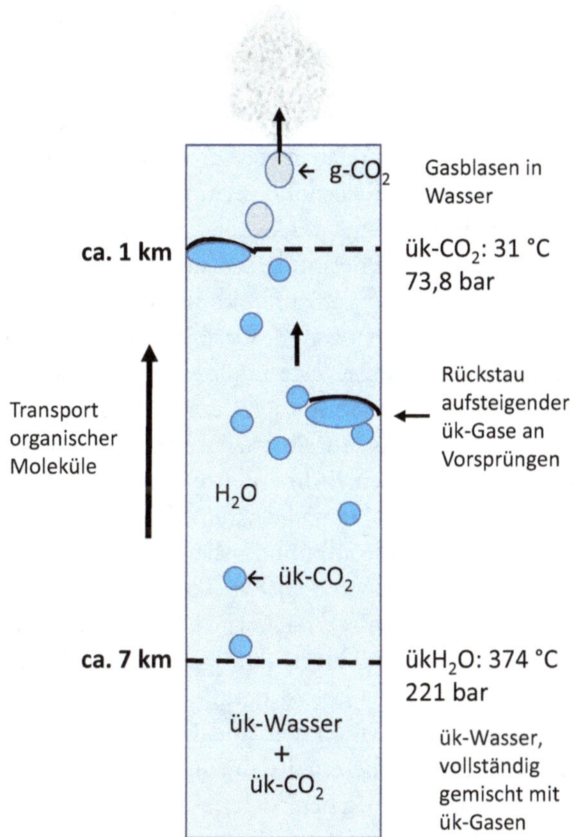

Abb. 7.6 Schema einer Wassersäule in einer gaspermeablen Störungszone mit etwa zweifachem geothermischem Gradienten im Vergleich zu heute. Unterhalb von 7 km existiert ein Fluid aus überkritischem (ük) Wasser, CO$_2$ (und N$_2$, nicht dargestellt). Darüber findet eine Trennung der überkritischen Gase vom jetzt flüssigem Wasser in Form von Tröpfchen statt. Ab ca. 1000 m bis zur Oberfläche liegt Gas neben Wasser vor (g-CO$_2$)

Es geht um Folgendes (wobei zur Vereinfachung nachfolgend nur das reine CO$_2$ und keine Mischung mit anderen Gasen betrachtet wird): Im überkritischen Zustand verhält sich CO$_2$ wie ein organisches Lösungsmittel, das gleichzeitig eine sehr niedrige Oberflächenspannung besitzt. In ihm können unpolare organische Substanzen gelöst werden, die im Wasser nicht löslich sind. Diese Eigenschaft macht man sich in der sogenannten Grünen Chemie zunutze. Bestes Beispiel ist das Entkoffeinieren fron Kaffeebohnen. Sie werden unter Druck mit überkritischem CO$_2$ gespült, wobei das Coffein herausgelöst wird. Anschließend wird der Druck abgesenkt, bis das überkritische CO$_2$ in Gas übergeht. Das ist der Moment, in dem das im CO$_2$ gelöste Koffein ausfällt. Es kann aufgefangen und anderweitig genutzt werden. Im Gegensatz zu flüssigen organischen Lösungsmitteln bleiben keine Rückstände in den Kaffeebohnen zurück.

Zusammen mit Wasser bildet das überkritische CO_2 ein Nebeneinander von zwei Lösungsmitteln, ein sogenanntes Zweiphasensystem, das eine ganz eigene Klasse von chemischen Reaktionen ermöglicht. Das gab es vorher noch nicht: ein Modell zu Entstehung des Lebens, bei dem ein organisches Lösungsmittel eine Rolle spielte. Hiermit lassen sich plötzlich Reaktionen diskutieren, die im Wasser unmöglich ablaufen konnten, aber notwendig für viele Schritte auf dem Weg zum Leben waren. Das hieß, wir konnten die Störungszonen der ersten kontinentalen Kruste noch einmal mit anderen Augen betrachten. Folgende Szenarien standen jetzt zur Verfügung: Mit der Bildung der Erde gelangten durch das Aufeinandertreffen der kosmischen Partikel auch große Mengen CO_2 in den Erdmantel. Der setzte während der Abkühlung große Volumina von im Magma gelöstem CO_2 frei. Die Ursache hierfür war und ist auch heute noch die abkühlungsbedingte Kristallisation von typischen Mantelmineralen wie Olivin oder Pyroxen, die kein CO_2 in ihr Kristallgitter einbauen können. Hierdurch reichern sich die Gase gelöst in der Restschmelze an, bis sie sich in einer eigenständigen Phase (überkritisch) abtrennen. Die Dichte überkritischer Gase ist deutlich geringer als die des Mantels, der aus einer Mischung von Mineralen und Gesteinsschmelze besteht. Das CO_2 bildet Tröpfchen und Schlieren, die ab einer ausreichenden Menge durch den Mantel aufsteigen. Sie mischen sich je nach Vorkommen mit überkritischem Wasser und anderen Gasen und reichern sich in den obersten Regionen des Mantels an.

In der Frühzeit der Erde stoppte der Aufstieg an der Grenze zur kontinentalen Kruste, die eine Barriere bildete. Hatten sich aber Störungszonen ausgebildet, die die gesamte Kruste bis in den oberen Mantel durchschlugen, konnte das CO_2 in Kanälen der Störungen bis zur Oberfläche aufsteigen (dieser Vorgang findet auch heute noch in abgeschwächter Intensität statt). Die Sache ist noch ein klein wenig komplexer, als ich sie bis hier beschrieben habe. Aber das kommt uns sehr entgegen. Es ist einfach nur beeindruckend zu sehen, welche Möglichkeiten das System Störungszone in der Kruste bereithält. Oben habe ich ausgeführt, dass überkritische Phasen, also die beschriebenen Gase, sich unbegrenzt mischen, so wie es auch die unterkritischen Gase tun. Ein Beispiel ist die Luft. Hier sind Sauerstoff und Stickstoff perfekt gemischt. Jetzt ist aber auch Wasser in der Störungszone mit im Spiel. Es hat wie fast alle Stoffe die Phasenzustände fest, flüssig und gasförmig – Eis, Wasser, Wasserdampf. Und es hat eine überkritische Phase, die, von den Druck- und Temperaturverhältnissen ausgehend, den Bedingungen der unteren Erdkruste entspricht, genauer, ab 374,12 °C und 221 bar (2210 m offene Wassersäule). Das bedeutet, dass heute je nach Temperatur der Kruste Wasser in seiner flüssigen Form erst oberhalb von ca. 13 km Tiefe in einer offenen Wassersäule auftritt. Bei der heißeren Kruste der jungen Erde lag die Grenze höher, vielleicht bei 8 km Krustentiefe. Darunter war Wasser überkritisch und hat sich mit den ebenfalls überkritischen Gasen vollständig gemischt.

Und jetzt lohnt es sich, die Grenze von überkritischem Wasser zu unterkritischem genauer anzusehen. Während das Wasser im Übergang durch abnehmende Temperatur flüssig wird, bleiben die Gase weiterhin überkritisch und entmischen sich. Das heißt, sie bilden Tröpfchen aus überkritischem Gas aus, die in der Wassersäule aufsteigen. Das gelingt, weil sie eine geringere Dichte als das jetzt flüssige Wasser haben. Sobald die Wassersäule an CO_2 gesättigt ist, schaffen die Tropfen es, bis ganz nach oben aufzusteigen, ohne gelöst zu werden. Es ist, als öffne man eine Sprudelflasche, in der sich sofort Blasen bilden und zum Ausgang strömen.

Mit diesem Bild vor Augen drängt sich eine weitreichende Folgerung auf. Wir haben die vielen kleinen Reaktionsräume, unsere Mikroautoklaven, kennengelernt, in denen über die ganze Vertikale der Kruste hinweg unterschiedlichste organische Moleküle gebildet werden können. Und wir haben mit dem überkritischen CO_2 ein organisches Lösungsmittel, das alle Stoffe aufnimmt, die sich nicht im Wasser lösen. Es sind also ideale Voraussetzungen, die die überkritischen Gaströpfchen mitbringen. Sie bewegen sich durch die ganze Kruste und sammeln bestimmte Moleküle ein. Gleichzeitig erzeugen sie eine leichte Wasserströmung, durch die andere im Wasser gelöste Moleküle transportiert werden. Sammeln sich die CO_2-Tropfen auf der Reise nach oben in Kavitäten und Vorsprüngen der Störungszone, entstehen jedes Mal kleine Reaktionskammern, die in zwei unterschiedliche Phasen getrennt sind. Im Dachbereich bleibt überkritisches CO_2 hängen, und darunter befindet sich stillstehendes oder leicht strömendes Wasser. Das Wasser enthält neben wasserlöslichen organischen Molekülen unterschiedliche Konzentrationen gelöster Salze, die im überkritischen CO_2 nicht gelöst werden können. Und jetzt wird wieder ein großer Vorteil des Systems deutlich: In dem überkritischen CO_2 und besonders an der Grenzfläche zum Wasser sind Reaktionen möglich, die im Wasser allein nicht stattfinden würden. Dort können wasserlösliche mit wasserunlöslichen Stoffen reagieren und so Komponenten bilden, welche Membranen aufzubauen vermögen. Darüber hinaus werden Reaktionen begünstigt, bei denen ein Wassermolekül während der Verknüpfung abgegeben wird (Kondensationsreaktion), also zum Beispiel bei der Reaktion von Aminosäuren untereinander zu Peptiden, den Aminosäureketten.

Der nächste Schritt – der entscheidende

Zwischen 1000 und 750 m Tiefe vollzieht sich auf dem Weg nach oben der nächste Schritt, der sich für uns nach und nach als der entscheidende für die Entwicklung des Lebens herausgestellt hat. Je nach Temperatur und Dichte der obersten Wassersäule, die abhängig von der Anzahl der aufsteigenden Gasbläschen ist, werden die überkritischen CO_2-Tröpfchen unterkritisch. Das heißt, es entsteht CO_2-Gas, das in Blasenzügen durch das Wasser an die Oberfläche perlt. Der neue Zustand des CO_2 als Gas verhindert, dass organische Bestandteile in Lösung gehalten werden können, genau wie für das Koffein beschrieben. Die Substanzen fallen aus und konzentrieren sich in der verbliebenen wässrigen Lösung, aber auch bevorzugt an der Grenzfläche von Wasser zu Gas, das jetzt in den kleinen Autoklaven etwas oberhalb der Grenzzone als neue Kombination vorliegt.

Es gab in den Frühzeiten der Erde, wie auch zum Teil heute noch, einen Tiefenbereich unterhalb von ca. 800 m, in dem in den Mikroautoklaven ein ständiger Wechsel von überkritischem zu unterkritischem Gas erfolgte. Eine Ursache waren Gezeiten, die damals deutlich stärker auf die Erde einwirkten, als sie es heute tun. Der Mond befand sich in der Frühphase der Erdentwicklung wesentlich näher an der Erde als heute. Die Auswirkungen waren beträchtlich. In den Ozeanen entwickelten sich gewaltige Gezeitenwellen, die weite Bereiche der ersten Festlandgebiete überfluteten. Aber nicht nur Wassermassen werden vom Mond angezogen. Auch die feste Erdkruste kann sich den Anziehungskräften des Mondes nicht widersetzen. Noch heute gibt es Regionen, in denen zweimal am Tag Hebungen und Senkungen des Standortes um bis zu 40 cm stattfinden. Wie bei den Wassermassen waren die Anziehungskräfte auch auf die Kruste zu Beginn wesentlich stärker. Die Folge waren zyklische Druckschwankungen, die sich direkt auf die Grenzzone des Phasenübergangs überkritisch zu unterkritisch auswirkten. Die Dimension dieser Verschiebung lag vermutlich in einer Größenordnung von einigen Metern.

Eine wesentlich wirksamere Ursache für zyklische Druckschwankungen in der Tiefe erfolgten durch Gaseruptionen, die an sogenannten Kaltwassergeysiren stattfanden. Anders als bei den klassischen Heißwassergeysiren, die durch überhitzte Wässer gesteuert werden, liefert bei den Kaltwassergeysiren das aufsteigende Gas den Antrieb für die zyklischen Eruptionen. Sie können täglich in einer größeren Anzahl stattfinden. Ein rezentes Beispiel ist der Wallenborn in der vulkanischen Westeifel, ein durch CO_2 getriebener Kaltwassergeysir, der in etwa alle 30–35 min ausbricht (Abb. 7.7). Je nach Intensität des Ausbruchs, bei dem viel Wasser bis zu einer Höhe von 4 m mitgerissen wird, wird die Drucksäule in die Tiefe entlastet, einerseits durch das

Abb. 7.7 Kaltwassergeysir Wallenborn, Westeifel. CO_2-getriebener Ausstoß von Wasser bis zu einer Höhe von 4 m etwa alle 30–35 min

herausgeschleuderte Wasser, andererseits durch die hohe Anzahl an Gasblasen in der Wassersäule oberhalb der Grenzzone, die die Dichte der Wasser-Gas-Mischung herabsetzen. Nimmt der Druck in der Tiefe ab, kann in den letzten Kavernen in einem bestimmten Bereich unterhalb der Grenze der überkritische Zustand nicht mehr aufrechterhalten werden. Es erfolgt eine turbulente Entgasung, die sich so lange in die Tiefe fortsetzt, bis der Grenzdruck zum überkritischen Zustand nicht mehr unterschritten wird. Der Wechsel zwischen den beiden Zuständen kann sich in einem Abschnitt von mehreren Hundert Metern abspielen. Anschließend läuft das ausgeworfene Wasser wieder zurück, und der Druck baut sich erneut auf. Wir erkennen folglich einen neuen wichtigen Schritt, der gleich ein Problem in der Diskussion um die Entstehung des Lebens löst: die erforderliche hohe Konzentration von organischen Molekülen. Sie werden aus der Tiefe herantransportiert, reagieren unterwegs zum Teil miteinander und werden in einer bestimmten Grenzzone fallengelassen. Hier öffnet sich gedanklich sofort ein Raum, den wir unmittelbar mit unendlich vielen Reaktionen in Verbindung bringen können. Es ist naheliegend, hierin die Ausgangsbedingungen für die Bildung der ersten Zelle zu vermuten. Heute lassen sich auf Grundlage der neuen Erkenntnisse Versuche durchführen, die auf allgemeingültigen physikochemischen Gesetzmäßigkeiten beruhen und sich auf realistische Parameter stützen. Das Spannende hierbei ist, dass auch heute noch in der Tiefe von Kohlenstoffdioxidquellen Prozesse in ähnlicher Form ablaufen. Nur sehen wir deren Ergebnisse nicht, weil die mikrobiologischen Aktivitäten alle Informationen hierzu überdecken. Aber dazu noch ein paar Gedanken im letzten Kapitel.

Unsere Begeisterung für das Modell der Störungszone in der kontinentalen Kruste wird verständlich, wenn alle günstigen Faktoren für eine Biogenese zusammengetragen und gewichtet werden. Die Störungszonen mit Kontakt zum Erdmantel bieten ideale Voraussetzungen für organisch-chemische Reaktionen. Alle erforderlichen Ausgangsstoffe sind durch die kontinuierliche Ausgasung der Erde und Zersetzung von Mineralen in großer Menge und über sehr lange Zeiträume verfügbar. Sie können in unterschiedlichen Tiefen mit unterschiedlichen Druck- und Temperaturbedingungen und pH-Werten zu größeren Molekülen reagieren, mit aufsteigenden Fluiden transportiert und in einer schmalen Zone konzentriert werden. Durch Experimente von Kollegen aus verschiedenen Ländern ist bereits belegt, dass sich die für das Leben wichtigen Bausteine wie Lipide, Aminosäuren und organische Basen unter hydrothermalen Bedingungen bilden können [3]. Von Vorteil ist weiterhin, dass die Verhältnisse über sehr lange Zeiträume, viele Millionen Jahre, stabil sind, keine zerstörerische UV-Strahlung oder Plasmapartikel aus dem Sonnenwind auftreffen und Meteoriteneinschläge geringen Einfluss haben – Bedingungen, die man an der Erdoberfläche vergeblich sucht. Aus dem Aufstieg von überkritischen Gasen und zyklischen Druckschwankungen lassen sich darüber hinaus Energie- und Entropiegewinne erzielen, die als Motor für die beginnende Lebensentwicklung Pate stehen. Es liegt nahe, dass mit Kenntnis dieser relativ gut definierten Rahmenbedingungen Experimente durchgeführt werden können, die Zugang zu einzelnen Entwicklungsschritten bei der Entstehung des Lebens ermöglichen.

7.3   Es gibt ihn doch: Ein Nachweis aus der Natur

Es war wieder einer dieser Geistesblitze, der durch die abendliche Runde schoss. Vielleicht waren es die Spaghetti in der übervollen Schüssel, die ich an meinen Tischnachbarn weiterreichte, nachdem ich sie als Erster überreicht bekommen hatte. Einer von uns hatte sie gekocht. Ich war etwas früher zum Treffen gekommen und hatte gerade die Küche betreten, als der Kollege einen nicht unbeträchtlichen Teil der Pasta aus dem Ausguss zog, kurz abspülte und auf die Hauptmenge in der Schüssel legte. Sie waren, wie nicht selten bei dieser Prozedur, beim Abgießen über das Ziel hinausgeschossen.

Etwas, das aus einem in die Tiefe führenden Kanal kam, musste doch Spuren von dort unten enthalten. Und wie war das mit unserer kontinentalen Kruste? Wenn wir schon so klare Vorstellungen von den Verhältnissen dort hatten – sollte es dafür nicht auch Belege in der Natur geben, die uns unsere Überlegungen bestätigten? Schnell war klar, dass es durchaus Dokumente geben konnte. Man musste nur die richtigen Gesteine beziehungsweise Minerale mit entsprechend hohen Altern finden, die aus den betreffenden Störungen stammten.

In den Störungszonen der Erdkruste kristallisieren aus hydrothermalen Lösungen verschiedene Minerale aus, wie zum Beispiel Quarz, der mit genügend Raum zum Wachsen gut ausgebildete Bergkristalle bildet. Sind die Kristalle milchig trüb, dann enthalten sie Flüssigkeitseinschlüsse, die ohne nachfolgende Überprägung aus dem Wasser-Gas-Gemisch bestehen, wie es zur Zeit des Wachstums in der Störungszone vorhanden war. Aus dieser Beschreibung wird deutlich, dass es „eingefrorene" Dokumente über die Chemie der wässrigen Anteile in hydrothermalen Quarzen geben muss, die aus der Zeit stammen, in der sie kristallisiert sind. Und wenn organische Chemie in den Flüssigkeiten beteiligt war, sollte sie zu bestimmen sein. Je älter die Quarze sind, desto mehr nähert man sich der Zeit, in der es noch keine biologische Aktivität an der Erdoberfläche gab, und desto eher hat man eine Chance, die primär anorganische Chemie zu identifizieren, die zu organischen Produkten geführt hat.

War das nicht eine große Chance? Sollte es gelingen, in Flüssigkeitseinschlüssen hydrothermal gebildeter alter Quarze organische Chemie zu finden, so käme das einer Sensation gleich. Nicht nur, dass wir Hinweise auf die Zusammensetzung Milliarden Jahre alter organischer Chemie bekämen – die Funde könnten auch gleichzeitig die Hypothese untermauern, dass der Beginn des Lebens in der oberen Erdkruste gelegen hat. Diese Überlegungen führten zu einem spontanen Entschluss. Es musste möglich sein, Quarzminerale aus alten Kontinentkernen zu finden, die vor Milliarden Jahren in hydrothermalen Spalten kristallisierten und die Zusammensetzung der Wässer in ihren Einschlüssen bis heute aufbewahrt haben. Die Suche nach zugänglichen Regionen mit präkambrischen Quarzgangvorkommen führte schließlich nach Westaustralien, in die Region der Jack Hills, 900 km nördlich von Perth. Hier verlaufen harte Quarzgänge wie zerfallene Mauerreste geradlinig durch die Landschaft (Abb. 7.8). Ihr Alter ist jünger als 2 Mrd.

Abb. 7.8   Quarzgang in Westaustralien

Jahre, sodass eine Kontamination der hydrothermalen Wasser durch biologisches Material, das es seit mehr als 3 Mrd. Jahren gibt, nicht ausgeschlossen werden kann. Trotzdem wurden sie während zwei Geländekampagnen beprobt, um die grundsätzliche Frage nach einer Konservierung organischer Substanz in den Flüssigkeitseinschlüssen zu klären.

Besonders interessant waren darüber hinaus Quarzgerölle eines Sedimentgesteins (Konglomerat), das in einer 2,7 bis >3 Mrd. Jahre alten Schichtenfolge der Jack Hills in Westaustralien vorkommt (Abb. 7.9). In diesem Sedimentgestein wurden bereits die ältesten Zirkonminerale der Erde mit einem Alter von 4,3 Mrd. Jahren gefunden [4]. Die Zirkone sind wie alle anderen Komponenten eines Sediments an anderer Stelle entstanden, später durch die Erosion freigelegt und zum Ort der Ablagerung transportiert worden, genauso wie auch die einzelnen Quarzgerölle in dem Konglomerat, deren

Abb. 7.9 Konglomerat aus den Jack Hills, Westaustralien

Alter aber nicht näher bestimmbar ist. Sie können aus Restlösungen bei der Kristallisation granitischer Magmen stammen, dann sind sie nicht von Interesse, oder aus hydrothermalen Spaltensystemen der Kruste. Bei den als hydrothermal identifizierten Quarzen der Jack Hills bestand die Chance, dass neben wenig mehr als 3 Mrd. Jahre alten Geröllen auch solche dabei waren, die noch vor dem Auftreten von LUCA in den Spalten der ersten Kontinente kristallisierten, vielleicht vor mehr als 4 Mrd. Jahren, und erst später freigelegt, abgetragen und beim Transport gerundet wurden. Die Analysen der Flüssigkeitseinschlüsse in den hydrothermalen Quarzen wurden von den Arbeitsgruppen von Oliver Schmitz (Applied Analytical Chemistry, Universität Duisburg-Essen), Heinfried Schöler und Frank Keppler (beide Universität Heidelberg) durchgeführt [5]. Sie brachten ein Ergebnis, das wir in dieser Deutlichkeit nicht erwartet hatten. Die Daten von einem der 20 beprobten Quarzgänge sowie von den Quarzgeröllen aus den Jack Hills lieferten den Beleg für das Vorhandensein einer reichhaltigen organischen Chemie in den frühzeitlichen hydrothermalen Systemen der Erdkruste. Die Einschlüsse enthielten langkettige und kleinere organische Moleküle, die in ähnlicher Form auch im Stoffwechsel einer lebenden Zelle auftreten. Um eine nachfolgende Kontamination durch jüngere Wässer mit biologischen Molekülen auszuschließen, wurde Methan als Hauptvertreter der organischen Verbindungen auf seine Isotopenzusammensetzung untersucht. Es gibt zum Beispiel unterschiedlich schwere Isotope des Kohlenstoffs, die stabil sind und nicht zerfallen. Es sind die ^{13}C- und ^{12}C-Isotope, die in einem bestimmten Verhältnis in Abhängigkeit von der Kohlenstoffquelle vorkommen. Durch Stoffwechselprozesse, die eher das leichtere Isotop verwenden, verschiebt sich das Verhältnis entsprechend zu leichteren Werten. Hiermit lassen sich Einflüsse biologischer Prozesse erkennen. Die analysierten Isotopenverhältnisse des Methans aus den untersuchten Proben haben gezeigt, dass es aus abiotischer Quelle stammt.

Um auszuschließen, dass die Proben aus den Jack Hills nur zufällig genau die Verhältnisse eines hydrothermalen Störungsumfelds mit einer reichhaltigen Ausstattung organischer Moleküle zeigten, waren weitere Untersuchungen notwendig. Weitere Gangquarzproben aus Australien, von denen ungefähre Alter zwischen <3 und >1 Mrd. Jahren abgeschätzt werden konnten, ergaben ähnliche Befunde. Nach der Jahrtausendwende, nach Erscheinen der Erstauflage, erfuhr ich, dass im Wehrer Kessel eine CO_2-Gewinnungsbohrung abgeteuft werden sollte. Das war die Gelegenheit, vielleicht einen weiteren Beleg für unsere Überlegungen zu finden. Der Wehrer Kessel ist eine vulkanische Caldera der vulkanischen Osteifel und liegt in unmittelbarer Nachbarschaft zum Laacher-See-Vulkan. Der letzte Ausbruch, bei dem ein Netz von explosionsbedingten Störungen gebildet wurde, fand vor ca. 150.000 Jahren statt. Mit Unterstützung der beauftragenden Firma Carbo und nach Organisation von Mitteln für einen ca. 15 m Bohrkern gelang es, genau in der Tiefe, die dem Übergang von überkritischem zu unterkritischem CO_2 entsprach, den Kern zu ziehen. Um es vorwegzunehmen, es war ein voller Erfolg. Wir trafen offene Klüfte und Störungsflächen an, die mit neu gebildeten Kalzitmineralen besetzt waren. Die Analysen der Flüssigkeitseinschlüsse ergaben das gleiche Bild, wie wir es aus den verschieden alten Quarzgängen aus Australien kannten [6].

Der Nachweis einer umfangreichen organischen Chemie in Störungen der kontinentalen Kruste aus verschiedensten Abschnitten der Erdgeschichte zeigt, dass die Prozesse von der Frühphase der Erde bis heute stattgefunden haben und weiter stattfinden. Dies wird auch für die weiter unten zur Diskussion gestellten gleichen Prozesse auf extraterrestrischen Planeten bedeutsam.

Die Flüssigkeitseinschlüsse besitzen eine erstaunlich vielfältige Zusammensetzung, die zum Teil noch deutliche Fragen aufwirft. Ihre Analyseergebnisse besitzen für weitere Überlegungen und vor allem für die Experimente im Labor einen hohen Wert. Es liegen damit Informationen über reale Zusammensetzungen vor, die gezielte Experimente unter realistischen Bedingungen möglich machen. Durch sie werden bestimmte Schritte des Modells überprüfbar – eine Möglichkeit, an die in den bisherigen Modellvorstellungen nicht zu denken war.

7.4   Sie sind möglich: Experimente zum Krustenmodell

Die Zeit war reif für Experimente. Jedes hypothetische Modell bleibt so lange eine Hypothese, bis Detailschritte durch plausible Experimente nachvollzogen werden können. Die Diskussionen über unser hypothetisches Modell waren gut und schön und weit gediehen, aber ohne harte Daten aus Experimenten kam langsam das Gefühl auf, früher oder später in eine Sackgasse zu laufen. Und es gibt sie ja, die Gerätschaften, die Reaktionskammern haben, mit denen sich die Bedingungen der oberen kontinentalen Kruste simulieren lassen. Es war eine besondere Zeit, in der ich es wagte, eine Hochdruckanlage anzuschaffen. Ich glaubte, das Geld zu haben. Ein Nebel aus der Umstellung des Verwaltungsprogramms der Universität verschleierte über zwei Jahre die reale Situation. Es war gut so. Ohne Nebel hätte es kein Gerät gegeben, das letztlich den Durchbruch brachte. Mit der Hochdruckanlange konnten wir endlich Versuche durchführen, mit realen Parametern und Substanzen, die uns realistisch erschienen. Die Informationen über die Rahmenbedingungen, die für die Experimente erforderlich waren, konnten aufgrund der heute noch existierenden Verhältnisse in der Erdkruste direkt von dort übernommen werden. So war es möglich, Wasser und Gase unter variierende Druck- und Temperaturbedingungen zu setzen, die natürlichen Verhältnissen entsprachen. Für die Reaktionen wurden spezifische Moleküle hinzugegeben, die aus hydrothermalen Systemen bereits bekannt waren. Für Letztere waren die Analyseergebnisse aus den Flüssigkeitseinschlüssen der australischen Quarze äußerst wertvoll.

Zum Gerät

Mit der Anlage lassen sich in einer Reaktionskammer Bedingungen simulieren, wie sie in den obersten 10 km der kontinentalen Kruste auftreten (Abb. 7.10). Die Kammer hat ein Volumen von 50 ml. Sie wird für die Experimente zur einen Hälfte mit Wasser befüllt und zur anderen mit CO_2, das bis in den überkritischen Zustand komprimiert wird. Hineingegeben werden organische Moleküle wie Fettsäuren, Aminosäuren oder RNA-Bausteine, je nach Fragestellung. Mit den ersten, von Christian Mayer konzipierten Versuchen in der Anlage gelang gleich ein Schlüsselexperiment, das für die weiteren

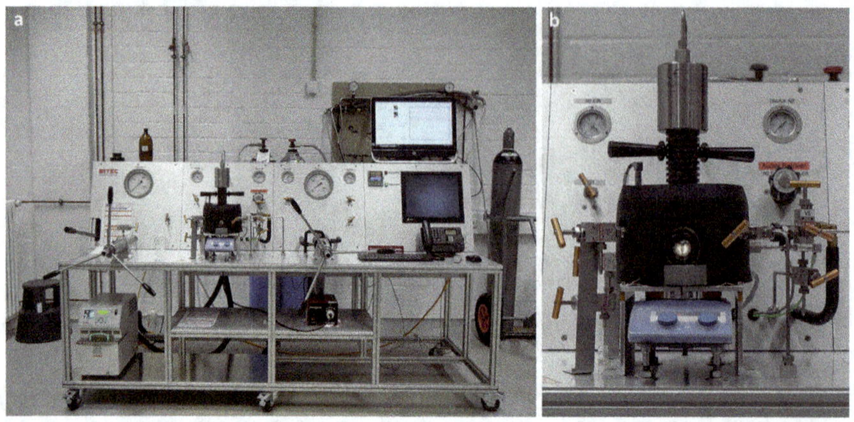

Abb. 7.10 **a** Hochdruckanlage, Druckaufbau über rechte Spindel, isolierte Druckkammer in Schwarz. Über eine elektronische Steuerung können Druckschwankungen mit beliebig langen Abständen eingestellt werden, die natürliche Geysireruptionen simulieren. **b** Druckkammer mit Glasfenster zum Reaktionsraum. (Fotos: Dr. Yildiz Großmann)

Betrachtungen einen Durchbruch bedeutete. Eine bislang ungeklärte Frage war die Bildung der Vesikel unter präbiotischen Bedingungen, die letztlich die Grundlage einer Zelle bedeutet. Sie vereint alle Komponenten, die zur Reproduktion erforderlich sind, in einem Kompartiment. Wir hatten konkrete Vorstellungen davon, wie sich die Bildung von Vesikeln in der Störungszone vollziehen könnte.

Die Simulation der Verhältnisse in der Hochdruckkammer war einfach. Eine Mischung aus langkettigen Aminen und Fettsäuren, wie sie aus den in den Flüssigkeitseinschlüssen der hydrothermalen Quarze gefundenen Bausteinen gebildet werden können, wurde in die Reaktionskammer überführt und über einen Zeitraum von 24 h unter Temperaturen und Drucken der oberen Kruste gehalten. Mit einem gesteuerten Druckverlust wechselte das vorher überkritische CO_2 in den gasförmigen Zustand (Abb. 7.11a, b). Im überkritischen CO_2 ist immer ein geringer Prozentsatz an Wasser gelöst. Dieses Wasser bekommt beim Wechsel des überkritischen CO_2 zur Gasphase während des Druckabfalls genau die gleichen Probleme wie die ebenfalls gelösten organischen Substanzen. Es muss sich in irgendeiner Form sammeln, weil es in dieser Konzentration nicht in der neu entstehenden Gasphase aufgenommen werden kann. Das Ergebnis ist die Kondensation zu kleinen Tröpfchen, sobald der Druck abnimmt.

Während des Experiments bildete sich wie erwartet Nebel, der in dem jetzt gasgefüllten Teil des Autoklavs durch ein Fenster gut sichtbar wurde (Abb. 7.11 b, c). Die Nebeltropfen sind anscheinend das Medium, das die organischen

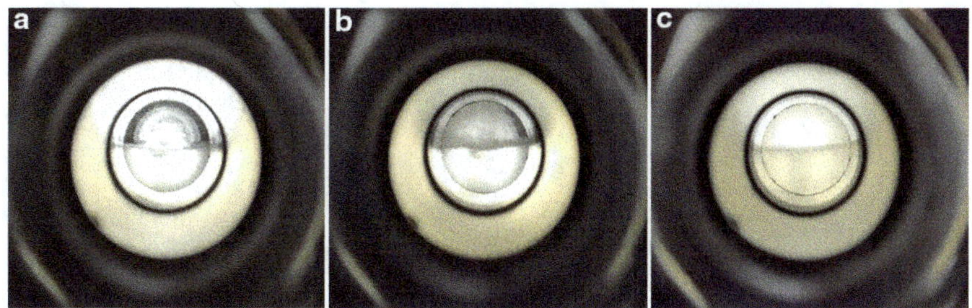

Abb. 7.11 Aufnahmen der Druckkammer mit Wasser in der jeweils unteren Hälfte (Strukturen durch Rotation des Magnetrührers) und CO_2 in der oberen, im Grenzbereich zum überkritischen Zustand. **a** Obere Hälfte mit überkritischem CO_2. **b** Druckentlastung mit Übergang zur Gasphase in der oberen Hälfte und Bildung von Nebeltröpfchen. **c** Feiner Nebel in der Gasphase, obere Hälfte

Moleküle spontan als Zufluchtsort erkennen. Obwohl sie sich unter anderen Bedingungen bevorzugt vom Wasser fernhalten, bleibt ihnen durch den Phasenwechsel nichts anderes übrig, als in und auf den Tröpfchen Platz zu nehmen. In der Folge sind die Wassertröpfchen mit organischen Molekülen hochbeladen. Salze, wie sie normalerweise gelöst im Wasser der Störungszone auftreten, finden sich hierin nicht. In dieser Beziehung entsprechen die Tröpfchen destilliertem Wasser.

Was passierte weiter?

Es erfolgte ein Schritt, der uns ein großes Stück näher an das Verständnis heranführte, wie ein Vesikel, ein Vorläufer einer Zelle unter den Bedingungen der jungen Erde, entstanden sein konnte. Die Amine und Fettsäuren (Lipide) bildeten auf der Außenhaut der Nebeltröpfchen eine Hülle und sanken langsam zur Grenzfläche des unteren Wasserkörpers (Abb. 7.12a, Schritt 3). Auch hier hatten sich Lipide in einer charakteristischen Orientierung angereichert und bildeten eine durchgehende Bedeckung der Grenzfläche wie einen Film auf dem Wasser. Beim Kontakt der sinkenden Wassertröpfchen mit der Grenzfläche umschloss sofort ein Teil des Lipidfilmes die ankommenden Tröpfchen mit einer zweiten Hülle (Abb. 7.12a, Schritt 4). Fertig war das Vesikel, das in seinem Aufbau der Membranstruktur einer Zelle ähnelte. Es bestand innen aus destilliertem Wasser mit einem erhöhten Anteil organischer Verbindungen und außen aus einer Lipiddoppelschicht – ein Aufbau, der als Grundlage einer Protozelle gelten kann. In Abb. 7.12b sind einige Vesikel, zum Teil mit Mehrfachhüllen, in mikroskopischen Dunkelfeldaufnahmen zu erkennen. Der eindeutige Nachweis des Vesikelaufbaus gelang mithilfe der Kernresonanzspektroskopie (KRS) [7]. Aus den ersten Messungen ergaben sich darüber hinaus Hinweise auf Konzentrationsgradienten, die in einer späteren

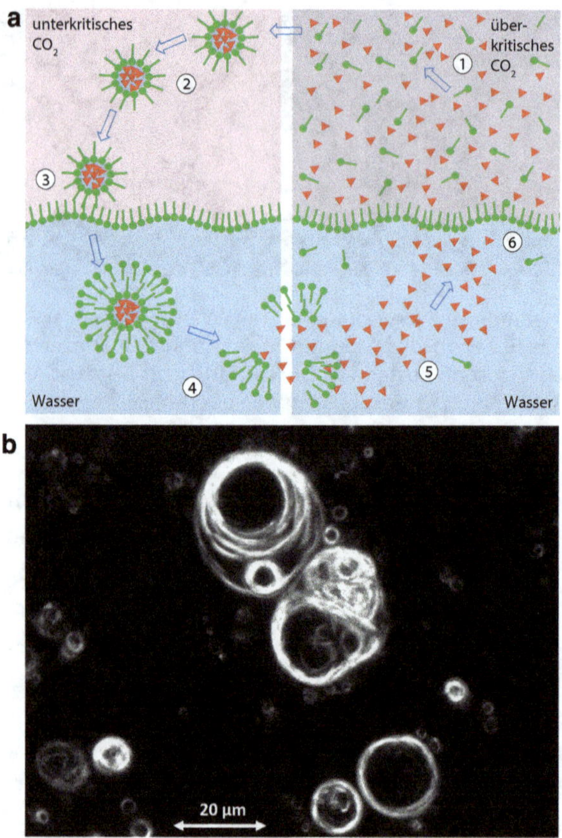

Abb. 7.12 Vesikelbildung im Grenzbereich zwischen überkritischem CO_2 und CO_2-Gas [4]. **a** Zyklus der Phasenübergänge, beginnend mit überkritischem CO_2 in einer Kavität (1). **b** Mikroskopische Aufnahmen (Dunkelfeld) von Vesikeln, zum Teil mehrere ineinandergeschachtelt. (Zeichnung: C. Mayer, Foto: M. Davila Garvin)

Entwicklung der Vesikel als Energiequelle von Bedeutung sind: Die Wassertröpfchen sammeln während der Kondensation im CO_2-Gas eine Vielzahl organischer Moleküle ein. Nach dem Absinken in das Wasser ist die Konzentration dieser Moleküle im Tröpfchen gegenüber dem umgebenden Wasser um Größenordnungen höher. Auf der anderen Seite sind in den kondensierten Wassertröpfchen keine Salze gelöst. Übertragen auf das salzreichere Wirtswasser in hydrothermalen Störungszonen bedeutet dies, dass durch den Vesikelbildungsprozess zwei entgegengesetzte Konzentrationsgradienten aufgebaut werden. Aus diesen Gefällen könnte eine erste Protozelle die Energie für einen einfachen Stoffwechsel geschöpft haben.

Die Schritte 5 und 6 in Abb. 7.12a kennzeichnen den Abbau der Vesikel und den Neubeginn des Lebenszyklus. Ein Zyklus besteht aus dem Aufbau des Druckes bis zur Bildung von überkritischem CO_2 und einer nachfolgenden Druckentlastung, sodass wieder Gas entsteht. Christian Mayer ersann weitere Versuche, die wieder erstaunliche Ergebnisse zeigten. Zuerst ging es um die Frage, ob sich die Bedingungen in der Druckzelle dazu eignen, Aminosäuren zu Ketten zu verknüpfen – etwas, wozu man eigentlich Enzyme benötigt. Hierfür wurden zwölf verschiedene Aminosäuren, von denen bekannt ist, dass sie in hydrothermalen Systemen gebildet werden können, in die Kammer gegeben. Das Ergebnis war wieder sehr überraschend. Innerhalb von Tagen bis Wochen vereinigten sich die Aminosäuren zu Peptiden mit Längen von bis zu 18 Einheiten. Das machte Mut.

Von besonderem Interesse war nun die Frage, ob es eine mögliche Bevorzugung von bestimmten Peptiden in Wechselwirkung mit dem Aufbau der Vesikelmembran gibt. Ein erster längerfristiger Betrieb der Versuchsanordnungen ergab deutliche Hinweise darauf, dass es eine wechselseitige Beeinflussung von Vesikeln mit Peptiden unter den eingestellten Bedingungen gibt, mit der Folge einer Auswahl bestimmter Aminosäureketten. Das wäre weltweit der erste gelungene Nachweis einer chemischen Evolution von Peptiden unter realistischen Verhältnissen. Inzwischen konnten größere Peptidmoleküle selektiert werden, denen wir bereits erste Funktionen zurechnen (Abb. 7.13) [8, 9].

Aus den Versuchsergebnissen lassen sich bestimmte Abhängigkeiten der gebildeten Peptide zu den Vesikelhüllen erkennen. Es gibt wasserliebende (hydrophile) und wassermeidende (hydrophobe) Aminosäuren. Aus ihnen

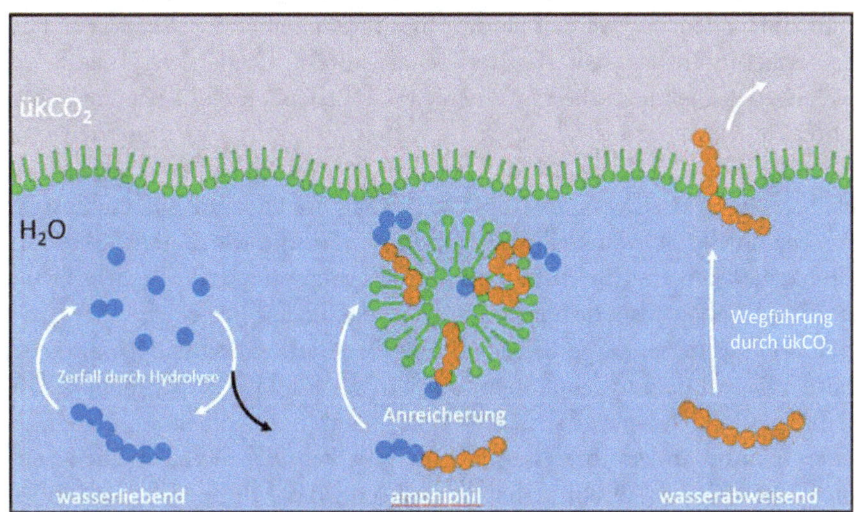

Abb. 7.13 Selektion von Peptiden: Von heute in den Proteinen vorkommenden Aminosäuren werden zwölf hydrothermal gebildet – sechs unpolare (orange) und sechs polare (blau). Die polaren halten sich bevorzugt im Wasser auf, die unpolaren werden in das überkritische CO$_2$ (ük-CO$_2$) abgegeben. (Zeichnung: C. Mayer)

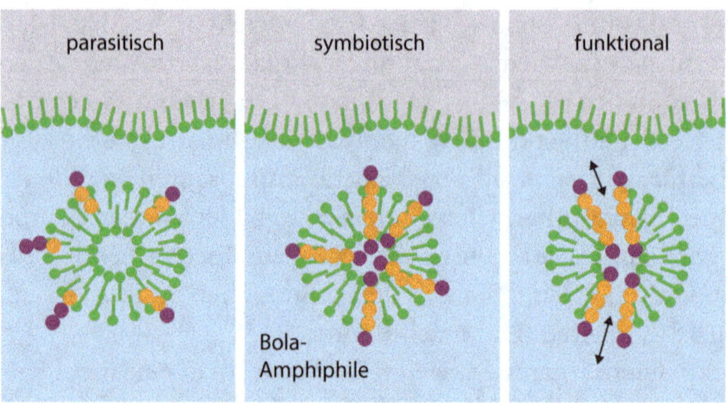

Abb. 7.14 Entwicklung von Peptiden in Verbindung mit einer Zellhülle [8]. Die parasitischen nutzen nur den Schutz der Hülle, die symbiotischen werden geschützt, stabilisieren aber gleichzeitig das Vesikel, und die funktionalen Peptide bilden einen Kanal, wodurch ein Konzentrationsausgleich möglich ist. Hierdurch wird ein Platzen des Vesikels verhindert. (Zeichnung: C. Mayer)

lassen sich interessante Ketten kombinieren. Peptide, die nur aus hydrophilen Aminosäuren bestehen, werden sich nur im Wasser aufhalten und keinen Kontakt zu Vesikeln suchen. Hydrophobe Peptide werden von überkritischen CO_2-Tropfen ausgewaschen und in die überkritische CO_2-Phase der Mikroautoklaven mitgenommen. Aber es gibt auch Ketten aus hydrophilen und hydrophoben Aminosäuren, die nicht eindeutig in das eine oder andere Medium übergehen. Sie werden als amphiphil bezeichnet. Für sie ist die Hülle der Vesikel interessant, die aus zwei Teilen besteht. Die äußere Hülle besteht aus langen Molekülen, die mit einem wasserliebenden Kopf nach außen gerichtet sind, während der lange Schwanzteil hydrophob ist und nach innen zeigt. Die innere Hülle ist mit den gleichen Molekülen genau umgekehrt aufgebaut. Der wasserliebende Kopf zeigt nach innen zum eingeschlossenen Wasser und der Schwanzteil nach außen bzw. in die Mitte der Hülle. Hierdurch ergibt sich ein Rückzugsraum für die Aminosäuren, die nichts mit Wasser zu tun haben wollen. Liegen Peptide vor, die auf der einen Seite hydrophile und auf der anderen Seite hydrophobe Aminosäuren eingebaut haben, können sie mit dem hydrophoben Anteil in der Hülle Platz nehmen, der Rest bleibt draußen. Es lassen sich jetzt viele Kombinationen durchspielen, von denen eine besonders interessant ist: Es gibt Peptide, die auf beiden Seiten einen hydrophilen Abschnitt haben, während das Mittelteil hydrophob ist. Werden sie in die Membran eingebaut, bilden sie quasi Anker, die das Vesikel stabilisieren. Bei einer günstigen Zusammenlagerung können kleine Kanäle entstehen, durch die Moleküle wandern können (Abb. 7.13). Hiermit vollzieht sich ein Konzentrationsausgleich, der sogar für eine Energiegewinnung genutzt werden kann (Abb. 7.14).

Literatur

1. Schreiber U, Locker-Grütjen O, Mayer C (2012) Hypothesis: origin of life in deep-reaching tectonic faults. Prebiotic Chem, Orig Life Evol Biosph 42(1):47–54
2. Meschede M (2018) Geologie Deutschlands. Springer, Heidelberg
3. Fujioka K, Futamura Y, Shiohara T, Hoshino A, Kanaya F, Manome Y, Yamamoto K (2009) Amino acid synthesis in a supercritical carbon dioxide-water mixture. Int J Mol Sci 10:2722–2732
4. Wilde SA, Valley JW, Peck WH, Graham CM (2001) Evidence from detrital zircons for the existence of continental crust and oceans on the earth 4.4 Ga ago. Nature 409:175–178
5. Schreiber U, Mayer C, Schmitz OJ, Rosendahl P, Bronja A, Greule M, Keppler F, Mulder I, Sattler T, Schöler HF (2017) Organic compounds in fluid inclusions of Archean quartz – analogues of prebiotic chemistry on early earth. PLoS One. https://doi.org/10.1371/journal.pone.0177570
6. Großmann Y, Schreiber U, Mayer C, Schmitz OJ (2022) Aliphatic aldehydes in the earth's crust – remains of prebiotic chemistry? Life 12(7):925. https://doi.org/10.3390/life12070925
7. Mayer C, Schreiber U, Dávila MJ (2015) Periodic vesicle formation in tectonic fault zones – an ideal environment for molecular evolution. Orig Life Evol Biosph 45(1–2):139–148
8. Mayer C, Schreiber U, Dávila MJ (2017) Selection of prebiotic molecules in amphiphilic environments. Life 7(3). https://doi.org/10.3390/life7010003
9. Mayer C, Schreiber U, Dávila MJ, Schmitz OJ, Bronja A, Meyer M, Klein J, Meckelmann SW (2018) Molecular evolution in a peptide-vesicle system. Life 8(16). https://doi.org/10.3390/life8020016

8

Was ist belegbar, was bleibt hypothetisch?

8.1 Die große Frage nach dem Wie

Der Start war gelungen. Unsere ersten Experimente hatten gezeigt, dass wir uns auf einer heißen Spur bewegten. Das Verständnis für das Umfeld der möglichen Lebensentstehung wurde immer besser. Die Experimente unter klar abgrenzbaren Rahmenbedingungen lieferten erste Hinweise auf realistische Szenarien, und zusätzliche Berechnungen physikochemischer Abläufe von Christian Mayer boten eine sichere Basis für weitere Versuchsanordnungen. Die Präsentation der Ergebnisse auf zahlreichen internationalen Fachtagungen stieß inzwischen auf großes Interesse. Was fehlte, war die Einbindung in eine Gesamtentwicklung, die letztlich in einer Informationsspeicherung und der

"

Bildung der ersten Zelle münden sollte. Mit anderen Worten: Es fehlte ein Konzept, eine Vorstellung, wie es insgesamt gelaufen sein könnte. Gab es nicht einen Lösungspfad, der unter Berücksichtigung der eigenen und internationalen Ergebnisse zur Ursprungsforschung aufgezeigt werden konnte, für den es zunächst keine Einschränkungen in der Kombination gab, bei dem alles erlaubt war, sofern die grundlegenden physikalisch-chemischen Gesetzmäßigkeiten eingehalten wurden?

Um es noch einmal deutlich zu machen: In der Wissenschaft ist es problematisch, Hypothesen für Abläufe aufzustellen, deren Ursachen nicht durch Experimente in Gänze nachgewiesen werden können. Die Erforschung der Lebensentstehung ist aber ein besonderer Fall. Zu lange ist die Zeit der ersten Schritte vergangen, und zu unbekannt sind bisher die Bedingungen der frühen Erde, als dass sich die Verhältnisse mit einigen wenigen Versuchen rekonstruieren ließen. Versuche, die allerdings keinen hypothetischen Überbau besitzen, laufen unweigerlich in eine Sackgasse. Ihnen fehlt die Anbindung an das Ganze.

Wir waren an einem Punkt angekommen, an dem es sein musste. Wir brauchten eine oder mehrere Hypothesen, an denen wir die Möglichkeiten des Lebensbeginns in unterschiedlichsten Variationen durchspielen konnten. Die Formulierung einer auf dieses Forschungsfeld bezogenen Hypothese gleicht einem Überführungsversuch eines Täters in einem gewagten Indizienprozess. Der Versuch kann leicht in die Irre führen. Bezogen auf die Prozesse der frühen Erde sind im Zusammenhang mit dem neuen Krustenmodell einige Indizien sichtbar geworden, die einen Rahmen mit ersten belastbaren Daten vorgeben. Es war daher konsequent, eine Hypothese durchzuspielen, die die Entwicklung von der einfachsten organischen Molekülbildung bis hin zu einer sich teilenden Zelle genau für dieses Umfeld beschreibt. Eine derartig umfangreiche Hypothese wirft zwangsläufig viele Fragen auf. Fragen sind die Voraussetzung für die Entwicklung gezielter Experimente, die Antworten auf der Suche nach einer Lösung geben können.

Etwas hatte mich von Beginn an in der Diskussion um die Entstehung des Lebens gestört. Es war ein Bauchgefühl, das umso stärker wurde, je weiter wir mit unseren Experimenten kamen. Wie konnten sich auf der einen Seite in unseren Experimenten relativ problemlos Peptide entwickeln, die mit mehr Zeit vielleicht bis zur Größe von Enzymen heranreiften, auf der anderen Seite aber keine Möglichkeit bestand, die Information über ihren Aufbau zu speichern? Jedes Großmolekül hatte zu Beginn seine eigene Reihenfolge der Aminosäuren. Nach dem Zerfall war die Wahrscheinlichkeit der Bildung eines identischen Moleküls mit diesen gigantischen Variationsmöglichkeiten so gut wie gleich null. Es konnten sich nur ähnliche Moleküle bilden, die bestenfalls in Gruppen einzuteilen waren.

Die Vertreter der RNA-Welt verfolgen einen anderen Ansatz und starten gleich mit einem längeren RNA-Molekül. Sie können allerdings nicht erklären, woher es kam, wie es in der erforderlichen Größe vor dem schnellen Zerfall bewahrt wurde und wie das Problem der Chiralität der Ribose gelöst wurde. Weiterhin ist offen, wie die in den ersten RNA-Strängen gereihten Basengruppen zu Informationseinheiten definiert werden konnten, damit eine exakte Zuordnung von Aminosäuren in den Enzymen möglich wurde. Dabei brauchten sich Enzyme und RNA von Anfang an – das berühmte Henne-Ei-Problem. Und im Hinterkopf schwangen bei jeder Überlegung gleich die unendlich großen Zahlen der Variationsmöglichkeiten mit. Wie konnte eine Lösung für all die Probleme und Fragen aussehen?

Wir hatten einen Einstieg gefunden, irgendwie musste es eine Lösung für den Hauptteil, die wechselseitige Beziehung zwischen Enzymen und RNA, geben. Ausgangspunkt in meinen Überlegungen war seit Langem das Molekül, das die beiden Größen verband, die Transport-RNA. Es musste das Schlüsselmolekül sein. Es trug eine genau zugehörige Aminosäure zu dem Ort des Zusammenbaus, und die Information darüber stand wie der Barcode an einem Paket auf der anderen Seite. Zu Beginn konnte es allerdings keinerlei spezifische Zuordnung geben. Der Weg, das Problem zu lösen, schien anfänglich darin zu liegen, eine wachsende Abhängigkeit zwischen den Molekülen zu erkennen, die schließlich zu einer entsprechenden Zuordnung geführt haben konnte. Von Anfang an sollte bei der Bildung der Peptide eine Verbindung zum Speicherungsvorgang bestanden haben. Ich war überzeugt, dass die Kopplung der beiden Molekülgruppen, der RNA und der Peptide, ein iteratives Verfahren sein musste – Schritt für Schritt.

Die Überlegungen führten zu einem hypothetischen Modell, das ausführlich in der Erstausgabe dieses Buches diskutiert worden ist. Es war, wie sich anschließend zeigte, ein Zwischenschritt, der in den Jahren nach dem Erscheinen ergänzt bzw. korrigiert werden konnte. Die Diskussionen schritten voran, und es ergaben sich neue Ansatzpunkte. Die älteren Erklärungen waren insgesamt zu unbefriedigend, weil sie das Kernproblem der biochemischen Informationsspeicherung nicht ausreichend klar lösen konnten. So unvollständig wie es war, bildete es aber doch den Grundstock für die Entwicklung eines neuen Ansatzes, mit dem sich für die letzte große Frage eine plausible und realistische Antwort herauskristallisierte [1]. Sie ergab sich nach entspannten Tagen auf der Nordseeinsel Amrum durch einen Einfall: die Einführung eines dritten Players neben RNA und den Peptiden.

8.2   Anreicherung, Sortierung, Selektion

Wesentliche Voraussetzungen für die Bildung größerer Moleküle sind die Konzentration und Auslese von Ausgangsstoffen verschiedenster organischer und anorganischer Moleküle. Ein 100 kg schwerer Mensch besteht aus ca. 10^{28} Atomen. Das ist eine Eins mit 28 Nullen. Die Anzahl der Moleküle, zusammengesetzt aus den Atomen, ist um drei bis vier Größenordnungen kleiner. Das heißt, wir bestehen im Mittel aus vielleicht 10^{24} Molekülen. Ohne Bedenken lässt sich voraussetzen, dass in der Erdkruste über mehr als 20 km in der Vertikalen an unzähligen Bruchzonen ein Vielfaches an organischen Molekülen gebildet werden kann – Moleküle, die aufsteigen, miteinander in Kontakt kommen und zu neuen Verbindungen reagieren. Allein die Zahlendimensionen machen deutlich, welche unendliche Vielfalt neuer chemischer Bausteine bei diesen Vorgängen gebildet werden können. Um aus dem großen Vorratstopf der Molekülsuppe etwas für die Bildung biologisch relevanter Moleküle gewinnen zu können, sind ständig Anreicherungen und Sortierungsprozesse notwendig.

In allen natürlichen Umgebungen, in denen Materialtransport stattfindet, haben wir entsprechende Vorgänge. Es geht um grundsätzliche Trennungsprozesse, die durch strömendes Wasser entstehen. In einer tiefreichenden offenen Bruchzone entstehen Fließbewegungen durch aufsteigende Gase und Wässer in Richtung der Oberfläche oder, bei Einsickern von Wässern in höher gelegenen Gebirgsregionen, in entgegengesetzte Richtung. Trennungen von Gemischen werden beim Fließprozess nach Masse vollzogen, was bei Molekülgröße durch Oberflächenladungen der Minerale an den Wänden kaum funktioniert. Die Moleküle, die an den Gesteinswänden mit den Fluiden vorbeiströmen, können aber festgehalten werden, vielschichtige Lagen aufbauen und weitere Stoffe binden oder nach Reaktion passieren lassen.

Das Bild einer Luftblase im Aquarium, die unter einem schräg ansteigenden Blatt langsam nach oben kullert, verdeutlicht einen der vielen Vorgänge in der Tiefe. Die Bruchzonen haben vielfach schräg stehende Begrenzungsflächen, an denen kleine Tröpfchen von überkritischem Gas nach oben rollen. Die geringere Dichte als Wasser dieser Tröpfchen macht es möglich. Molekülfilme, die an den Mineralen der Wandungen unterschiedlich fest haften, kommen so direkt in Kontakt mit der Grenzfläche der überkritischen Gasbläschen. Hierbei können Stoffe aufgenommen werden, wenn sie mehr ein organisches Lösungsmittel lieben (hydrophobe Moleküle). Sind es hydrophile Moleküle, die selbst lieber im Wasser verbleiben, besteht die Möglichkeit, dass sie direkt an der Oberfläche des Tröpfchens mit den eingesammelten hydrophoben Molekülen reagieren und mitgenommen werden. So sammeln die Tröpfchen vieles mit ein, was später für komplexere Molekülbildungen zur Verfügung steht. Ein nächster Schritt ist die Trennung bzw. Auswahl von Molekülen über immer wiederkehrende Prozesse, bei denen über große Zeiträume (Zehn- oder Hunderttausende Jahre und länger) beständig gleiche Abläufe zu immer ähnlichen Molekülgruppen führen.

Ein Beispiel für eine Molekültrennung bietet der Vergleich zu technischen Verfahren der Chromatographie. In den Spalten der Störungszonen sind durch die Fluidströmungen alle Voraussetzungen für Trennvorgänge aus Gemischen organischer Moleküle gegeben. Die Verhältnisse gleichen chromatographischen Analyseverfahren, bei denen es durch ein dynamisches Wechselspiel zwischen Lösemittel und fester Phase zur Trennungen unterschiedlichster Moleküle kommt. Die Risse und Bruchflächen in der kontinentalen Kruste weisen Querschnitte von Kapillargröße bis in den Zehnerzentimeterbereich auf. Hiermit sind sie vergleichbar mit Weiten, die in technischen Trennungsverfahren Verwendung finden. Besonders interessant ist der Trennungsprozess, wenn der Aggregatzustand der mobilen Phase überkritisch ist. Entsprechende Effekte in der kontinentalen Kruste sind direkt mit der überkritischen Flüssigkeitschromatographie (Supercritical Fluid Chromatography, SFC) vergleichbar, die überwiegend mit überkritischem CO_2 durchgeführt wird. Bei diesem Verfahren werden Kieselgele als feste Phase verwendet. Kieselgele sind typisch für tieferreichende Störung. Aus ihnen wird das Gangmineral Quarz gebildet, das meistens die Bruchflächen auskleidet und die Grundlage der Quarzgänge bildet. Es gibt auch Verfahren wie den Simulated-Moving-Bed-(SMB-)Prozess, bei dem die feste Phase den zu trennenden Substanzen entgegenläuft. Dies wäre der Fall, wenn Kieselgele im Fluidstrom der Störungen mit nach oben transportiert werden und an den organischen Molekülen in der Wassersäule vorbeiströmen. SMB-Verfahren werden zum Beispiel in der pharmazeutischen Industrie genutzt, wenn Moleküle mit unterschiedlicher Chiralität in großen Mengen getrennt werden müssen. Auch dient das Verfahren zur Reinigung von Fructose (oder von Aminosäuren) im industriellen Maßstab. Hierin könnte die Ursache für die Verwendung von Ribose bei der Bildung der RNA in den hydrothermalen Spaltensystemen der Kruste begründet sein. Durch chromatographische Trennung von Gemischen unterschiedlicher Zucker wäre in diesem Fall die Ribose am stärksten angereichert worden [2].

Ein weiterer wirksamer Anreicherungs- und Selektionsprozess findet in dem beschriebenen Übergangsbereich von überkritischem CO_2 zu CO_2-Gas in ca. 1000 m Tiefe der Kruste statt. Die hier mögliche Vesikelbildung ist nach jetzigen Erkenntnissen einer der wesentlichen Faktoren für die Bildung der ersten Zellen (s. Abschn. 7.3). Die Bausteine der Vesikel (u. a. Phospholipide) stammen aus der Verkettung von Kohlenstoffmonoxid/-dioxid mit Wasserstoff (ähnlich der Fischer-Tropsch-Synthese) und im Fall des Phosphats aus dem Mineral Apatit. Ein zermahlener Apatit war in unserer Hochdruckanlage unter Versuchsbedingungen der oberen Kruste (1000 m Tiefe) nach wenigen Tagen vollständig aufgelöst. Aminosäuren, die in unterschiedlichen Tiefen gebildet werden (u. a. aus NH_3, HCN, CO), können sich durch die Prozesse in der 1000-m-Grenzzone zu Peptiden verbinden und in Kontakt mit den Vesikeln gelangen. Die Vesikel bieten über ihre Zusammensetzung und die Struktur ihrer Membran die Möglichkeit, bestimmte Aminosäureketten herauszufiltern. Druckschwankungen durch Erdgezeiten zweimal am Tag oder noch häufiger durch CO_2-gesteuerte Geysirausbrüche führen zu rhythmischen Veränderungen, die kontinuierlich den Aufbau und Zerfall von Vesikeln und Molekülen steuern.

Ein besonders hervorzuhebender Aspekt bei den Vorgängen in der Übergangszone in 1000 m Tiefe ist die Erzeugung einer großen Menge Entropie, sowohl beim Übergang vom überkritischen CO_2 zum Gas (Ausdehnung, geringere Ordnung) als auch umgekehrt (Gaskompression, Erwärmung, Wärmeabgabe). Das bedeutet, dass eine Reaktion der Moleküle stattfinden kann, obwohl dadurch Ordnung entsteht und Entropie erniedrigt wird, weil die parallel erzeugte große Menge an Entropie des gesamten Systems und die gekoppelten Temperaturpfade die minimale Erniedrigung mehr als kompensieren. Gleichzeitig wird durch das Herausdrücken der Wassersäule bei einem Geysirausbruch Arbeit verrichtet. Ein kleiner Teil hiervon treibt turbulente Zirkulationen in den Kavitäten an. Ebenso führen bestimmte chemische Reaktionen in den Mikroautoklaven zur Speicherung von Energie. Reaktionen, die im Umfeld des Phasenübergangs von überkritischem CO_2 zu gasförmigem CO_2 erfolgen, haben in Bezug auf Entropieerhöhung und Energieumsetzung hierdurch ideale Voraussetzungen.

Hinzu kommen Änderungen des pH-Wertes, der durch die Druckschwankungen variiert. In der überkritischen Phase liegt er aufgrund des hohen CO_2-Anteils bei einem pH-Wert von etwa 3. Sobald der Druck nachlässt und sich Gas bildet, steigt der pH-Wert um ungefähr zwei Einheiten. Gleichzeitig kann durch die Ausdehnung des Gases die Temperatur um bis zu 20 °C abnehmen. Nach der Eruption baut rücklaufendes Wasser schnell wieder den ursprünglichen Druck auf. Hierdurch wird das vorhandene Gas bis zur überkritischen Phase komprimiert. Der Vorgang ist mit einem Temperaturanstieg verbunden, der mit mehr als 60 °C die Schmelztemperatur einer Doppelstrang-RNA erreicht (s. unten).

Die besonderen Bedingungen in ca. 1000 m Krustentiefe lassen Reaktionen zu, die auf der Oberfläche der frühen Erde kaum möglich waren. Das Molekülangebot bei diesem Prozess war und ist auch heute noch gigantisch. In den biologischen Zellen kommen überwiegend 20 Aminosäuren zum Einsatz. Man kennt inzwischen aber über 400 verschiedene Spezies, von denen die meisten in der Natur keine Rolle spielen. Untersuchungen zum zeitlichen Auftreten der Aminosäurespezies in den Zellen ergaben, dass es eine ältere Gruppe von etwa zehn bis zwölf verschiedenen Spezies gibt, die hydrothermal gebildet werden können [3]. Bis auf Glycin, die einfachste Aminosäure, besitzen alle mindestens zwei voneinander abweichende Strukturen (D und L), bei denen die chemische Zusammensetzung identisch ist. Sie sind chiral und besitzen entweder eine links- oder rechtshändige Konfiguration. Welche Ausleseprozesse haben letztendlich dazu geführt, dass nur die kanonischen (die in der Natur für den Aufbau der Proteine verwendeten) Aminosäuren und diese, bis auf wenige Ausnahmen, ausschließlich mit der L-Händigkeit in der Evolution Verwendung fanden?

Neben Aminosäuren lassen sich auch Zucker und organische Basen als Produkte der hydrothermalen Umgebung ableiten. Sie sind genau wie die Aminosäuren mit zahlreichen Spezies vertreten, von denen wieder nur die heute in der RNA und DNA vorkommenden selektiert wurden. So wird die Ribose, der Zucker in der RNA, nur in seiner rechtshändigen Form (D) verwendet, genau wie sein Verwandter, die Desoxyribose in der DNA. Daneben gibt es aber auch verschiedene Zucker der L-Variante, die in den Prozessen der biologischen Zellen Funktionen haben.

Bei der Vorstellung davon, wie umfangreich das Angebot an Molekülen gewesen ist, stellt sich sofort die Frage, welche physikochemischen Gesetzmäßigkeiten letztendlich die Auswahlprozesse zum Start des Lebens gesteuert haben müssen. Als ein entscheidender Ausgangspunkt kann das Vesikelmodell (s. Abschn. 7.3) dienen, mit dem wir bereits Laborerfahrungen für eine Molekültrennung gemacht haben [3]. Die in der Grenzzone zwischen überkritischem CO_2 und gasförmigem CO_2 entstehenden Vesikel sind nicht alle gleich. In Abhängigkeit von den Ausgangsstoffen bilden sich unterschiedlichste Lipide, die jeweils andere Strukturen in den Hüllen ausbilden. Unterschiedliche Vesikelhüllen wechselwirken mit Peptiden aus dem Umfeld auch unterschiedlich, wodurch eine erste Molekültrennung allein aufgrund der Hüllstrukturen stattfindet.

Aber alle Vesikel wirken auf eine Trennung in hydrophobe und hydrophile Aminosäuren hin, genau wie es bereits vorab in den Kavitäten durch das Nebeneinander von Wasser und überkritischem CO_2, das als Lösungsmittel für hydrophobe Moleküle dient, passiert. Eine Verkettung von hydrophoben und hydrophilen Spezies an der Grenzfläche ergibt Peptide mit Aminosäuren, die beide Eigenschaften besitzen. Je nachdem, welcher Kettenteil überwiegt, können die Peptide insgesamt hydrophob oder hydrophil ausfallen oder eine Zwischenstellung einnehmen. Fällt das organische Lösungsmittel weg, weil es plötzlich gasförmig wird, können sich die hydrophoben Anteile der Aminosäurekette in den Zellhüllen der Vesikel „verstecken", während die anderen Anteile herausschauen. Werden die Vesikel durch Turbulenzen bei Druckverlust nachfolgend zerstört, gelangen die Peptide zwangsweise ins Wasser.

Jetzt geschieht Folgendes: Die langen Ketten versuchen, die hydrophoben Anteile in ihrem Verband erneut vom Wasser fernzuhalten. Das schaffen sie, indem sie sich strukturieren, zu komplexen Gebilden falten und die hydrophoben Anteile so weit wie möglich mit den hydrophilen umgeben. Es entsteht also eine Art Knäuel mit einem wassermeidenden Zentrum und einer Hülle, die Wasser liebt. An dieser Stelle wird das gleiche Angebot an Molekülen mit der L- und der D-Konfiguration immer dazu führen, dass auch die Ketten aus Aminosäuren eine komplexe Mischung aus beiden Formen besitzen.

Für die Festlegung der Händigkeiten ist es notwendig einen Prozess zu identifizieren, der zu einer Trennung der beiden Orientierungen geführt hat. Erst als es Peptide gab, die nur aus einer Spezies bestanden (enantiomerenreine Peptide), konnte der Wettlauf zwischen den beiden Versionen beginnen. Hierbei ist es nicht sinnvoll, auf zufällige Verknüpfungen zu bauen, die zu einem enantiomerenreinen Peptid geführt haben. Ein derartiger Ansatz würde für ihre Bildung sehr schnell unendlich kleine Wahrscheinlichkeiten ins Spiel bringen, die durch die hohe Anzahl der Aminosäuren und deren Variationsmöglichkeiten in den Ketten bedingt sind (s. oben).

Zusammenfassend lässt sich für eine fluidführende Störungszone in der Kruste festhalten:

- Organische Moleküle können in der kontinentalen Kruste in der Vertikalen über weite Strecken gebildet werden. Bei chiralen Molekülen entstehen immer gleich viele L- und D-Spezies.
- Durch Auflösung von Gesteinsmineralen werden Phosphat, Metalle, Bor, Magnesium, Kalzium und andere Stoffe freigesetzt.
- Ein Sammelvorgang durch aufsteigende überkritische Gase führt zu einer Vorsortierung der Moleküle und Anreicherung in Kavitäten (vergleichbar mit Mikroautoklaven). Dieser Prozess ist besonders intensiv ausgeprägt in

der Übergangszone zum unterkritischen Gas in ca. 1000–400 m, je nach
Gaszusammensetzung.

- Die Fließprozesse trennen Molekülgemische vergleichbar mit chromato-
graphischen Verfahren.
- Die Verhältnisse in der Kruste sind in Bezug auf Energie und Entropie besonders günstig, sodass eine Verknüpfung der Moleküle zu Ketten, wie in
Laborversuchen bereits bestätigt, geschieht.
- Vesikel, RNA-Stränge und Peptide können in der Kruste entstehen und in
einer Tiefe von ca. 1000 m oder weniger aufeinandertreffen.
- Bestimmte Peptide wechselwirken mit den Vesikeln; es reichern sich die
Peptide an, die durch die Hülle geschützt werden. Allerdings fehlt für diese
zufällig zusammengesetzten Aminosäureketten eine Speicherung der Information über die Zusammensetzung.

8.3 Zwölf Aminosäuren und das Schlüsselmolekül: Eine kurze RNA

Die Bildung von Vesikeln unter Druck- und Temperaturbedingungen, wie sie
in ca. 1000 m Tiefe einer kontinentalen Kruste der jungen Erde entsprechen
(s. oben), ist im Labor mehrfach nachgewiesen worden [4, 5]. Bis zu zwölf
Aminosäuren können unter hydrothermalen Bedingungen in der Kruste entstehen [3, 6], wobei die Häufigkeiten in Abhängigkeit der Bildungsbedingungen unterschiedlich sind. Die (hydrothermal bildbaren) hydrophoben Aminosäuren Isoleucin, Valin, Leucin, Alanin und Phenylalanin können als Bausteine kurzer Peptide bei der Vesikelbildung in die Membran
aufgenommen werden, während die hydrophilen Aminosäuren Threonin,
Serin, Prolin, Glutaminsäure, Asparaginsäure und Lysin im Wasser der Tröpfchen verbleiben. Glycin nimmt eine Zwischenstellung ein. Die Vesikel aus der
Nebelbildung bestehen aus destilliertem Wasser, das aber einen hohen Anteil
organischer Moleküle enthalten kann. Das Umgebungswasser in den Kavitäten, in dem die Vesikel schwimmen, hat immer höhere Salzkonzentrationen,
die aus dem Mantel und der Alteration der Krustengesteine stammen. Der
Unterschied der Salzkonzentrationen innerhalb der Vesikel und außerhalb bedingt eine Instabilität, die zu einer schnellen Zerstörung während des nächsten Geysirausbruchs führt.

Ein zweiter Vesikelbildungsprozess ist an die Entstehung von Wasser-
spritzern gekoppelt, die durch schnelle Druckentlastung bei einem stärkeren
Geysirausbruch in der Tiefe über die Wasseroberfläche der Kavität ge-

schleudert werden. Sie sammeln ebenfalls Lipide zu einer ersten Hülle ein, die nach Absinken der Tröpfchen auf die Grenzfläche zum Wasser durch eine zweite ergänzt wird. Zusammen entsteht wieder eine Membran, die die Vesikel nach außen begrenzt. Die in diesem Vorgang gebildeten Vesikel sind deutlich größer und besitzen eine wesentlich höhere Konzentration hydrophiler organischer Moleküle als die kleineren aus dem Nebelprozess. Gleichzeitig sind die Salzgehalte im Inneren identisch mit denen des Umgebungswassers, was zu einer höheren Stabilität führt. Darüber hinaus ist durch den Anteil hydrophiler Moleküle die Ausstattung mit organischen Molekülen unterschiedlich. Entsprechend sind andere Reaktionen zu erwarten, deren Produkte nach Zerfall der Vesikel in das Umgebungswasser abgegeben werden. Hier können sie mit den Reaktionsprodukten der anderen Spezies reagieren, wonach die neuen Verbindungen wieder von neu entstehenden Vesikeln aufgenommen werden können.

Bei den gesamten Vorgängen wird vorausgesetzt, dass sich Nukleotide bilden, die sich zu verschiedensten RNA-Strängen verknüpfen können. Die Bildung einer RNA (als Vorläufer der DNA) gehört zu den wichtigsten Voraussetzungen für die Entwicklung eines organisch-chemischen Informationssystems. Die Bedingungen in den Störungszonen mit der Bereitstellung von organischen Basen, dem Zucker Ribose und Phosphat aus der Auflösung der Apatite, waren hierfür günstig. Allerdings wurden in diesem Umfeld nicht nur die Moleküle gebildet, die in der heutigen RNA vorliegen. Es gab sicherlich eine Vielzahl von verschiedenen Zuckern, die auch jeweils in den chiralen D- und L-Versionen auftraten. Die Alteration der Krustengesteine führte an verschiedenen Abschnitten der Störungsoberflächen zur Auskleidung mit Tonmineralen. Sie fungierten vermutlich als Katalysatoren, die die Verknüpfung von Nukleotiden zu längeren RNAs steuerten [7]. Diese RNAs konnten aufgrund unterschiedlicher Zucker oder auch Basen sehr verschieden sein. Es müssen daher Prozesse identifiziert werden, die ohne Hilfe heutiger biochemischer Katalysatoren zu dem RNA-Typ geführt haben, der das weitere Geschehen auf dem Weg zur ersten Zelle bestimmt hat. Ein Selektionsprozess, der zur ausschließlichen Verwendung von Ribose geführt hat, kann in dem oben beschriebenen Vorgang der Fließtrennung, vergleichbar mit der Chromatographie, gelegen haben. Ein weiterer Prozess lässt sich möglicherweise auf strukturelle Ursachen zurückführen, die weiter unten diskutiert werden.

Bei der Bildung von längeren RNA-Strängen kommt es schnell zur Verknäulung, da sich komplementäre Abschnitte zusammenlagern und teilweise Doppelstrangabschnitte bilden [8]. Eine Kopie, die durch Anlagerung freier Nukleotide erfolgen könnte, wird hierdurch unterbunden. Diese Eigenschaft stellt ein größeres Problem in der Diskussion um eine RNA-Welt dar. Lösen lässt es sich durch pH-Wert-Änderungen oder durch Erhöhung der Temperatur. Bei beiden Möglichkeiten werden Doppelstränge getrennt, wonach sie, zum Beispiel bei Abkühlung, durch komplementäre Nukleotide zu einem Doppelstrang ergänzt werden können. Eine erneute Trennung und nachträgliche Auffüllung beider Seiten mit Nukleotiden zum Doppelstrang sind dann die Schritte für die Vervielfältigung der RNA.

Die Verhältnisse in den Störungen bieten für den Vorgang des RNA-Kopierens optimale Bedingungen. Die Temperatur in den betrachteten Krustentiefen könnte je nach Zutritt von Oberflächenwasser aus artesischen Systemen in einer größeren Spanne um 50 °C gelegen haben. Durch den Übergang vom überkritischen CO_2 zur Gasphase infolge eines Geysirausbruchs entsteht eine Abkühlung durch Ausdehnung des Gases (Joule-Thompson-Effekt). Der umgekehrte Vorgang erfolgt durch rücklaufendes Wasser, wodurch das Gas in der Tiefe durch steigenden Druck so weit komprimiert wird, dass es unterhalb des Grenzbereichs überkritisch wird. Die Komprimierung ist mit einer Temperaturerhöhung verbunden, ähnlich wie wir es von der Luftpumpe kennen. In der Kruste können bei den beschriebenen Voraussetzungen Werte deutlich über 60 °C erreicht werden. Sie sind notwendig, um RNA-Doppelstränge zu trennen. Zusätzliche Temperaturveränderungen ergeben sich durch aus der Tiefe nachströmendes heißeres Wasser und anschließend rücklaufendes kühleres Wasser nach Ende des Ausbruchs. Mit der Abkühlung beginnt die Phase der Anlagerung komplementärer Nukleotide. Sind genügend Bausteine verfügbar, können bei jedem Ausbruchzyklus RNA-Stränge im offenen System der Kavitäten kopiert werden. Gleiche Prozesse können mit überkritischem Stickstoff (ük-N_2) in geringeren Tiefen und entsprechend kühleren Starttemperaturen ablaufen.

Wenn die Verhältnisse in einem Environment für eine RNA-Bildung geeignet sind, ist nicht automatisch die Grundlage für die Entwicklung eines Informationssystems gegeben. RNA-Stränge, die sich bilden, besitzen unterschiedliche Längen und werden schnell durch Hydrolyse wieder in kurze Abschnitte zerteilt. Die Hydrolyse eines RNA-Stranges ist im sauren Milieu bei pH-Werten zwischen 3 und 4, wie sie auch in den Fluiden der Störungen in der Tiefe vorliegen können, am geringsten [9], das heißt, hier liegt der größte Stabilitätsbereich vor. Allerdings bietet das Umfeld mit überkritischem N_2 den Vorteil, dass hier höhere pH-Werte vorliegen, wodurch eine Blockierung der Reaktionsmöglichkeiten durch H^+-Ionen wie im sauren Bereich unterbunden wird. Es bleibt die Frage, wie aus den vielen möglichen RNA-Varianten der Typ selektiert werden konnte, der letztlich die Grundlage für die weitere Entwicklung bildete.

Ab einer bestimmten Länge ist die Wahrscheinlichkeit hoch, dass in dem ersten und letzten Drittel eines RNA-Stranges Abschnitte mit jeweils komplementären Basen vorliegen. Das bedeutet, dass bei einer Zusammenlagerung die Basen beider Drittel gegenüberliegen und wie bei einem DNA-Doppelstrang über eine Basenpaarung eine Verbindung eingehen können, sofern es passende komplementäre Nukleotide gegenüber gibt (Adenin A verbindet sich mit Uracil U, Cytosin C mit Guanin G). Das mittlere Drittel bildet hierbei eine Schleife (Loop), die bei einem ausreichenden Durchmesser mit nach innen gerichteten Basen besetzt ist. Ist der Loop bei einem kurzen Strang zu klein, kann er sich nur bilden, wenn ein Teil der Basen nach außen rotiert wird (durch Drehung innerhalb des Stranges). Der interessanteste Fall ist der, in dem genau drei Basen nach außen gerichtet sind, an die aufgrund der damit verbundenen freien Zugänglichkeit komplementäre Nukleotide angelagert werden können. Dieses Konstrukt entspricht dem Anticodon, das heute dem Informationsmodul einer Transfer-RNA (tRNA) entspricht. Dass sich dieser RNA-Typ durchgesetzt hat, kann auch mit der Ribose zusammenhängen, die einerseits durch die oben beschriebenen SFC- oder SMB-Trennverfahren ausreichend konzentriert vorlag, andererseits die optimale Struktur bei der Bildung des Loops bot, der die wichtigste Voraussetzung für die weitere Entwicklung war.

Die heutige tRNA ist ein komplexes Molekül mit 72 bis 96 Nukleobasen (Abb. 4.8), das einen Mittler zwischen einer spezifischen Aminosäure und einem Informationscode darstellt. Die wichtigsten Abschnitte sind hierbei der Loop mit dem Anticodon auf der einen Seite und ein kurzer ungepaarter Strang am anderen Ende, an dem eine Aminosäure verknüpft werden kann. Die letzten drei Basen an diesem Ende sind, vermutlich von Beginn an, bei allen tRNAs immer ACC mit Adenin an der Spitze. An diesen ACC-Abschnitt kann jede Aminosäure angebunden werden. Die spezifische Zuordnung für die Verknüpfung erfolgt heute durch komplexe Enzyme, die Synthetasen (genauer: Aminoacyl-tRNA-Synthetasen), die zusätzlich andere Stellen an der tRNA für eine Erkennung der richtigen tRNA nutzen.

Ich war relativ früh davon überzeugt, dass die tRNA das Schlüsselmolekül für die gesamte Entwicklung einer Zelle sein musste. Allerdings konnte sie zu Beginn nicht die heutige Komplexität besessen haben und sollte im Anfangsstadium so klein wie möglich sein. Die Überlegungen zielten auf eine Minimalausstattung, die aus dem einsträngigen ACC-Ende bestehen musste und einer engen Schlaufe, die das Anti-Codon bildete. Um den Kreis zu schließen, war zumindest eine Doppelbindung nötig. Dahinter steckte die Überlegung, dass kurze RNA-Stränge häufiger gebildet werden können und stabiler sind als lange und dass ein einzelnes Basenpaar leichter für eine Kopie des Stranges getrennt werden kann als eine größere Anzahl. Hinzu kommt eine Bedeutung, die sich hinsichtlich des entropischen Effekts auswirkt (s. unten). Aus diesen Rahmenbedingungen resultierte eine Proto-tRNA, die nur zwölf Nukleotide umfasst. Hiervon sind die Plätze 1 bis 3 mit ACC gesetzt, und die Basen 4 und 12 mussten, um eine Doppelbindung bilden zu können, komplementär sein. Unter diesen Voraussetzungen ergibt sich eine Variation von mehr als 65.500 verschiedenen RNAs (4×4^7), sofern die Händigkeit der Ribose im Strang einheitlich ist. In Abb. 8.1 ist ein RNA-Strang mit minimaler Länge (12 Nukleotide) dargestellt, der lediglich ein verknüpftes Basenpaar besitzt.

Eine Überlegung war noch wichtig: Die RNA musste aufgrund des gleichen Angebots an D- und L-Ribose in dem hydrothermalen Spaltensystem immer beide Versionen in die Stränge eingebaut haben. Für die Stabilität des Stranges war es aber hilfreich, wenn nur Ribosen mit der gleichen Händigkeit verknüpft wurden, was ein wichtiges Selektionskriterium sein konnte. Folglich müssen in der weiteren Entwicklung enantiomerenreine RNAs selektiert worden sein, die entweder D- oder L-Ribose eingebaut hatten. Das Mengenverhältnis war vermutlich in etwa gleich.

Die Variationsbreite für den Einbau der beiden Ribosehändigkeiten bei einer Kette von zwölf Nukleotiden beträgt 2^{12}, woraus sich etwas mehr als 4000 verschiedene Möglichkeiten ergeben. Diese Anzahl ist bei den zur Verfügung stehenden Zeiträumen für die Selektion enantiomerenreiner Stränge vertretbar. Anders sähe es aus, wenn mit RNA-Längen gerechnet werden müsste, wie sie für die RNA-Welt diskutiert werden. Bereits ab 20 Nukleotiden wird die Anzahl von 1 Mio. Möglichkeiten überschritten und wächst bei

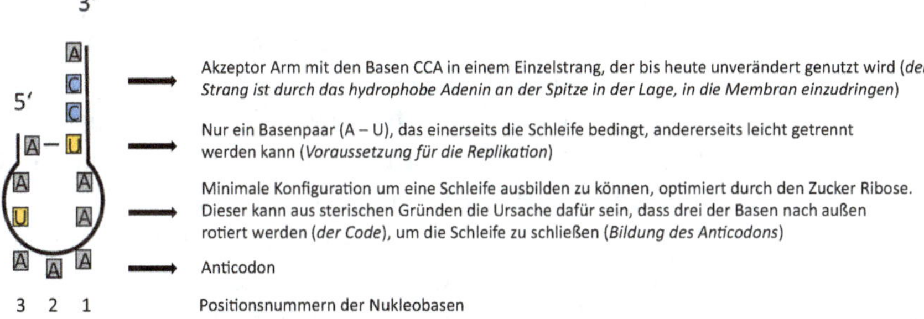

Abb. 8.1   Hypothetische, kleinstmögliche RNA als Träger eines Informationscodes

einem weiteren Anstieg schnell auf astronomische Größen. Dies ist ein weiterer Grund, die geforderte Proto-tRNA so klein wie möglich vorauszusetzen.

An der in Abb. 8.1 skizzierten einfachen Proto-tRNA ist mit der Basenfolge ACC die Base Adenin genau an der Spitze des hier als ungepaart vorliegenden Stranges positioniert. Früh stellte sich für mich die Frage, warum dieses Strangende vermutlich von Beginn an so ausgebildet war, wie es war, und welche selektionswirksame Funktion dahintersteckte. Schließlich konnte theoretisch jede Aminosäure daran verknüpft werden, es gab zu Beginn keine Möglichkeit der Spezifizierung. Dies ließ nur den einen Schluss zu: Es musste eine physikochemische Ursache geben.

Die wenigen Tage Urlaub auf Amrum brachten wohl den notwendigen Abstand, und während unserer Wanderung am Strand tauchte plötzlich ein Bild vor meinem inneren Auge auf, das mich unruhig werden ließ. Es war die in Abb. 8.1 dargestellte Proto-tRNA und das des ACC-Fingers, der heute zum Akzeptorarm der tRNA gehört und zu nichts anderem gut war, als durch die Hydrophobizität des Adenins in die wasserabweisende Zone der Membran einzudringen und so in Kontakt zu hydrophoben Aminosäuren zu gelangen. Die Aminosäuren in diesem Bild waren Teil von kurzen hydrophoben Peptiden, die während der Vesikelbildung, wie oben beschrieben, in die Membran gelangt waren (Abb. 8.2). Eine Verknüpfung an der 2′-OH-Position der endständigen Ribose des ACC-Endes, wo auch heute die hydrophoben Aminosäuren verknüpft werden, sollte dadurch möglich gewesen sein (die 2 bezeichnet die Position des C-Atoms in der Ringstruktur des Moleküls; Abb. 8.4).

Sofort tauchte die Frage auf, wie eine spezifische Verbindung der entsprechenden Aminosäure in Bezug zum Basentriplett des Anticodons erreicht werden konnte. Am Basentriplett, das letztlich den Code vorgibt, liegen immer drei von vier möglichen Basen vor, die sich hinsichtlich ihrer Hydrophobizität unterscheiden [10]. Je nach Art der beteiligten Basen und ihren Positionen auf dem Triplett ergeben sich unterschiedliche Werte für die entropische Kraft, die im Zuge des hydrophoben Effekts, so die Überlegung, zu einem unterschiedlich tiefen Eindringen des Akzeptorarmes in die Membran geführt haben mussten. Das würde bedeuten: Je stärker die Hydrophobizität des Anticodons war, desto mehr wurde die Proto-tRNA in Richtung der hydrophoben Membran gedrängt, und desto weiter ragte die Spitze der tRNA in den Mittelteil der Membran. Dort befanden sich die kurzen Peptide, in Abhängigkeit von ihrer Hydrophobizität. Das heißt, die Proto-tRNA mit dem am stärksten hydrophoben Anticodon hatte die größte Wahrscheinlichkeit, auf die am stärksten hydrophobe Aminosäure zu treffen.

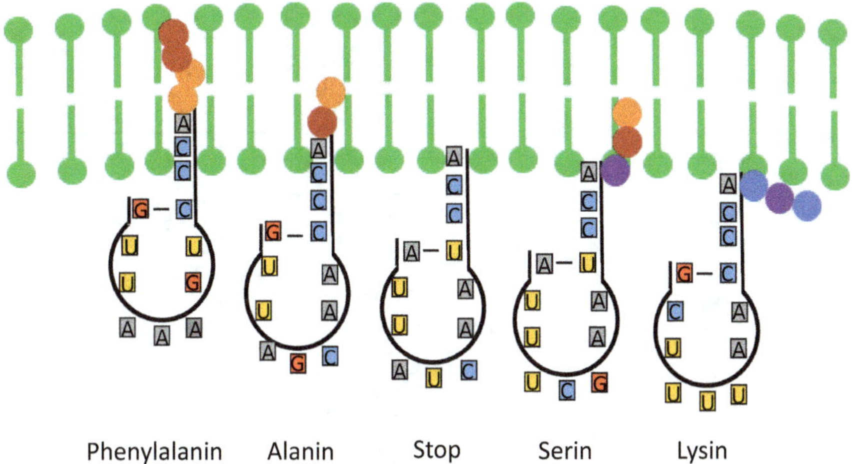

Abb. 8.2 Beispiele möglicher Positionen verschiedener Proto-tRNAs an einer Membran, die durch die Hydrophobizität des Anticodons bestimmt werden. Als bestimmende Größe wird der entropische/hydrophobe Effekt angenommen. A = Adenin, G = Guanin, C = Cytosin, U = Uracil

Entropischer Effekt

Wird ein Gummiband in die Länge gezogen, ergibt sich eine neue Anordnung der Moleküle, die zu einer höheren Ordnung im Band führt. Hiermit ist eine Absenkung der Entropie verbunden. Wird es losgelassen, sorgt die entropische Kraft dafür, dass es sich wieder zusammenzieht. Hierdurch erhöht sich die Entropie wieder. Werden hydrophobe Moleküle in wässrige Lösungen gegeben, entsteht der hydrophobe Effekt, der mit dem entropischen Effekt erklärt wird, aber auch einen enthalpischen Anteil (Veränderungen der Bindungsenergie) hat. Das System versucht, möglichst viele Wechselwirkungen zwischen den Wassermolekülen aufzubauen. Der hydrophobe Effekt beschreibt die Zusammenlagerung der Teilchen, bei dem eine kleinere Grenzfläche zum Wasser entsteht, als die Summe der Grenzflächen der kleinen Teile beträgt. Je größer die Grenzflächen sind, desto größer ist die Anzahl der Wassermoleküle, die im direkten Umfeld der Teilchen geordnet werden. Mit der Ordnung sinkt die Entropie, die weniger stark ausfällt, wenn sich die Teilchen zusammenlagern. Unter anderem wird die Faltung der Proteine durch diesen Effekt erklärt. Voraussetzung ist, dass sich die hydrophoben Aminosäuren überwiegend im Inneren der Kette befinden und die hydrophilen in den äußeren Bereichen, die auch nach der Faltung den Kontakt zum Wasser haben [11].

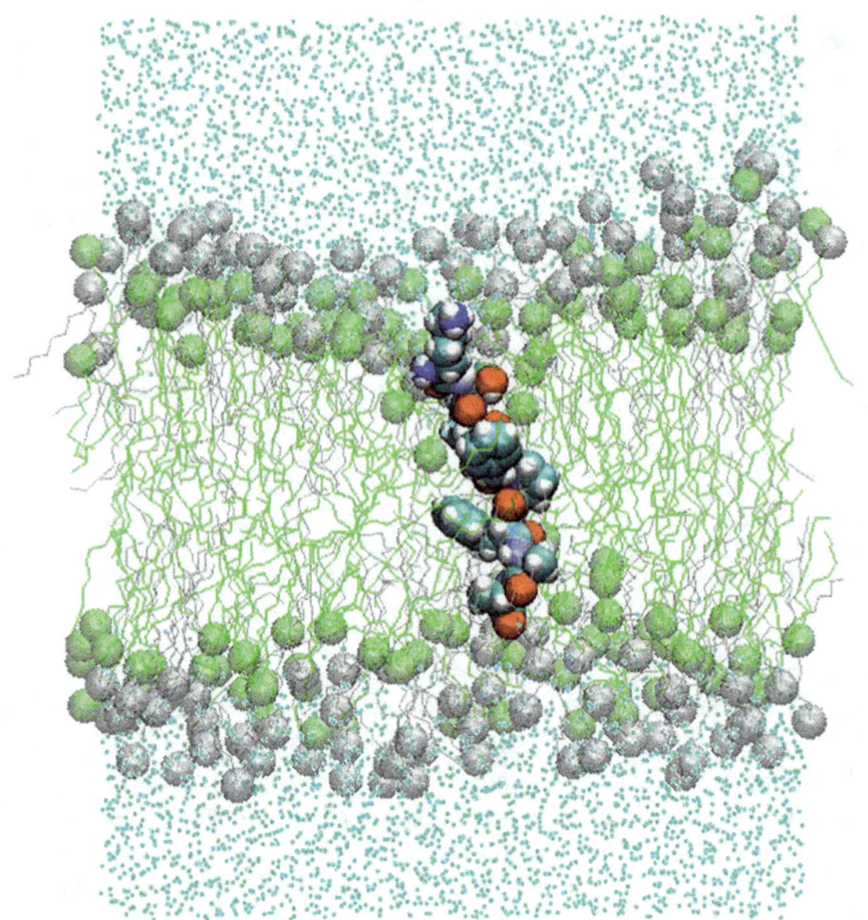

Abb. 8.3 Ausschnitt aus der MD-Simulation einer Membran einer Vesikelhülle, in die ein Peptid aus acht Aminosäuren eingelagert ist. Die Hülle wird durch Lipide aufgebaut, die sich in zwei Lagen zusammenschließen. Der wasserliebende Kopf jedes Lipids ist nach außen zum Wasser (blaue Punkte) gerichtet; die grünen Schwänze zeigen nach innen und treffen in der Mitte jeweils auf die der gegenüberliegenden Lage. Das Innere der Membran ist hydrophob und somit wasserfrei. Ein Film der Simulation zeigt eine ständige Bewegung aller Moleküle und ein Auf- und Abtanzen des Peptids. Die Struktur der Membran wirkt wie ein Katalysator, durch den das Peptid orientiert wird. Hierdurch erhöht sich die Chance für eine Verknüpfung mit dem ACC-Ende einer tRNA. (Nach M. Dávila und C. Mayer [12])

Geholfen bei dieser Vorstellung hat die molekulardynamische Simulation (MD-Simulation) einer Vesikelmembran, in die ein Peptid mit acht Aminosäuren integriert ist, die von Maria Dávila in der Arbeitsgruppe von Christian Mayer durchgeführt wurde (Abb. 8.3). Bei der Simulation werden die physikochemischen Daten aller beteiligten Moleküle inklusive des umgebenden Wassers genutzt, um in einer zeitlichen Abfolge die gegenseitigen Beeinflussungen bei den Molekülbewegungen darzustellen. Das Video hierzu zeigt in beeindruckender Weise, dass die Zellhüllen nicht starren Wänden entsprechen, sondern dass die Lipide, die die Hülle aufbauen, in ständiger Bewegung sind. Die Membran wird dabei überwiegend durch den hydrophoben Effekt zusammengehalten. Ihre Struktur hat Ähnlichkeit zu Kristallen, weswegen sie auch als Flüssigkristall beschrieben wird, obwohl sie kein starres Kristallgitter aufweist. Die ständigen Bewegungen sind so nachhaltig, dass die in der Membran positionierten Peptide ebenfalls mitschwingen und fortwährend unterschiedliche Positionen einnehmen, wobei sie aber immer eine grobe Ausrichtung parallel zu den Lipidmolekülen behalten.

Durch das Video entwickelte sich die Vorstellung, dass die postulierte Proto-tRNA ebenfalls von den Bewegungen erfasst wird, wenn sie mit dem ACC-Ende in Kontakt zur Membran kommt. Hierbei sollten sich die Schwingungen einer Proto-tRNA mit einem hydrophoben Anticodon deutlich von einer mit einem hydrophilen Anticondon unterscheiden. Mit entsprechenden Kombinationen der Basen am Anticodon wären darüber hinaus unterschiedliche, sehr fein abgestimmte Positionen des ACC-Armes in der Membran erreichbar. In Abhängigkeit von der Eindringtiefe konnten unterschiedlich hydrophobe Aminosäuren der kurzen Peptide an die endständige Ribose verknüpft werden – je tiefer in der Membran, desto hydrophober im Mittel die Aminosäure. Der Vorgang würde durch die Struktur der Membran begünstigt, die wie ein enzymatischer Katalysator die kurzen Peptide in einer Richtung orientierte.

Die Abtrennung der vordersten Aminosäure vom Peptid musste zur Erhöhung der Entropie geführt haben, wodurch die Reaktion mit der endständigen Ribose begünstigt wurde. Die Verknüpfung der hydrophoben Aminosäure erfolgt in diesem Fall an der 2'-OH-Position. Lagen hydrophilere Basen am Anticodon vor, reichte der ACC-Arm nicht so weit in die Membran, sodass die hydrophilen Aminosäuren an der 3'-OH-Position, so wie auch heute noch, verknüpft werden konnten. In einer mittleren Position wurden keine Aminosäuren angebunden. Die zugehörigen Tripletts entsprechen den heutigen Stop-Positionen beim Ablesevorgang der mRNA im Ribosom.

Der Vergleich mit der rezenten Situation zeigt erstaunliche Parallelen. Es werden zwei Klassen von Synthetasen, den Enzymen, die die Aminosäuren spezifisch mit der zugehörigen tRNA verknüpfen, unterschieden. Die erste Klasse verknüpft die hydrophoben Aminosäuren an der 2'-OH-Position der endständigen Ribose und die zweite Klasse die hydrophilen Aminosäuren an der 3'-OH-Position. Die 2'-Position liegt näher am Ende des Stranges, ober-

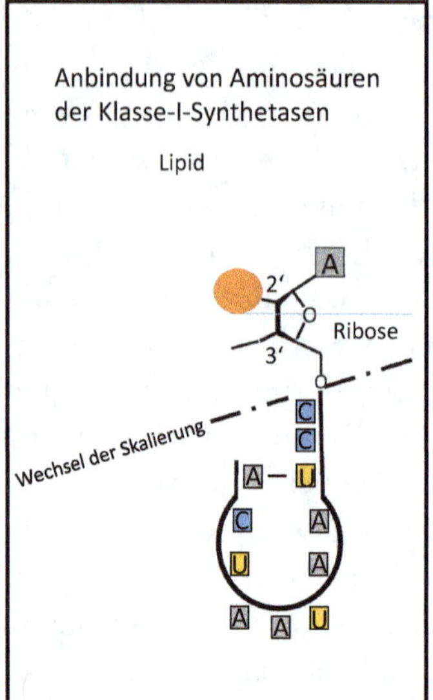

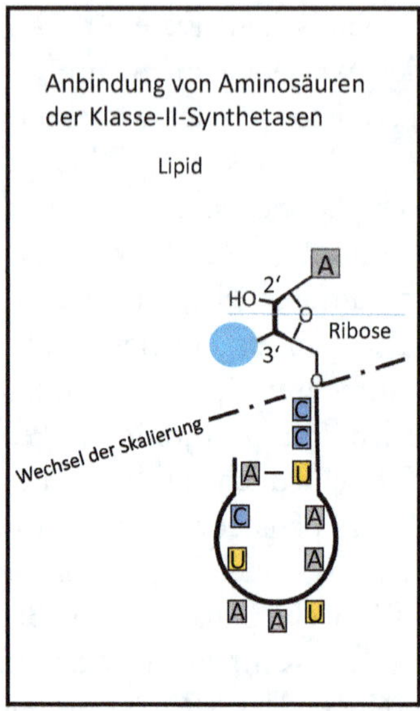

Abb. 8.4 Beispiel für die unterschiedlichen Verknüpfungen hydrophober (oranger Punkt) und hydrophiler (blauer Punkt) Aminosäuren an die endständige Ribose der postulierten Proto-tRNA. Die Positionen entsprechen den heutigen Anbindungen durch die beiden Synthetaseklassen

halb der von 3′ (Abb. 8.4). Die zur Klasse-I-Synthetase gehörenden Aminosäuren sind im Allgemeinen größer und weniger polar, die der Klasse-II-Synthetase sind kleiner und polarer. Biochemische, bioinformatische und proteintechnische Experimente stützen die Hypothese, dass die beiden Klassen von gegenüberliegenden, komplementären Strängen der DNA abstammen [13, 14]. Dies würde die Überlegung untermauern, dass die Grundlage der Entwicklung der heutigen Aminoacyl-tRNA-Synthetasen auf eine sehr frühe Phase zurückgeht, die mit der oben geschilderten Template-Bildung zusammenhängen kann. In diesem Zusammenhang gibt es eine interessante Anordnung der Start- und Stopcodons für die komplementären Stränge, wie weiter unten beschrieben ist.

Das Modell war gewagt, gab es doch neben der vermuteten Ursache des entropischen Effekts keine Belege, dass eine RNA, wenn auch nur mit einem kurzen einsträngigen Abschnitt, in eine Vesikelmembran eintauchen konnte. Die gängige Meinung war, dass sich eine RNA maximal parallel zur Membran anordnen könne. Mitte 2025 erschien von Czerniak und Saenz ein Review, dass die bisherigen Arbeiten zu Reaktionen von RNA mit Lipiden zusammenfasst und bewertet [15]. Die Autoren stellen fest, dass trotz des stark hydrophilen Charakters der Nukleinsäuremoleküle Nukleobasen in unmittelbarer Nähe des hydrophoben Kernbereichs von Lipidmembranen beobachtet wurden und dass Guanin, Adenin und Uracil mit den Lipidketten interagieren können. Sie schließen aus den Beobachtungen der zitierten Bearbeiter, dass entfaltete einzelsträngige RNA freiliegende Nukleinsäurebasen aufweisen, die mit den tieferen Regionen von Phospholipidmembranen reagieren können [16]. Ein solcher Mechanismus sei bei doppelsträngigen Spezies, bei denen die Nukleobasen in RNA-Helices eingebettet sind, nicht möglich. Bemerkenswert sei darüber hinaus, dass in einer Reihe von Experimenten eine Anzahl von RNAs gefunden wurde, die spezifisch an hydrophobe Aminosäuren wie Valin, Tryptophan, Phenylalanin und Isoleucin binden. Dies bestätigt, so ihr Fazit, dass es grundsätzlich möglich ist, dass RNA-Spezies an hydrophobe Ketten von Lipiden binden können.

Es war wieder so ein Moment …

8.4   Die erste biochemische Informationsspeicherung

Mit den bisher vorgestellten Überlegungen wurde zum ersten Mal eine Beziehung zwischen den Eigenschaften einer Aminosäure und einem biochemischen Code sichtbar, dessen Ursache einerseits in den unterschiedlichen Hydrophobizitäten der Aminosäuren und andererseits an den unterschiedlichen Hydrophobizitäten des Anticodons lag. Hierfür bekam, so das Modell, der entropische Effekt eine Steuerungsfunktion durch Ausübung unterschiedlicher Kräfte auf die Proto-tRNA. Und diese Überlegung hatte Konsequenzen. Es bedeutete, dass mit dem Modell eine erste Spezifität hinsichtlich der Beladung eines tRNA-Vorläufers vorausgesetzt werden konnte. Und es bedeutete weiterhin, dass in der heutigen Biochemie, sofern die Überlegungen richtig waren, eine strenge Korrelation in den Hydrophobizitäten der Aminosäuren mit den Nukleobasen sichtbar sein musste.

Der Abend desselben Tages auf Amrum war geblockt. Eine erste, mit dem Smartphone zusammengestellte Tabelle, die nur die hydrothermalen zwölf Aminosäuren beinhaltete, war kaum zu fassen: Der Vergleich der Anticodonbelegungen mit den zugehörigen Aminosäuren machte gleich am Anfang deutlich, dass alle hydrothermal bildbaren hydrophoben Aminosäuren ein Adenin in der Mittelposition bzw. weitere im Randbereich besaßen. Die hydrophilen Aminosäuren hatten eine entsprechend entgegengesetzte Belegung.

Die Recherche zu Hause ergab, dass bereits Weber und Lacey diese auffällige Korrelation entdeckt hatten, ohne jedoch eine Erklärung hierfür anbieten zu können [17]. Besonders deutlich wurde das Verhältnis in einer Tabelle von Jungck [18], wenn nur die hydrothermalen Aminosäuren (farbige Felder bis auf Codons der Stop-Positionen) berücksichtigt wurden (Abb. 8.5).

Und noch ein großes Fragezeichen schien jetzt gleichzeitig beseitigt worden zu sein. Wenn die Kopplung des genetischen Codes an die einzelnen Aminosäuren am Beginn der Entwicklung zufällig ohne eine physikochemisch bedingte Ursache erfolgt wäre, müsste es eine zufällige statistische Zuordnung der Codes bei den Aminosäuren geben, die mit mehr als einer tRNA verknüpft werden können. Dies ist aber nicht der Fall. Selbst bei denen, die wie Prolin oder Glycin vier verschiedene tRNAs nutzen können, ist die Variation im Code nur in der dritten Position vorhanden (Abb. 4.5, Code Sonne). Diese enge Zuordnung lässt sich nicht durch einen Zufall erklären, sondern erfordert eine physikochemische Ursache.

Die nächste Frage, die sich sofort auftat, war, wie sich die relativ spezifische Beladung der Proto-tRNA für den Aufbau einer Informationsspeicherung nutzen ließe. Es gab eine erste Überlegung, die beladenen tRNAs nebeneinander zu gruppieren. Die Aminosäuren hätten zu einem Peptid ver-

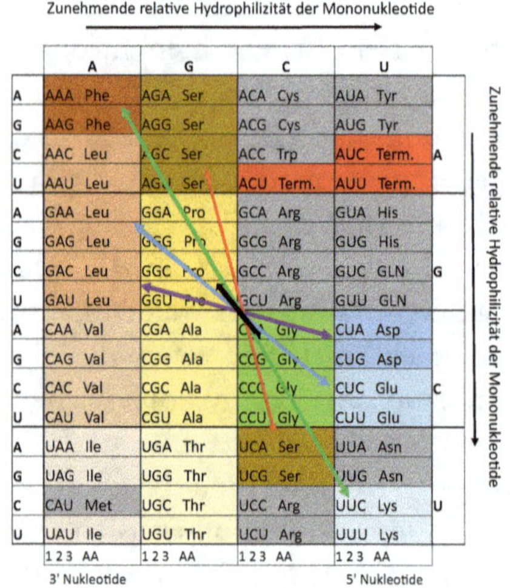
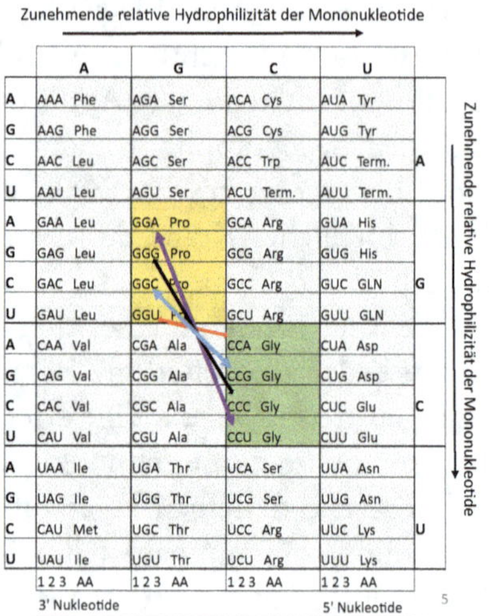

Abb. 8.5 Korrelation der Hydrophilizitäten der kanonischen Aminosäuren mit Nukleobasen. Die hydrothermal bildbaren Aminosäuren sind farbig dargestellt und zusätzlich in Rot die Codons der Stop-Positionen (links). Die Pfeile verbinden die komplementären Codes. Die Länge steht im Verhältnis zum Grad des Hydrophilizitätsunterschieds. Besonders deutlich ist die Beziehung zwischen Pro und Gly (rechts). Die Zuordnungen der Codes können nicht durch Zufall erklärt werden. (Nach Jungck [18])

knüpft werden können, während die Anticodons auf der anderen Seite das Template für komplementäre Nukleotide bildete. Hiermit wäre eine RNA gebildet worden, die die Sequenz der Aminosäurekette gespeichert hätte. Aber diese Rechnung ging ohne die Lösung des Chiralitätsproblems nicht auf. Obwohl L-Aminosäuren eine höhere Affinität zu RNAs mit D-Ribose haben und umgekehrt [19], gab es keine Möglichkeit, die tRNAs so zu selektieren, dass immer nur eine Händigkeit in der Gruppe vertreten war, die einen RNA-Speicher bilden sollte. Es musste eine andere Lösung gefunden werden.

Es klingt schon fast seltsam. Diesmal war es Langeoog, wieder eine Nordseeinsel, auf der mir nach einigen Tagen Entspannung ein weiterer wichtiger Punkt einfiel. Um die Proto-tRNA kopieren zu können, musste sie in einer gestreckten Form vorliegen, was durch die zyklischen Temperaturänderungen bei den Geysirausbrüchen problemlos erfolgen konnte. Hilfreich dabei war die nur schwache Bindung durch die einzige Doppelbindung nach dem Loop, die leicht unterbrochen werden konnte. Das bedeutet, mit der Öffnung der Proto-tRNA entstand ein Strang, der jetzt wie eine mRNA von beladenen tRNAs genutzt werden konnte, allerdings ohne Informationsinhalt. Das sollte funktionieren, weil neben den geöffneten tRNAs auch immer beladene tRNAs vorhanden gewesen sein mussten. Es gibt einen Unterschied in der Bindungsstärke zwischen dem Basenpaar A–U und dem Paar G–C, wobei A–U leichter getrennt werden kann.

Die gestreckte ursprüngliche Proto-tRNA hatte mit ihren zwölf Nukleotiden die Möglichkeit, maximal vier beladene tRNAs anzulagern, sodass bei Verknüpfung der Aminosäuren Viererketten (Tetramere) gebildet werden konnten (Abb. 8.6).

Die vier Tripletts jeder der möglichen Proto-tRNAs (es gab, wie oben beschrieben, mehr als 65.000 Variationsmöglichkeiten, zu denen die gleiche Anzahl an durch Kopie gebildeten komplementären Stränge kommt) waren noch ohne Informationsinhalt, der für ein Funktionsmolekül notwendig war. Es waren zufällige Kombinationen, aus denen Tetramere hervorgingen. Bedingung war allerdings, dass für die Tripletts auch passende, spezifisch beladene tRNAs vorhanden sein mussten, da es zu Beginn noch nicht alle Aminosäuren in diesem Environment gab. Wurde diese RNA immer wieder kopiert, blieb auch die Information über die Sequenz des entsprechenden Tetramers erhalten.

An dieser Stelle ist das Problem der Chiralität besser in den Griff zu bekommen. Die Affinitäten zwischen Aminosäuren und RNA hinsichtlich der Händigkeit [19] führte dazu, dass immer beide Versionen, D-Aminosäuren mit L-Ribose-tRNA und L-Aminosäuren mit D-Ribose-tRNA, im Angebot waren. Da sich eine D-tRNA bevorzugt mit einer D-mRNA verbindet und

Beispiel für eine geöffnete einsträngige Proto-tRNA als Template für die Bildung von 4er Peptiden (Tetramere)

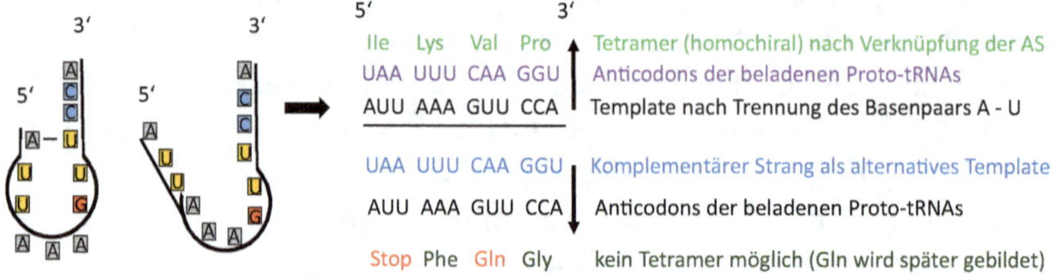

Da zu Beginn noch keine Leserichtung vorlag, waren weitere Kombinationen möglich.

Abb. 8.6 Beispiel für eine geöffnete einsträngige Proto-tRNA als Template für die Bildung von Viererpeptiden (Tetrameren). Da zu Beginn noch keine Leserichtung vorlag, waren weitere Tetramerkombinationen möglich. A = Adenin, G = Guanin, C = Cytosin, U = Uracil, AS = Aminosäuren, Gln = Glutamin

genauso L-tRNA mit L-mRNA, waren die daraus gebildeten Tetramere enantiomerenrein (homochiral) zusammengesetzt. Das bedeutet, in diesem Stadium gab es zeitgleich zwei verschiedene Peptidarten, die beide homochiral waren. Die eine bestand nur aus D-Aminosäuren und die andere nur aus L-Aminosäuren. Die Festlegung auf die heutige L-Version der Aminosäuren kam einen Schritt später.

Im Zusammenhang mit der weiteren Entwicklung der Informationsspeicherung muss noch ein wichtiger Punkt betrachtet werden: Wenn sowohl die Einzelstränge der Proto-tRNA als auch deren komplementäre Stränge als Templates zur Verfügung gestanden haben, boten beide gleichzeitig die Basis für die Bildung katalytisch wirkender Peptide. Verfügten die RNA-Stränge über eine gewisse Länge, die die Information von mehreren Enzymen trug, waren für das „Ablesen" Leerstellen in der Codonzuordnung erforderlich. Heute beginnt jeder Ableseprozess der mRNA mit der Erkennung des Codons für Methionin. Das Ende ist durch eins von drei Stopcodons festgelegt. Methionin ist eine später entstandene Aminosäure [20]. Interessanterweise ist das Codon für Methionin komplementär zu Tyrosin, das ebenfalls später integriert wurde und im selben Feld liegt wie zwei weitere Stopcodons (Abb. 4.5). Bildlich gesprochen lagen sich bei der Ausbildung eines RNA-Doppelstranges nicht nur die informationstragenden Abschnitte gegenüber, sondern auch komplementär die Codons, die später zu Start- bzw. Stopcodons wurden.

Einen Hinweis auf diese Verhältnisse bieten zum Beispiel die Synthetasen. Wie oben aufgeführt gibt es zwei Klassen von Synthetasen, die die spezifische Beladung der tRNAs vornehmen. Die zur Klasse-I-Synthetase gehörenden Aminosäuren, die am 2′-OH-Ende der endständigen Ribose verknüpft werden, sind im Allgemeinen größer und weniger polar, die der Klasse-II-

Synthetase, die am 3′-OH-Ende angebunden werden, sind kleiner und polarer. In der heutigen DNA ist eine bidirektionale genetische Codierung (Sense/Antisense-Ausrichtung) ausgebildet, das heißt, die Informationen der einen Klasse liegt auf dem Doppelstrang genau gegenüber der anderen Klasse. Biochemische, bioinformatische und proteintechnische Experimente stützen die Hypothese, dass die beiden Klassen von entgegengesetzten Strängen desselben Vorfahrengens abstammen [14].

8.5 Eine Dreierbeziehung: Membran, Peptid und RNA – die MPR-Welt

Aus den bisherigen Überlegungen wird deutlich, dass es dem hier vorgestellten Modell zufolge keine Welt gab, in der RNA, Peptide oder Metabolismus isoliert zuerst existierten. Vielmehr müssen drei Player gleichzeitig existiert haben, die eine chemische Evolution in gegenseitiger Abhängigkeit durchliefen: die Membranen der Vesikel, durch die eine Trennung von hydrophoben und hydrophilen Aminosäuren möglich wurde, Peptide, die sich zu Beginn unspezifisch und danach informationsgesteuert bildeten, und eine RNA, die aus einer geringstmöglichen Anzahl von Nukleotiden bestand [21]. Abgekürzt wäre es die MPR-Welt.

In dieser Welt war eine der entscheidenden Größen in der Steuerung der Prozesse der entropische Effekt, der die Grundlage für die Informationsspeicherung legte. Eine Besonderheit steckt in der Entwicklung des Informationsprozesses. Während in anderen Modellen am Anfang eine Information für die Bildung von Enzymen gefordert wird, entstand nach dem hier vorgestellten Modell als Erstes eine unspezifische Reihung von Codes, die mit einer Sequenz von Aminosäuren in Peptiden gekoppelt war. Erst nachdem sich durch zufällige Kombinationen aus dem Pool der vielen unspezifischen Codes ein Protoenzym herauskristallisiert hatte, das für die Weiterentwicklung der Zelle unterstützende Eigenschaften besaß, wurde die Information als solche etabliert. Entsprechend wurde sie an die nachfolgenden Generationen weitergegeben. Erst durch die Bestätigung im Rahmen der Selektion bekam der in der RNA und später in der DNA gespeicherte Abschnitt seine Bedeutung.

Was war die Selektionsursache für ACC?
Die Bedeutung des ungepaarten ACC-Endes des Akzeptorarmes der tRNA ist extrem hoch, weil hieran vermutlich die gesamte Entwicklung der

Informationsspeicherung gekoppelt war. Da dieses Ende ausnahmslos bei allen tRNAs existiert und wahrscheinlich bereits von Beginn an eine Rolle gespielt hat, stellt sich die Frage, welche harten Auswahlkriterien zu dieser Ausbildung geführt haben. Letztendlich muss es sich dadurch etabliert haben, dass nur diese Form eine Informationsspeicherung unterstützte, die am Ende das gesamte System Zelle am Leben erhielt.

Es ist zu erwarten, dass vor seiner Etablierung zahlreiche Variationen unterschiedlichster RNAs ausgebildet wurden, die allerdings weniger geeignet waren. Ausschließen kann man ein doppelsträngiges Ende des Akzeptorarmes. Für den Kontakt mit hydrophoben Aminosäuren in der Membran musste das Ende einsträngig sein und nicht zu kurz, damit alle Tiefen erfasst werden konnten. Er durfte nicht zu lang sein, um die Gesamtzahl der Nukleotide in der Proto-tRNA klein zu halten. Am wichtigsten war das hydrophobe Adenin an der Spitze, das das Eindringen in den hydrophoben Bereich der Membran erst möglich machte.

Mit den anderen drei Basen Guanin, Cytosin oder Uracil an der Spitze würden unterschiedlich hydrophile Basen vorliegen, die ein Eintauchen in die Membran blockierten, unabhängig davon, welche Nukleinbasen folgten. Nach Adenin folgen zwei Cytosinbasen, die zu den kleineren Pyrimidinen gehören. Die Alternativen wären Guanin oder Uracil. Uracil ist stärker hydrophil als Cytosin, sodass die Kombination mit Cytosin günstiger ist. Guanin ist geringer hydrophil als Cytosin, aber als Purinbase so groß wie Adenin. Aus rein mechanischen Gründen steckt ein größerer Kopf mit einem schlanken Hals fester in einer viskosen Substanz, als wenn der Hals genauso groß ist wie der Kopf (Lolli-Effekt beim Eintauchen in einen Pudding). Weitere Varianten wären unter anderem AAA, AAC oder AAU sowie ACA und AUA. Mit einer dieser Belegungen wäre die Kopplung mit der Membran durch mindestens zwei hydrophobe Basen so stark, dass eine Feinregulierung durch die Hydrophobizität des Anticodons entfallen würde (Abb. 8.7).

8.6 Module in Kombination

Die Beschreibung der Startphase über kurze RNA-Moleküle mit nur zwölf Nukleotiden zeigt verschiedene Vorteile für die weitere Entwicklung. Es steht zusammen mit komplementären Strängen, die für das Kopieren erforderlich sind, eine Vielzahl an Variationen zur Verfügung (s. oben). Die Zwölfermodule konnten verknüpft werden und so größere Einheiten bilden. Zehn Module waren in diesem Fall für die kleine Untereinheit des Ribosoms (120 Nukleotide) erforderlich. Der Aufbau komplexerer tRNAs, der zur heutigen

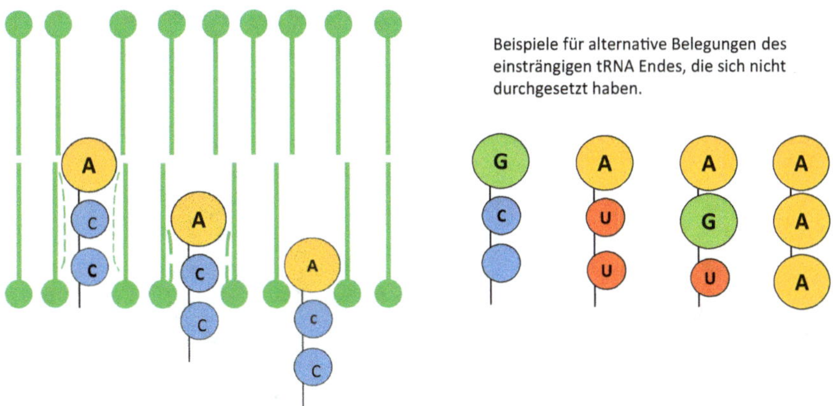

Abb. 8.7 Variationen verschiedener Basenkombinationen der Akzeptorarmspitze, die sich nicht durchgesetzt haben (rechts) im Vergleich zu der rezenten Version ACC (links). A = Adenin, G = Guanin, C = Cytosin, U = Uracil

Ausbildung führte, konnte rein rechnerisch mit sechs bis acht Modulen (72 bis 96 NT) gelingen. Hier gab es aber über die Milliarden Jahre der Entwicklung unterschiedlichste zusätzliche Veränderungen, die heute den Zusammenhang kaum noch erkennen lassen. Trotzdem gibt es Hinweise aus Nukleotidabfolgen heutiger tRNAs, die nicht durch Zufall entstanden sein können.

In der tRNA für Methionin des Menschen lassen sich zum Beispiel Hinweise auf Zwölfermodule finden (Abb. 8.8). Beginnend von 3′ mit ACC folgt nach insgesamt 13 Nukleotiden (ein Nukleotid müsste ergänzt worden sein) ein weiteres Modul, das mit ACC beginnt und den Loop des T-Armes bildet. Nach der variablen Schleife mit neun Einheiten folgt erneut ein Modul, das wieder mit ACC beginnt und den Anticodonarm bildet. Im weiteren Verlauf in Richtung 5′ treten noch zwei Abschnitte auf, in denen das Basentriplett GGU steht, das rotierte komplementäre Triplett von ACC. Es wäre lohnend, weitere RNAs auf entsprechende Zusammenhänge zu untersuchen.

Ein weiterer Aspekt ergibt sich aus der Vorstellung, dass bereits zahlreiche Zwölfermodule zu einem längeren Proto-mRNA Strang verknüpft wurden (Abb. 8.9, I). Unter der Voraussetzung, dass spezifisch beladene Proto-tRNAs die passenden Plätze belegen (II) und die transportierten Aminosäuren sich zu einer Kette verbinden konnten (III), war es nur eine Frage der Zeit, bis durch bestimmte Kombinationen katalytisch wirksame Peptide (Protoenzyme) entstanden waren (IV). Hierbei ist aber zu bedenken, dass immer nur einzelne

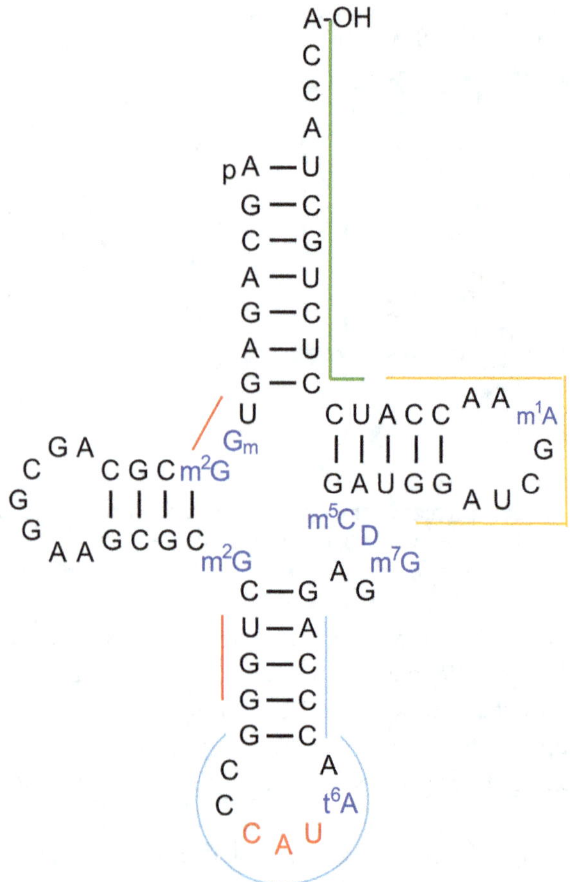

Abb. 8.8 Heutige tRNA^Met für Methionin des Menschen in Kleeblattdarstellung, für die drei Zwölfermodule erkannt werden können (grün, in das eine Nukleobase später eingefügt wurde, gelb und blau). Rote Striche = Basentriplett GGU, rotiertes komplementäres Triplett von ACC.> Grundlage von Yikrazuul – Eigenes Werk; ISBN 978-1555810733, S. 524, CC BY-SA 3.0, https://commons.wikimedia.org/w/index.php?curid=10126861

Abschnitte der Proto-mRNA belegt werden konnten, da noch nicht für alle Tripletts passende tRNAs und ihre Aminosäuren existierten. Diese traten erst später in der Entwicklung auf.

Man kann sich die Situation vorstellen wie ein Strang eines Keilriemens, dem etliche Zähne fehlen. Längere komplette Abschnitte sind durch Leerstellen begrenzt. Die längeren Abschnitte wären für die mRNA der Bereich, aus dem eine durchgehende Aminosäurekette gebildet werden konnte. Die begrenzenden Leerstellen hätten somit die Funktion der später notwendigen Start- und Stoptripletts des Ableseprozesses.

RNA `Rohling´:

Statistische Anordnung von Nukleobasen - RNA ohne Informationsinhalt und Funktion

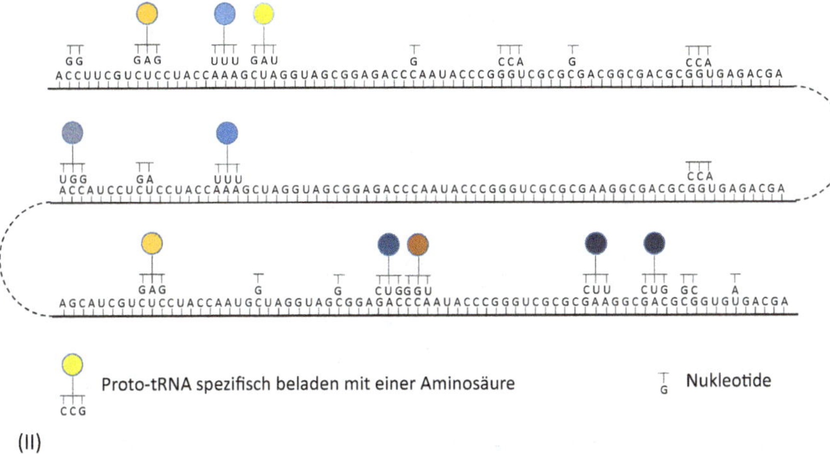

Längerer RNA-Strang, der in den Kavitäten bei zyklischen Druck-, Temperatur- und pH-Wert- Schwankungen bei ausreichender Zufuhr von Nukleotiden kopiert werden kann.

(I)

Verknüpfung von spezifisch beladenen Proto-tRNAs mit dem RNA Rohling

(II)

Abb. 8.9 (I) RNA-Rohling ohne Informationsinhalt und Funktion, der in den Kavitäten kopiert werden kann. (II) RNA-Rohling im Vesikel, wo eine statistische Belegung mit komplementären, spezifisch beladenen tRNAs erfolgt. (III) Bildung erster Peptide ohne Funktion. (IV) Bildung erster Peptide, die im Verlauf der Evolution eine Funktion beinhalten und deren Sequenz gespeichert ist. Hiermit kann der Start des Lebens definiert werden. Die postulierte zusätzliche Verknüpfung einzelner komplementärer Nukleobasen an den Strang behindert die Anlagerung der Proto-tRNAs nur zum Teil. Umgekehrt würden die Proto-tRNAs eine Replikation behindern. Dies ist nicht der Fall, wenn die RNA Replikation in den Kavitäten und die Peptidsynthese in den Vesikeln stattfinden. (V) Integration einer neuen Aminosäure in das System. (VI) Lückenschluss zwischen zwei Speicherabschnitten kleinerer Enzyme durch die neue Aminosäure zu einem neuen, längeren mit effektiverer katalytischer Aktivität: Evolutionssprung. (VII) Zunahme der Funktionsabschnitte auf dem RNA-Strang über die Zeit.

Bildung erster Peptide

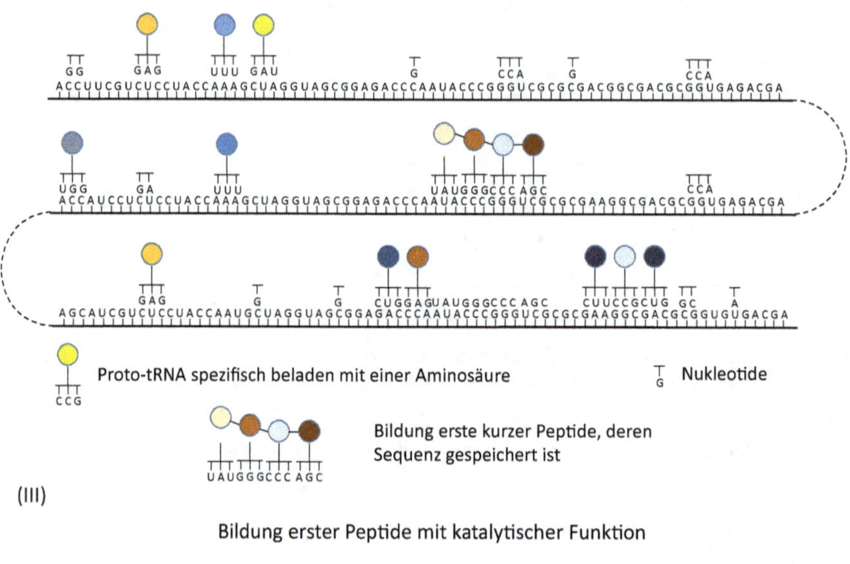

Proto-tRNA spezifisch beladen mit einer Aminosäure   Nukleotide

Bildung erste kurzer Peptide, deren Sequenz gespeichert ist

(III)

Bildung erster Peptide mit katalytischer Funktion

Proto-tRNA spezifisch beladen mit einer Aminosäure   Nukleotide

Bildung der ersten Peptide, die eine katalytische Funktion haben und deren Sequenz gespeichert ist. Erst dadurch wird der Abschnitt in der RNA zum Code   Beginn des Lebens

(IV)

Abb. 8.9   (Fortsetzung)

Integration einer neuen Aminosäure

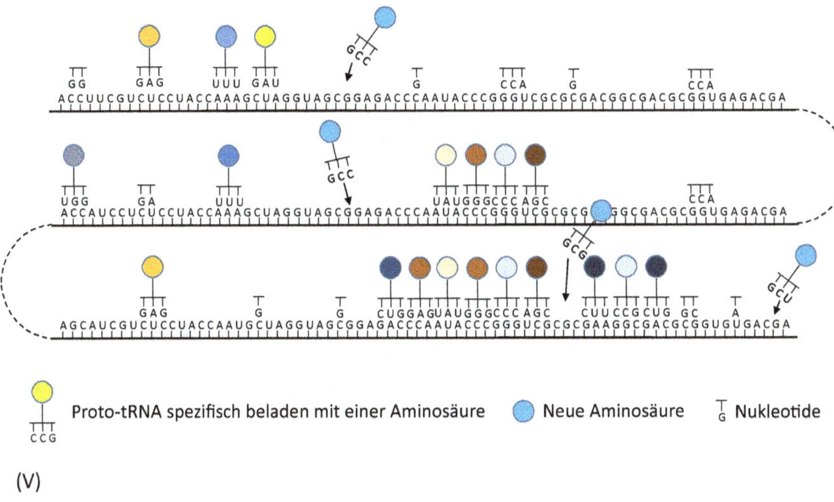

Entwicklungssprung in der chemischen Evolution durch den Lückenschluss zwischen kleineren Einheiten zu größeren mit einem höheren katalytischen Potential

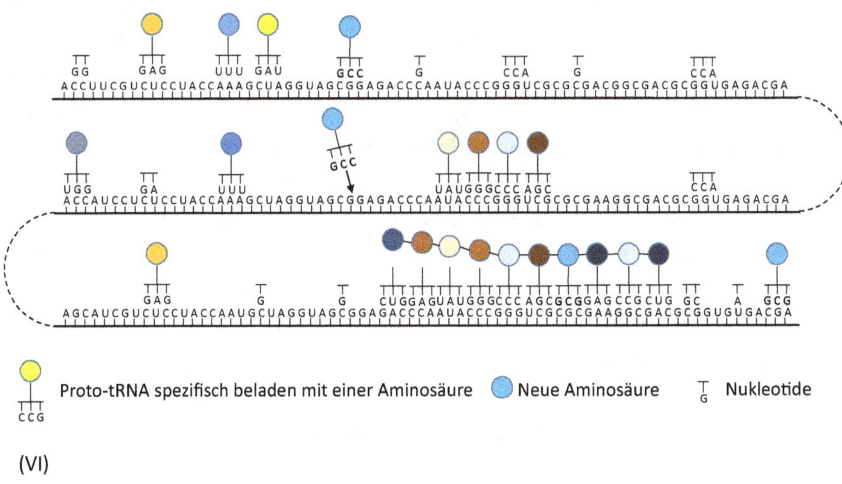

Abb. 8.9   (Fortsetzung)

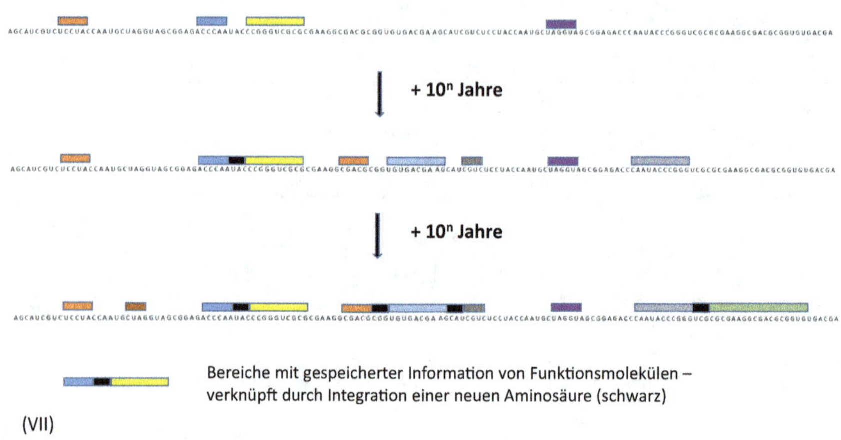

Abb. 8.9   (Fortsetzung)

Und jetzt wird es spannend Wenn durch äußere Einflüsse oder durch inzwischen wirksame Enzyme eine neue Aminosäure mit zugehöriger tRNA (es gab genügend Auswahl; s. oben) im System erschien, konnten die passenden Tripletts der mRNA, die bisher frei geblieben waren, plötzlich belegt werden (Abb. 8.9, V). Dies erfolgte nicht nur an einer Stelle, sondern über den gesamten Strang verteilt, immer dort, wo ein entsprechendes Codon vorlag. Im günstigsten Fall schloss sich so eine Lücke zwischen zwei Peptidkomplexen, die zusammen plötzlich eine höhere Funktionalität bekamen als die einzelnen für sich allein (Abb. 8.9, VI). Es bot die Chance, in kürzester Zeit neue große Peptide/Enzyme zu bilden, die wirksamere Katalysatoren darstellten als die kleineren Ausgangspeptide. Dies könnte in der Evolution jedes Mal einen großen Sprung nach vorn zur Folge gehabt haben. Ursache wäre im Vergleich zu einer Mutation, die nur punktuell an vielleicht einem Individuum wirkt, dass die Veränderung an vielen Stellen des Informationsspeichers greift – und das gleichzeitig bei allen im Environment befindlichen RNAs.

8.7   Chiralität – die Festlegung der Händigkeit

Die Kombination der Zwölfer-RNA-Module führte zur Bildung funktionaler Großmoleküle. Hiermit entwickelten sich erste Einheiten, die entscheidende Schritte bei der Bildung neuer Moleküle katalysierten konnten. Es muss davon ausgegangen werden, dass bis zu diesem Zeitpunkt alle beschriebenen Entwicklungen immer parallel mit beiden Händigkeiten sowohl für die der Aminosäuren als auch für die der Ribosen der RNA abliefen. In dem Moment, in dem ein effektiv wirksames Enzym entstand, das einen entscheidenden Beitrag in der Bildung wichtiger Moleküle lieferte oder selbst als Porenbildner verwendet werden konnte, war dieser Protozelltyp im Vorteil. Die Zellen mit diesem Enzym setzten sich im Laufe der Zeit durch, allein weil sie einen Vorteil in der Nutzung der Ressourcen hatten. Die Händigkeit dieses ersten „Erfolgsenzyms" war ausschlaggebend für die Festlegung der nachfolgenden und somit der heutigen Verhältnisse. Die Wahrscheinlichkeit, dass ein gleiches Enzym mit der konkurrierenden Händigkeit zur selben Zeit entstand, ist extrem gering.

8.8   Der Start

Die Verknüpfung von zwei Viererpeptiden mit gleicher Händigkeit ergab Längen von Membranstärke. Eine Vielzahl dieser Peptide war in der Lage, sich in der Membran zusammenzulagern und Poren zu bilden. Die Poren waren ausschlaggebend für einen Stoffaustausch zwischen Umgebungswasser und Vesikelwasser, wodurch Konzentrationsgradienten abgebaut wurden und gleichzeitig Stoffe für den weiteren Molekülaufbau aufgenommen werden konnten. Da die Sequenzen der Peptide bereits gespeichert waren, kam es nur noch auf die Kombination der Viererketten bzw. der entsprechenden zugehörigen RNA-Stränge an, um weitere Funktionsmoleküle oder solche, die katalytisch wirksam waren, zu erhalten. Mit der gleichzeitig erfolgten Festlegung der Händigkeit begann aus meiner Sicht in diesem Zeitraum der Start des Lebens.

Die Vesikel waren in diesem Stadium jedoch noch nicht in der Lage, alle notwendigen Bausteine für den Start der eigenständigen Entwicklung selbst herzustellen. Die zyklischen Druckschwankungen sorgten dafür, dass die Vesikel früher oder später zerstört und die gebildeten Moleküle wieder in den Kreislauf gegeben wurden. Es war ein dynamischer Austauschprozess zwischen Reaktionsprodukten, die sich in den Kavitäten bildeten, und denen, die in dem mehr geschützten Inneren der Vesikel entstanden. Bei jeder neuen Vesikelbildung trafen andere Moleküle aufeinander, wobei die Konzentrationen jedes Mal unterschiedlich waren. Das Kopieren der RNA vollzog sich eher in den Kavitäten nach Überschreiten einer Grenztemperatur unter Zufuhr von Nukleotiden aus dem offenen System der Störungszonen. Dies gilt sowohl für die Proto-tRNAs als auch für die längeren Versionen aus der Verknüpfung der aufgetrennten tRNAs. Beide mussten für die weitere Entwicklung in die Vesikel gelangen: die Proto-tRNAs für die Verknüpfung mit den Aminosäuren und die längere RNA, um als Rohling die Sequenz der Codons bereitzustellen.

Bei diesen Überlegungen ergibt sich die Frage, welche Selektionskriterien das Zusammenspiel der wichtigsten Bausteine ermöglichten, sodass sich die ersten vermehrungsfähigen Zellen bilden konnten. Ich habe in Abschn. 7.2 beschrieben, dass in Abhängigkeit der Gaszusammensetzung der Übergang der Phasen von überkritisch zu unterkritisch in der Tiefe variieren kann. Für reines CO_2 liegt die Grenze bei etwa 1000 m, für reinen Stickstoff bei nur 400 m. Die chemischen Verhältnisse für den Stickstoffbereich können im Vergleich zum CO_2 als milder bezeichnet werden, da der pH-Wert höher liegt und Druck und Temperatur niedriger sind. Das hat zur Folge, dass Enzyme in diesem Umfeld stabiler sind als in der reinen CO_2-Umgebung in 1000 m Tiefe. Je nach Zusammensetzung können sie Jahre überdauern. Dies vorausgesetzt bedeutet, dass mit jeder Vesikelbildung neue Enzyme gebildet und anschließend freigesetzt werden konnten. In der Folge war in den Kavitäten über lange Zeiträume eine Anreicherung möglich. Gleichzeitig müssen auch Proto-tRNAs und längere RNA-Rohlinge in dieser Molekülsuppe vorhanden gewesen sein, die mit den Enzymen bereits wechselwirkten. Im Grunde entsprachen die Kavitäten riesigen Zellen ohne Membranumhüllung, in denen bei einem Überangebot an Enzymen katalytisch gesteuerte Reaktionen ablaufen konnten. Hiervon ausgehend öffnet sich ein weites Feld für die Durchführung gezielter Experimente. Mit ihnen könnte der Nachweis geführt werden, dass sich unter entsprechenden Bedingungen bereits komplexere Moleküle bilden konnten, die anschließend in die Vesikel aufgenommen wurden.

Wir können jetzt die zyklischen Abläufe in den Kavitäten der Kruste in Gedanken wie in einem Zeitraffer etliche Millionen Jahre lang stattfinden lassen. Es bildeten sich in diesem Zeitraum unendlich viele Vesikel, die jedes Mal mehr oder weniger Moleküle aus dem Umfeld aufnahmen. Irgendwann war es bei einem oder bei mehreren so weit, dass eine günstige Sammlung von Enzymen zusammen mit RNAs integriert wurden, die ausreichte, um eine eigenständige Entwicklung innerhalb der Protozelle anzustoßen. Hierzu gehörten die weitere Zufuhr notwendiger Bausteine von außen durch Ionenkanäle und der katalytisch gesteuerte Aufbau aller erforderlichen Moleküle für die weitere

Entwicklung. Als „Rohstoffe" von außen standen Ammoniak (NH_3), Wasserstoff (H_2), Kohlenstoffmonoxid (CO) und Kohlenstoffdioxid (CO_2), Phosphat (H_3PO_4), metallische Kationen und zum Teil kleinere organische Moleküle zur Verfügung. Die Verhältnisse im Inneren der Protozelle führten zu einer ständigen Vervielfältigung aller Komponenten, einschließlich der Moleküle, die die Zellmembran aufbauen, sodass sie insgesamt wachsen konnte. Ab einer bestimmten Größe reichten eine Auslängung und geringe Scherkräfte durch Turbulenzen im Wasser, damit die Umhüllung in der Mitte zusammentraf und eine Brücke ausbildete (Abb. 8.10).

Wir kennen dieses Bild in großer Ausführung aus den Fußgängerzonen, in denen manchmal Akteure für das Laufpublikum gegen etwas Kleingeld riesige Seifenblasen erzeugen. Die bis zu metergroßen Blasen verformen sich schnell bei leichtem Wind, werden zum Teil wurstartig ausgelängt und treffen in der Mitte mit ihren Hüllen aufeinander. Manchmal trennen sie sich hierdurch und bilden zwei eigenständige Blasen. Ähnlich ist die Teilung der ersten Zellen in zwei etwa gleich große Einheiten anzunehmen. War das Angebot an vorab vervielfältigten Komponenten hierbei so groß, dass alle wichtigen Moleküle in großer Überzahl in beiden Zellen vorlagen, ging die Entwicklung in gleicher Weise weiter. Es gab noch keine steuernden Enzyme, die die Produktion in effiziente Bahnen lenkte.

Auf nur eine Zelle fokussiert bedeutet dies, dass es keine Mutterzelle gab, aus der Tochterzellen hervorgingen. Die entsprechende Zelle wurde lediglich geteilt. In beiden Teilzellen setzte sich der Prozess der Molekülzufuhr, Verviel-

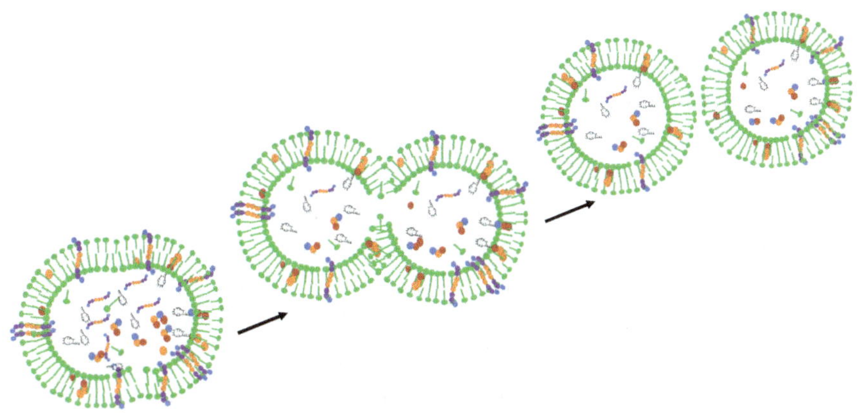

Abb. 8.10 Teilung einer Protozelle durch Scherung, bei der alle notwendigen Komponenten zur Molekülvermehrung im Überhang vorhanden sind.Nach der Trennung sind in beiden neuen Zellen immer noch ausreichend Moleküle eingeschlossen, die eine Fortsetzung der Entwicklung garantieren.

fältigung und des Wachstums fort, sodass sich nach kurzer Zeit jede Zelle wieder auf die gleiche Weise teilen konnte. Es war der Start für eine konkurrierende Entwicklung von Beginn an. Darüber hinaus konnte parallel zur ersten Teilung immer wieder aufs Neue der Initialvorgang der Platznahme geeigneter Komponenten in einem Vesikel in großer Anzahl stattfinden. Das bedeutet, die Chance für den Neustart weiterer Zellen bestand über lange Zeit fort. Jede neue, sich teilende Zelle hatte eine leicht andere Zusammensetzung im Vergleich zur ersten, genau wie sich die Zellen nach Teilung der Ausgangszelle unterschieden. Aber die Informationsstruktur, dokumentiert durch die RNA, war im gesamten System und somit in allen sich bildenden Zellen gleich. Aus diesem Blickwinkel ist es nicht eindeutig, dass in dem Prozess nach langer Entwicklungszeit LUCA, die postulierte erste Zelle, entstand, von der alle weiteren Zellen innerhalb der beschriebenen Domänen abstammen sollen. Hiernach ist es eher wahrscheinlich, dass es eine große Anzahl ständig neu gebildeter, ähnlicher Zellen gab, deren Inhalte sich immer gering unterschieden. Allen nachfolgenden Zellen gemeinsam waren der Ursprungsort und der im offenen System der Kavitäten gebildete Informationsspeicher.

Die Überschrift dieses Kapitels lautet „Was ist belegbar, was bleibt hypothetisch?". Wir haben gesehen, dass die anorganische Bildung organischer Moleküle in Flüssigkeitseinschlüssen hydrothermaler Minerale dokumentiert ist. Mit fortschreitender Analysentechnik und geeignetem Probenmaterial wird es in Zukunft möglich sein, eine Vielzahl von Bausteinen des Lebens in den Einschlüssen zu erkennen, die sowohl aus der Frühzeit der Erdentwicklung als auch aus den Milliarden Jahren danach stammen. In den Laboratorien sind mit geeigneten Hochdruckgeräten weitere Experimente durchführbar, aus denen sich die Prinzipien der chemischen Evolution weiterführend erkennen lassen. Mithilfe künstlicher Intelligenz wird es möglich werden, Versuchsergebnisse auszuwerten, bei denen eine Vielzahl von Stoffen gleichzeitig miteinander reagieren, wobei die Wechselwirkung von Vesikelmembranen mit RNAs und Peptiden unter realistischeren Bedingungen der hydrothermalen Wässer betrachtet werden kann. Anhand von Experimenten, unterstützt von molekulardynamischen Simulationen, wird sich zeigen, ob die Korrelation der Hydrophobizitäten zwischen Aminosäuren und Anticodons durch die Wechselwirkung von tRNA und Membran der Vesikel begründet ist. Wird dieser hypothetische Teil bestätigt, wird sich eine Fülle weitergehender Fragen durch Experimente untersuchen lassen, die letztlich helfen, das Gesamtmodell wahrscheinlicher zu machen oder zu widerlegen.

Literatur

1. Schreiber U (2025) The origin of life in the early continental crust: a comprehensive model. Life 15(3):433
2. Jo CY, Choi JH, Kim JW, Mun S (2021) Development of a simulated moving bed process for ultra-high-purity separation of ribose from a low-selectivity sugar mixture in microalgal hydrolyzate. Sep Purif Technol 262:118298
3. Simoneit BRT (2004) Prebiotic organic synthesis under hydrothermal conditions: an overview. Adv Space Res 33:88–94
4. Mayer C, Schreiber U, Dávila MJ (2015) Periodic vesicle formation in tectonic fault zones – an ideal environment for molecular evolution. Orig Life Evol Biosph 45(1–2):139–148
5. Mayer C, Schreiber U, Dávila MJ, Schmitz OJ, Bronja A, Meyer M, Klein J, Meckelmann SW (2018) Molecular evolution in a peptide-vesicle system. Life 8(2):16. https://doi.org/10.3390/life8020016
6. Marshall WL (1994) Hydrothermal synthesis of amino acids. Geochim Cosmochim Acta 58(9):2099–2106
7. Pedreira-Segade U, Feuillie C, Pelletier M, Michot LJ, Daniel I (2016) Adsorption of nucleotides onto ferromagnesian phyllosilicates: significance for the origin of life. Geochim Cosmochim Acta 176:81–95
8. Szostak JW (2012) The eightfold path to non-enzymatic RNA replication. J Syst Chem 3(2). https://doi.org/10.1186/1759-2208-3-2
9. Järvinen P, Oivanen M, Lönnberg H (1991) Interconversion and phosphoester hydrolysis of 2′,5′- and 3′,5′-dinucleoside monophosphates: kinetics and mechanisms. J Org Chem 56:5396–5401
10. Shih P, Pedersen LG, Gibbs PR, Wolfenden R (1998) Hydrophobicities of the nucleic acid bases: distribution coefficients from water to cyclohexane. J Mol Biol 280(3):421–430
11. Dai X, Hou C, Xu Z, Yang Y, Zhu G, Chen P et al (2019) Entropic effects in polymer nanocomposites. Entropy 21(2):186
12. Dávila MJ, Mayer C (2023) Structural phenomena in a vesicle membrane obtained through an evolution experiment: a study based on MD simulations. Life 13:1735. https://doi.org/10.3390/life13081735
13. Carter CW (2017) Coding of class I and II aminoacyl-tRNA synthetases. Protein Reviews 18:103–148
14. Eriani G, Delarue M, Poch O, Gangloff J, Moras D (1990) Partition of aminoacyl-tRNA synthetases into two classes based on mutually exclusive sets of conserved motifs. Nature 347:203–206
15. Czerniak T, Saenz JP (2025) The secret life of RNA and lipids. RNA Biol 22(1):1–28. https://doi.org/10.1080/15476286.2025.2526903
16. Michanek A, Yanez M, Wacklin H, Hughes A, Nylander T, Sparr E (2012) RNA and DNA association to zwitterionic and charged monolayers at the air–liquid interface. Langmuir 28(25):9621–9633

17. Weber AL, Lacey JC (1978) Genetic code correlations: amino acids and their anticodon nucleotides. J Mol Evol 11(3):199–210
18. Jungck JR (1978) The genetic code as a periodic table. J Mol Evol 11(3):211–224
19. Bailey JM (1998) RNA-directed amino acid homochirality. FASEB J 12(6):503–507
20. Moosmann B (2017) Molekulare evolution: Redoxbiochemie des genetischen codes. BIOspektrum 23(17):748–751
21. Schreiber U (2025) The origin of life in the early continental crust: a comprehensive model. Life 15(3):433. https://doi.org/10.3390/life15030433

9

Leben = Ordnung + Komplexität

Inhaltsverzeichnis

9.1 Das Problem komplexer Bausteine

An dieser Stelle muss ich mich einmal einschalten und etwas Wasser in den Wein gießen. Mein Name ist Christian Mayer, ich bin Professor für Physikalische Chemie, und an der einen oder anderen Stelle war ja schon von mir die Rede. Was mein Kollege Ulrich Schreiber bisher von unserem gemeinsamen Forschungsprojekt berichtet hat, habe ich sehr gerne gelesen – vor allem auch deswegen, weil es an vielen Stellen den Charakter einer Abenteuergeschichte hat, was in den letzten Jahren unserer Zusammenarbeit durchaus der erlebten Realität entsprach: Es war immer spannend und abwechslungsreich.

Bei dem Inhalt von Kap. 8 muss ich nun aber aus meiner Sicht etwas bremsen – nicht weil grundsätzliche Gedanken falsch wären, sondern weil das mögliche Geschehen hier übermäßig stark idealisiert und vereinfacht dargestellt wird. Ich will gar nicht so sehr auf die Einzelheiten eingehen, wie zum

U. C. Schreiber, C. Mayer, *Das Geheimnis um die erste Zelle*,
https://doi.org/10.1007/978-3-662-72716-4_9

Beispiel die durch die Hydrophobizität des Anticodons bestimmte Position der RNA-Abschnitte (Abb. 8.2), ihre aufrechte Position (RNA tendiert eher dazu, sich flach an eine Membran anzulegen) oder die stark vereinfachende Annahme, dass sich bevorzugt homochirale Moleküle zusammenfügen. Vielmehr möchte ich hier die Aufmerksamkeit auf ein viel grundsätzlicheres Problem lenken, das bei den hier dargestellten Mechanismen nicht thematisiert wurde: das allzu selbstverständliche Voraussetzen von bereits hochgeordneten, komplexen Bausteinen. Der in Abb. 8.1 dargestellte Ursprungstyp einer tRNA mag durch seine Schleifenstruktur eine gewisse selektive Bevorzugung erfahren haben, aber es gab sicherlich zahlreiche Alternativen, die aus energetischer Sicht ähnlich günstig waren, vielleicht mit einer oder zwei zusätzlichen Basen im Schleifensystem. Wenn man alle alternativen Strukturen mit ähnlichen Schleifenformen und Wechselwirkungen mit der Umgebung durchdenkt, kommt man sicherlich auf Tausende Varianten. Begegnen sich solche unterschiedlich langen Proto-tRNA-Einheiten, so würde das in Abb. 8.2 dargestellte Ordnungsprinzip (die tRNA positioniert sich entsprechend der Hydrophobizität des Anticodons in unterschiedlichen Tiefen der Membran) komplett untergraben. Darüber hinaus gibt es ja auch diejenigen Varianten, denen die Funktionalität des endständigen Basentripletts fehlt, die aber dennoch mit der vorgeschlagenen Struktur konkurrieren würden. Der vorgeschlagene Mechanismus kann eigentlich nur funktionieren, wenn der hier angesetzte Ursprungstyp der tRNA (Abb. 8.1) bereits sortenrein und in ausreichender Konzentration vorliegt.

Dies wiederum bedeutet einen sehr hohen Anspruch an einen vorgelagerten Prozess, wie auch immer dieser geartet sein mag. Worin er besteht, zeigt exemplarisch Abb. 9.1. Sie spiegelt die zeitliche Entwicklung einer Kettenbildung aus zufällig ausgewählten Bausteinen wider [1]. Wenn wir davon ausgehen, dass jedes Produkt einer Anbindung eines weiteren Bausteines im Gleichgewicht mit der zehnfachen Menge der Vorstufen steht (was eine sehr optimistische Annahme ist, aber bei unseren Experimenten unter günstigen Bedingungen tatsächlich beobachtet wurde), so verringert sich die Konzentration der gebildeten Kettenmoleküle pro Einheit um den Faktor 10 (in der Abbildung ist das auf einer logarithmischen Skala bis zur Kettenlänge 6 dargestellt).

Bei zwölf Bausteinen wie in unserem tRNA-Ursprungstyp würde das bedeuten, dass die Konzentration des gewünschten Moleküls gegenüber der Konzentration der einzelnen Bausteine um den Faktor 10^{11} (also um das Hundertmilliardenfache) verringert ist. Wenn man mit einer Billion einzelner Bausteine beginnt, erhält man also einzelne solcher Zielmoleküle, die dann in der Masse der alternativen Zufallsketten untergehen. Das heißt nicht, dass es

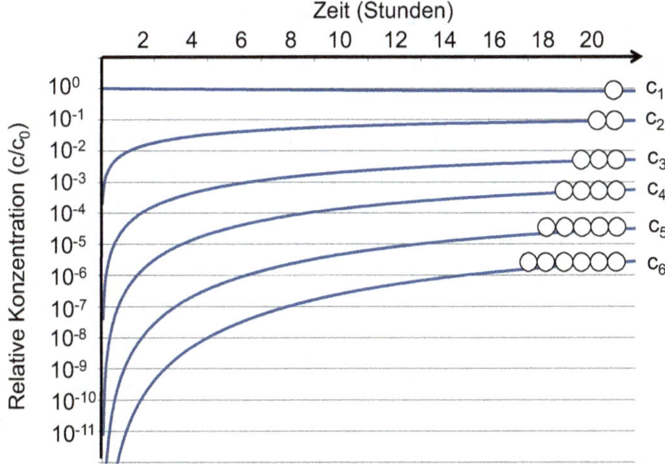

Abb. 9.1 Rechnerisch simulierte Kettenbildung aus einzelnen Bausteinen bis hin zu einer Kette aus sechs Einheiten. Hier wird angenommen, dass bei jedem Anfügen eines weiteren Bausteines das Produkt zu etwa 10 % im Gleichgewicht mit den Edukten steht. Diese Relation und der hier dargestellte Zeitmaßstab ergeben sich aus Experimenten unter günstigen Randbedingungen

unmöglich ist, diese Moleküle anzureichern – das zeigt auch unser Experiment mit der Hochdruckanlage. Es bedeutet aber, dass man ein sehr scharfes und schrittweise anwendbares Selektionsprinzip braucht, um solche Moleküle aus der Masse herauszufischen. Genau das ist hier das Problem: Auf der Ebene einer Fünferkette weiß das Molekül ja noch nicht, dass es mit einer gewissen Länge einst in der Lage sein wird, eine Schleife zu bilden. Das Kriterium der Schleifenbildung taugt also nicht zur schrittweisen Selektion (im Gegensatz zur Amphiphilie, die bereits bei kürzeren Varianten des Moleküls gegeben sein kann).

Um den an sich verlockenden Mechanismus des vorhergehenden Kapitels zu untermauern, benötigen wir mit der vorgeschlagenen Proto-tRNA sehr große, komplizierte Moleküle mit genau definierter Sequenz, also hochgeordnete Strukturen. Exakt das ist das Problem, dem wir uns stellen müssen. Es mag einfach sein, kleine (wenig komplexe) Moleküle mit genau definierter (also hochgeordneter) Struktur zu erlangen. Ebenso einfach ist es, große (hochkomplexe) Moleküle zu erzeugen, deren Strukturen von geringer Ordnung sind. Wollen wir aber beides gleichzeitig, so stehen wir vor einer schwierigen Aufgabe. Genau darum geht es in diesem und dem folgenden Kapitel.

9.2   Ordnung und Komplexität als Voraussetzung für Leben

Nehmen wir einmal an, wir stehen plötzlich auf der Oberfläche eines fremden Gesteinsplaneten und müssen nach möglichem Leben suchen. Wie würden wir das anfangen? Natürlich wäre es sinnlos, nur solche Substanzen zu detektieren, die wir von irdischem Leben kennen, etwa DNA, Proteine oder Lipide. Wir müssen ja davon ausgehen, dass fremdes Leben auch eine völlig eigene und uns daher fremde Biochemie entwickelt hat. Auch die mikroskopische Struktur des planetaren Lebens mag völlig fremdartig aussehen. Wir müssen uns für unsere Suche solche Eigenschaften von Leben vornehmen, die wir für allgemeingültig halten und über die spezifischen Merkmale des uns bekannten Lebens hinausgehen. Welche Eigenschaften könnten das sein?

Nun, wir wissen sicher, dass jedes denkbare Leben mit einem gewissen Maß an Funktionalität ausgestattet sein muss, sonst könnte es auf Dauer nicht agieren und reagieren, sich nicht erhalten, verbreiten oder vermehren. Funktionalität erfordert andererseits – das wissen wir von jeder Art von technischem Gerät – ein gewisses Maß an Ordnung in seiner Struktur. Bringt man bei einem Computerprogramm den Code oder bei einem elektronischen Gerät die Anschlüsse nur an wenigen Stellen durcheinander, beseitigt man also einen Teil der Ordnung, verliert man rasch die gegebene Funktionalität. Somit sollte strukturelle Ordnung auch ein Schlüsselparameter für die Existenz von Leben sein. Kurz: Funktionalität erfordert Ordnung.

Im wissenschaftlichen Umfeld ist Ordnung ein recht unscharfer Begriff. Dass jeder einen geordneten Zustand etwas anders interpretiert, kennen wir aus unserer persönlichen Umfeld. Es gibt aber eine scharf definierte Größe, die eng mit der Ordnung verknüpft ist: die Entropie, von der in diesem Buch bereits die Rede war. Entropie (allgemein mit dem Buchstaben S abgekürzt) beschreibt zunächst einmal das Maß an Unordnung über die Wahrscheinlichkeit eines Zustands. Lege ich 100 Würfel auf einen Tisch, und alle Würfel zeigen sechs Augen, dann handelt es sich um einen extrem geordneten Zustand, der aber mit einer sehr geringen Wahrscheinlichkeit versehen ist (was zu $S = 0$ führt). Werden alle Würfel gleichzeitig geworfen, so wird sich im Mittel ein wesentlich wahrscheinlicherer Zustand mit einer statistischen Verteilung der Augenzahlen einstellen, der eher geringe Ordnung aufweist ($S > 0$). Über die Wahrscheinlichkeit eines Zustands wird so die Entropie quasi als Maß für die Unordnung betrachtet: je höher die Wahrscheinlichkeit eines Zustands, umso geringer die Ordnung, umso höher die Entropie. Um nun umgekehrt ein

Maß für die Ordnung zu definieren, kann man den Kehrwert der Entropie, also 1/S, verwenden. Im Folgenden soll dieser Wert 1/S als Kenngröße für die Ordnung eines Systems angesetzt werden. Eine Bemerkung noch nebenbei: Bei der hier beschriebenen Entropie handelt es sich nicht um diejenige Art der Entropie, die aus der Informationstheorie bekannt ist (die sogenannte Shannon-Entropie [2]). Vielmehr sprechen wir hier von der molekularen Ordnung des Systems, die tatsächlich thermodynamisch relevant ist und somit experimentell bestimmbar wäre.

In diesem Sinne machen wir uns jetzt auf der planetaren Oberfläche auf die Suche. Für unsere Expedition hat man uns wohlweislich mit einem Entropie-Messgerät ausgestattet (das letztlich die Ordnung als 1/S in der seltsamen Einheit K•mol/J anzeigt und das es in der wirklichen Welt so leider noch nicht gibt), und so durchstreifen wir damit die fremdartige Landschaft. Es dauert jedoch nicht lange, bis es uns eine große Enttäuschung bereitet: Die größten Ausschläge für den Messwert 1/S finden wir bei äußerst unlebendigen Objekten, mineralischen Kristallen etwa. Ein Kristall bildet das Ideal eines geordneten Systems. Manche Kristalle tendieren tatsächlich bei sehr niedrigen Temperaturen zu S = 0 und damit zu extrem hohen Werten für unser Maß an Ordnung 1/S. Trotzdem ist ihre Funktionalität höchst eingeschränkt und geht nicht über die physikalischen Eigenschaften dieser Kristalle hinaus. War unser Ansatz damit wertlos?

Die Frage ist eigentlich: Was fehlt den Kristallen für eine brauchbare Funktionalität? Um funktional zu sein, bedarf es eines gewissen Maßes an Komplexität, welche die meisten mineralischen Kristalle nicht aufbringen. Funktionalität erfordert ein komplexes Zusammenwirken von verschiedenen Bauteilen, die eine definierte Anordnung einnehmen oder reaktive Netzwerke bilden. Solche Komplexität finden wir in Schaltplänen, Computerprogrammen, biochemischen Abläufen oder in der Sequenz einer DNA. Sie ist eine unbedingte Voraussetzung für Funktionalität und damit auch für das Leben. Kurz: Funktionalität erfordert neben Ordnung auch Komplexität.

Wie lässt sich nun Komplexität messen? Es gibt dafür einen Ansatz, der von Andrei Nikolajewitsch Kolmogorow entwickelt wurde [3–5]. Es besagt vereinfacht, dass die Komplexität eines Systems durch die Anzahl an Bits oder Bytes bestimmt wird, die mindestens nötig sind, um das System vollständig zu beschreiben. Bei einem Kristall gelingt das mit wenigen Bytes, denn man braucht nur die Grundgeometrie (die sogenannte Elementarzelle), die Abstände zwischen den Gitterpunkten und die Dimension des Kristalls zu beschreiben. Bei einem langen Kettenmolekül (wie z. B. einer RNA) mit einer rein zufälligen Abfolge von Grundbausteinen (z. B. den hier vorhandenen vier Basen) benötigt man dagegen für jede Base zwei Bits, für vier Basen also ein

Byte an Information. Besteht die Kette beispielsweise aus 10.000 Basen, so wären schon 2500 Bytes zu deren vollständiger Beschreibung nötig. Solch eine Kette ist somit sehr komplex.

Zurück zu unserer Expedition auf einem fremden Himmelskörper. Nach der Enttäuschung mit dem Entropie-Messgerät versuchen wir es nun mit einem entsprechenden „Komplexometer" (das die Komplexität in Bytes misst und in dieser Form leider auch noch entwickelt werden müsste) und durchstreifen die planetare Oberfläche erneut. Wir stellen bald fest, dass es an einzelnen Stellen wild ausschlägt. Die Ursache könnten kleine, asphaltartig aussehende Beläge sein, die sich aus der zufälligen Verkettung (Polymerisation) von unterschiedlichen organisch-chemischen Bausteinen ergeben haben. Solche Strukturen bilden sich beispielsweise aus hydrothermal entstandenen Kohlenwasserstoffen durch Trocknung oder im UV-Licht des Zentralgestirns. Sind solche Ketten funktional? Nein, denn ihre Struktur ist rein zufällig. Es ist somit sehr unwahrscheinlich, dass sie irgendeine Funktion entfalten. Leben ist auf ihrer Grundlage nicht möglich, denn ihnen fehlt die definierte, festgelegte Struktur, eben die Ordnung. Funktionalität erfordert eben das Zusammenwirken von Komplexität und Ordnung!

Die Lösung für unsere Expedition auf der Suche nach Leben besteht also darin, mit beiden Messgeräten gleichzeitig ans Werk zu gehen, das heißt, nach geordneter Komplexität zu fahnden. Das bedeutet natürlich nicht, dass wir mit Leben rechnen können, wenn auf der Oberfläche eines Kristalls das besagte organische Polymer klebt. Wir suchen stattdessen nach einer engen Verknüpfung von Ordnung und Komplexität [6], ähnlich einer elektronischen Schaltung, die eine komplexe Struktur aufweist und gleichzeitig eine geordnete Verbindung aller Bauteile besitzt. Eine solche Struktur hat alle Voraussetzungen, um funktional zu sein. Abb. 9.2 zeigt vier charakteristische Kombinationen von Ordnung und Komplexität am Beispiel von RNA-Ketten, von denen ja nun schon mehrfach die Rede war. Solche RNA-Ketten sind tatsächlich in der Lage, Funktionen zu erfüllen, aber nur, wenn sie gleichzeitig aus definierten Sequenzen bestehen (also genügend Ordnung aufweisen) und ausreichende Länge besitzen (also komplex genug sind). Die enge Verbindung aus Ordnung und Komplexität ist somit eine elementare Voraussetzung für alles Lebendige. Sie ist gleichzeitig ein Merkmal allen existierenden Lebens, denn ohne die sich aus Ordnung und Komplexität ergebende Funktion würde die gegebene Struktur recht bald über das Naturgesetz der stets zunehmenden Unordnung (dem zweiten Hauptsatz der Thermodynamik) unumkehrbar den Weg alles Irdischen gehen.

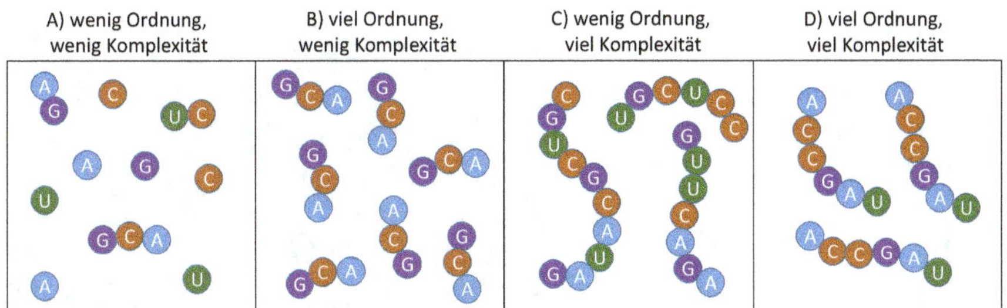

Abb. 9.2 Vereinfachte Darstellung von der Bedeutung von Ordnung und Komplexität im Fall von kurzen RNA-Abschnitten. Fall A: Wenig Ordnung und wenig Komplexität: keine erkennbare Vorzugssequenz, kurze Ketten. Fall B: Viel Ordnung, wenig Komplexität: stark bevorzugte Sequenz, aber kurze Ketten. Fall C: Wenig Ordnung, viel Komplexität: keine erkennbare Vorzugssequenz, aber lange Ketten. Fall D: Viel Ordnung, viel Komplexität: stark bevorzugte Sequenz, lange Ketten. Lediglich Fall D weist eine potentielle Funktionalität auf

9.3 Die lebende Zelle vor dem Hintergrund von Ordnung und Komplexität

Wenn nun Ordnung und Komplexität solch eine grundlegende Bedeutung für biologische Funktionalität besitzen, wie sieht dann das uns bekannte Leben vor diesem Hintergrund aus? Lassen sich diese beiden Parameter an den einzigen uns bekannten Lebensformen messen? Können wir daraus Schlüsse für mögliches, uns nicht bekanntes Leben ableiten? Und schließlich, um auf das Thema unseres Buches zurückzukommen, lassen sich Minimalwerte festlegen, die schon für die allererste Zelle auf unserem Planeten gegolten haben müssen? Da die Parameter Ordnung und Komplexität voneinander völlig unabhängig sind, lohnt es sich, sie in einem zweidimensionalen Diagramm aufzuspannen (Abb. 9.3).

Beginnen wir mit der Komplexität. In diesem Fall gibt es einen recht einfachen Ansatz, diese Größe bei uns bekannten Zellen abzuleiten: das Genom. Das Genom ist ja sozusagen der Bauplan der Zelle, mithin entspricht im einfachsten Fall die Komplexität des Genoms erwartungsgemäß genau der Komplexität des Organismus (bzw. der Zelle, wenn es sich um einen einzelligen Organismus handelt). In der Realität kann die Situation allerdings deutlich unübersichtlicher sein. Zum einen mag es Teile des Bauplanes geben, die über das Zytoplasma oder über die dort vorhandenen molekularen Strukturen an die Tochterzellen weitergegeben werden. Zum anderen finden sich im Genom mehrzelliger Organismen große Abschnitte, die keine Proteine co-

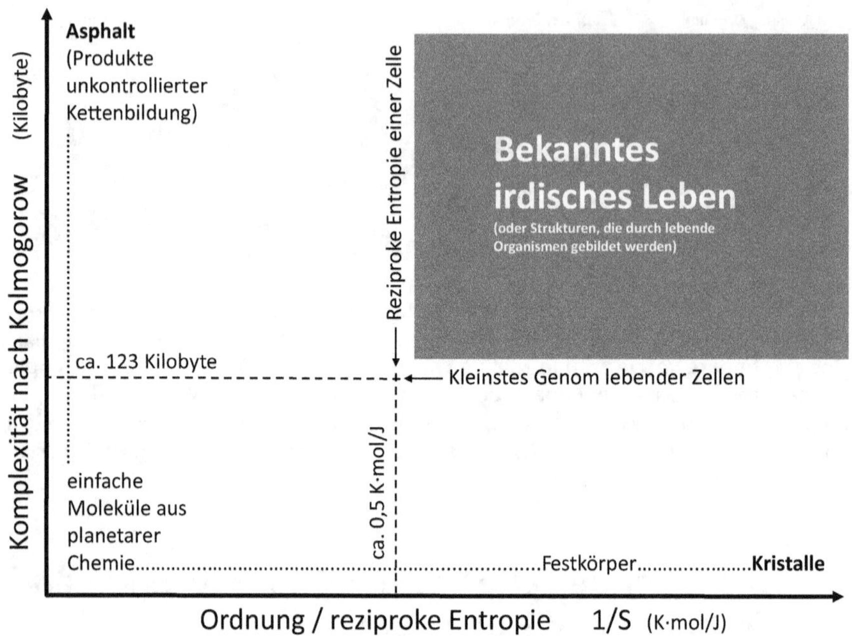

Abb. 9.3 Zweidimensionales Diagramm für Ordnung und Komplexität mit der Einordnung irdischen Lebens [6]

dieren und auch sonst keine bekannte Funktion ausüben (die sogenannte nichtcodierende DNA oder „Junk-DNA", deren Bedeutung bis heute diskutiert wird). Bei höheren Organismen kann dieser Anteil sogar bei Weitem überwiegen. Auf der anderen Seite sind beide Phänomene bei den einfachsten, einzelligen Lebewesen von geringer Ausprägung, sodass man zumindest hier die Komplexität des Organismus in sehr guter Näherung mit der Komplexität des Genoms gleichsetzen kann.

Ein solcher, extrem einfacher Organismus ist beispielsweise *Nanoarchaeum equitans*, ein in heißen Quellen vorkommender und möglicherweise parasitischer Einzeller. Sein Erbgut besteht aus lediglich 490.855 Basen und ist damit eines der kleinsten Genome, die bei lebenden Zellen vorkommen. Wenn wir davon ausgehen, dass eine Base der DNA genau zwei Bit an Information entspricht, so beträgt die Komplexität dieses Genoms (und damit näherungsweise die des gegebenen Organismus) damit 981.770 Bit oder (mit der Beziehung 8 Bit = 1 Byte) rund 123 Kilobyte. Das entspricht nicht einmal der Informationsmenge von drei Kapiteln dieses Buches! Damit besitzt *Nanoarchaeum equitans* eines der kleinsten bekannten Genome aller lebenden Organismen. Es gibt guten Grund anzunehmen, dass dies die minimale Komplexität einer lebenden Zelle bemisst. Wir können also davon ausgehen, dass dieser Wert für die Komplexität nach Kolmogorow dem Minimum für das auf unserer Erde vorkommende Leben sehr nahekommt (Abb. 9.3). Teilweise wurden allerdings auch schon Werte knapp unterhalb von 100 Kilobyte postuliert [7, 8].

Bei der Bestimmung der Ordnung einer lebenden Zelle ist die Situation allerdings komplizierter. Was macht die Ordnung einer Zellstruktur aus? Zum Teil sind es die einzelnen Bausteine (Organellen), die im Bereich der Zelle vorkommen. Je nach Art der Zelle sind dies die Mitochondrien, der Zellkern, der Golgi-Apparat, Chloroplasten oder auch einfach die äußere Hülle der Zelle. Alle diese Einheiten bestehen aus Membranen, welche unterschiedliche Domänen der Zelle voneinander abgrenzen. Quer durch die Membranen bestehen Konzentrationsgefälle, die für die Zelle häufig von elementarer Bedeutung sind. Beispielsweise ist das Gefälle der Protonenkonzentration, das quer durch die Membran eines Mitochondriums der Zelle besteht, ausschlaggebend für die Energiegewinnung: Mitochondrien sind sozusagen die Kraftwerke der Zelle. Diese Trennung unterschiedlicher Domänen mit unterschiedlichen Konzentrationen in unterschiedlichen Bereichen der Zelle ist definitiv ein Ordnungsmerkmal, das sich in Entropie S (bzw. auch in $1/S$) messen lässt. Zerstört man eine solche Membran, mischen sich die zuvor getrennten Domänen, und es tritt eine messbare, positive Mischungsentropie ΔS auf. Diese Vergrößerung der Entropie entspricht einer ebenso messbaren Verkleinerung der Ordnung.

Der so beschriebene Anteil der Ordnung, sozusagen die im Elektronenmikroskop erkennbare Zellarchitektur, macht jedoch nur einen kleinen Teil der Gesamtordnung innerhalb der lebenden Zelle aus. Der wesentlich größere Anteil steckt in der Struktur der zahlreichen Kettenmoleküle innerhalb der Zelle. Dies sind vor allem die Proteine, also die Eiweißmoleküle, die zum großen Teil aus genau definierten Reihenfolgen (Sequenzen) einzelner Aminosäuren bestehen. Innerhalb der Zelle tritt also eine sehr große Zahl von Kettenmolekülen mit identischer oder nahezu identischer Sequenz auf. Die Wahrscheinlichkeit für diesen Zustand ist extrem gering; damit ist auch die entsprechende Entropie (nennen wir sie die sequentielle Entropie) sehr klein und die dazugehörige Ordnung sehr groß (vgl. Fall D in Abb. 9.2). Dieser Anteil der Ordnung lässt sich anhand der bekannten Relation aus definierten Ketten zu den Einzelbausteinen bestimmen und beträgt etwa $1/S = 0{,}5$ K•mol/J. Dies lässt sich in guter Näherung als die Untergrenze für mögliches Leben annehmen (Abb. 9.3).

Wird diese Untergrenze akut unterschritten, beispielsweise durch Zerstörung einer Membran oder Änderung der Struktur von Proteinen, so tritt der Tod der Zelle ein. Damit bedeutet dieser Wert nicht nur den entscheidenden

Grenzwert für das Leben allgemein, sondern auch für die Existenz der einzelnen Zelle. Einen interessanten Aspekt bildet vor diesem Hintergrund der zweite Hauptsatz der Thermodynamik. Er besagt, dass in einem abgeschlossenen System die Entropie grundsätzlich zunimmt. Das bedeutet, dass es seine Ordnung über die Zeit hinweg allmählich verliert. Das würde bedeuten, dass jede Zelle und auch das Leben insgesamt über kurz oder lang die kritische Ordnungslinie überschreitet und somit abstirbt. Was die einzelne Zelle (und damit das Leben insgesamt) schließlich rettet, ist die Tatsache, dass sie eben kein abgeschlossenes System ist. Sie kann aktiv dafür sorgen, dass ihre Ordnung erhalten bleibt. Dafür benötigt sie jedoch Energie, die zum Beispiel als Wärme in der Umgebung verteilt (dissipiert) wird. Tatsächlich ist dies der elementarste Prozess, für den eine lebende Zelle Energie benötigt.

Dies sei an einem Beispiel verdeutlicht. Eines der geordneten Kettenmoleküle, das zur Gesamtordnung $1/S$ der Zelle beiträgt, ist die DNA, also das Erbgut. DNA-Moleküle sind jedoch permanent destruktiven Einflüssen ausgesetzt. Dazu gehören hohe Temperaturen, ionisierende Strahlung, reaktive chemische Komponenten und mehr. Alle diese Einflüsse verringern dem zweiten Hauptsatz folgend allmählich die molekulare Ordnung der DNA, bis diese den kritischen Grenzwert erreicht und der Organismus abstirbt. Um dies zu verhindern, besitzen viele Zellen Reparaturmechanismen, die unter Aufwand von Energie den geordneten Zustand wiederherstellen. Dasselbe gilt für Proteine, die nach einer punktuellen Störung ihrer Sequenz einfach zerlegt und neu synthetisiert werden. Auch das erfordert Energie, und auch das erhält den geordneten Zustand aufrecht. Lebende Zellen arbeiten also permanent daran, von der unteren Grenze der Ordnung einen respektvollen Abstand zu halten, indem sie in ihrem Inneren neue Ordnung schaffen.

Abschließend kann man mit recht hoher Gewissheit sagen, dass sich alles irdische Leben, das wir kennen, in dem in Abb. 9.3 markierten Segment abspielt. Alles biologische Material das sich außerhalb befindet, zum Beispiel Viren, deren Erbgut deutlich kleiner sein kann als 100 Kilobyte, wird generell nicht als eigenständiges Leben betrachtet. Somit ist bekanntes Leben tatsächlich auf das markierte Feld beschränkt. Man könnte sogar einen etwas erweiterten Umkehrschluss wagen: Alles, was wir auf unserem Planeten finden und was von seiner Ordnungs-Komplexitäts-Struktur in das rechte obere Feld eingeordnet werden kann, ist entweder etwas Lebendiges selbst oder eine Struktur, die durch etwas Lebendiges geschaffen wurde. In die zweite Kategorie fallen solche Gebilde wie Bienenwaben, Termitennester, Schneckenhäuser und Muscheln, aber eben auch Bücher, Gemälde, Musikstücke oder Computerprogramme.

Literatur

1. Mayer C, Schreiber U, Dávila MJ (2017) Selection of prebiotic molecules in amphiphilic environments. Life 7(3). https://doi.org/10.3390/life7010003
2. Li M, Vitányi P (2008) Preliminaries. In: An introduction to Kolmogorov complexity and its applications. Texts in computer science. Springer, New York
3. Kolmogorov AN (1963) On tables of random numbers. Sankhya Ser 25:369–375
4. Kolmogorov AN (1998) On tables of random numbers. Theor Comp Sci 207:387–395
5. Kolmogorov AN (1968) Logical basis for information theory and probability theory. IEE Trans Inform Theor 14:662–664
6. Mayer C (2020) Life in the context of order and complexity. Life 10(1). https://doi.org/10.3390/life10010005
7. Hutchison CA, Petersen SN, Gill SR, Cline RT, White O, Fraser CM, Smith HO (1999) Venter JC (1999) global transposon mutagenesis and a minimal mycoplasma genome. Science 286:2165–2169
8. Mushegian A (1999) The minimal genome concept. Curr Opin Genet Dev 9:709–714

10

Die Entstehung komplexer Ordnung: Der Weg zur ersten Zelle

Inhaltsverzeichnis

10.1 Die molekulare Evolution

Was bedeutet das Prinzip Ordnung und Komplexität nun für die Entstehung des Lebens? Dazu muss man sich Gedanken darüber machen, welchen Weg die präbiotische Chemie im Zusammenhang mit den Parametern Ordnung und Komplexität eingeschlagen haben könnte. Sicher ist, dass die frühe planetare Chemie aus kleinen bis kleinsten Molekülen bestand, die molekulare Komplexität also gering war. Sicher ist auch, dass all diese frühen chemischen Komponenten in geringen Konzentrationen, großen Verdünnungen und chaotischen Mischungen auftraten. Das bedeutet im Sinne der Entropie eine geringe Ordnung. Mit einem Minimum an Ordnung und Komplexität befindet man sich also in der frühen Phase der Erdgeschichte zunächst im Zustand einer chaotischen Mischung aus einfachsten Molekülen. Das wäre also der Ausgangspunkt von der Entwicklung, die wir hier deuten und erklären möchten.

© Der/die Autor(en), exklusiv lizenziert an Springer-Verlag GmbH, DE, ein Teil von Springer Nature 2026
U. C. Schreiber, C. Mayer, *Das Geheimnis um die erste Zelle*,
https://doi.org/10.1007/978-3-662-72716-4_10

Welche Prozesse führen nun entlang einer Diagonalen in denjenigen Bereich, den wir für das Leben ausgemacht haben? Das ist nun tatsächlich eine große Herausforderung. In einem chemischen Labor gelingt es sehr leicht, vom Anfangspunkt aus auf einer Horizontalen nach rechts zu wandern. Dazu müssen wir nur eine wässrige Lösung kleiner Moleküle austrocknen lassen, schon beginnen einzelne Komponenten zu kristallisieren und damit ihren Ordnungszustand drastisch zu erhöhen. Am Ende hätten wir Kristalle mit einer sehr hohen Ordnung, allerdings auch mit einer sehr geringen Komplexität. In Bezug auf die Komplexität wären wir damit keinen Schritt vorangekommen.

Alternativ können wir im Diagramm ohne viel Aufwand den Weg senkrecht nach oben einschlagen. Hierzu müssen wir nur eine Lösung verschiedener Grundbausteine (z. B. der vier Basen der RNA) in einer unkontrollierten Reaktion zur Bildung von Molekülketten anregen. Die Kettenbildung erfolgte dann in statistischer Reihenfolge der Basen, ohne jedes Ordnungsprinzip. Ein sehr langes Molekül benötigte dann eine große Zahl an Kilobyte, um beschrieben zu werden, es wäre also von großer Komplexität. In der Folge hätten wir also ein Gemenge aus sehr komplexen Molekülen geschaffen, die allerdings hinsichtlich ihrer Sequenzen ohne messbare Ordnung wären. In der Gemeinschaft der Origin-of-Life-Forscher wird dieser Zustand häufig als „Asphalt" tituliert, weil das Produkt dem Anschein nach aus einer teerartigen Masse bestünde [1]. Am Ende haben wir also den „Asphalt" mit sehr großer Komplexität, allerdings auch mit sehr geringer Ordnung. Hier sind wir somit in Bezug auf die Ordnung keinen Schritt vorangekommen.

Wie gelänge also ein Weg entlang der gesuchten Diagonalen? Die Natur kennt einen Prozess, der in dieser Hinsicht sehr erfolgreich war: die Darwin'sche Evolution. Betrachtet man die Entwicklung aller Organismen auf der Erde über die letzten drei Milliarden Jahre, so ist unverkennbar, wie deren Komplexität zugenommen hat. Von einfachen Einzellern ging diese Entwicklung bis hin zu sehr komplex aufgebauten Vielzellern, zu schwarmbildenden Insekten oder zu aufwendig verzahnten Ökosystemen. Damit verbunden ist ebenso eine tiefgreifende Zunahme an Ordnung. Bei allen genannten Strukturen beruht die makroskopische Funktion auf hochgeordneten Strukturen, die weit über die Ordnung der einzelnen Zellen hinausgeht. Offensichtlich hat es die Darwin'sche Evolution geschafft, die Diagonale in unserem Diagramm erfolgreich zu beschreiten. Was ist das Geheimnis dieses Erfolgs? Es beruht – grob vereinfacht – auf der Abfolge von zufälligen Veränderungen (Mutationen des Erbguts) und einer Auslese gemäß der Fähigkeit, zu überleben und sich zu vermehren. Wichtig ist dabei eine Generationenfolge, die einen Zeittakt für diese Veränderung vorgibt. Wichtig ist auch die Sterblich-

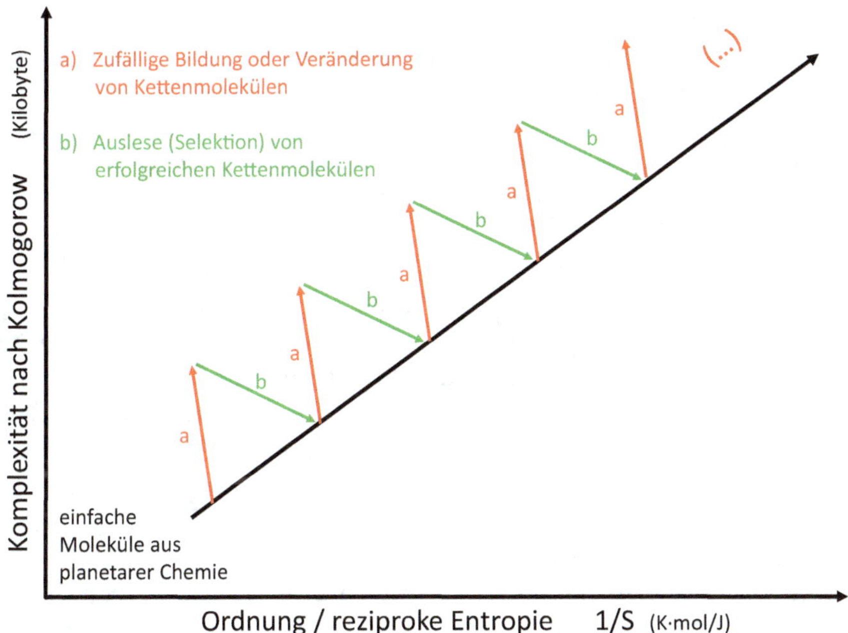

Abb. 10.1 Weg einer molekularen Evolution im Ordnungs-Komplexitäts-Diagramm. Schritte mit der Verringerung von Ordnung, aber Erhöhung der Komplexität (Zufallsbildung) wechseln mit Schritten zur Erhöhung von Ordnung aber Verringerung der Komplexität (Auslese)

keit der Individuen: Hätten alle Organismen das ewige Leben, dann wäre die Entwicklung noch auf der Ebene von Einzellern. Die Darwin'sche Evolution ist der einzige uns bekannte natürliche Mechanismus, dem es gelingt, Ordnung zusammen mit der Komplexität systematisch und über lange Zeiträume hinweg zu vergrößern.

Lässt sich dieses Prinzip nun auf die molekulare Ebene übertragen? Im Wesentlichen ja, auch wenn man dabei nicht mehr von einer Darwin'schen Evolution sprechen kann. Auf der Ebene einzelner Moleküle gibt es ja kein Genom und auch keine sonst irgendwie separat abgespeicherte Information. Das „molekulare Gedächtnis" bestünde in diesem Fall nur aus dem Molekül selbst. Dennoch kann diese molekulare Evolution (dieser Begriff ist etwas umstritten, aber durchaus geläufig) durchaus funktionieren. Dies ist in Abb. 10.1 gezeigt. Der Weg entlang der Diagonalen in unserem Ordnungs-Komplexitäts-Diagramm besteht dann in einem Zickzackkurs, der aus zwei sich stetig wiederholenden Elementen besteht [2]: a) einer zufälligen Bildung oder Veränderung der Moleküle, b) einer Auslese der Moleküle unter gegebenen Randbedingungen. Mit diesen beiden Schritten und ihrer Bedeutung für das Diagramm müssen wir uns etwas genauer auseinandersetzen. Im Folgenden sei das am Beispiel von molekularen Ketten erklärt, der Mechanismus ist jedoch auf andere Systeme übertragbar [2].

(a) Zufällige Bildung und Veränderung: Wir gehen an dieser Stelle davon aus, dass einzelne molekulare Bausteine und eventuell auch schon Kettenmoleküle vorliegen. Dieser Schritt besteht nun darin, dass entweder bestehende Kettenmoleküle verändert werden oder sich neue Ketten bilden, wobei beide Vorgänge rein zufällig stattfinden. In der Folge erhöht sich die Komplexität des Systems, da neue Strukturen geschaffen wurden, deren Beschreibung zusätzlichen Aufwand erfordert (der sich wiederum in Kilobytes messen lässt). Gleichzeitig nimmt die bestehende Ordnung in gewissem Maße ab, da ja neue Komponenten hinzukommen und die Mischung uneinheitlicher wird (Mischungsentropie). Insgesamt ergibt sich also ein Fortschritt bei der Komplexität verbunden mit einem kleinen Rückschritt bei der Ordnung (Abb. 10.1, a).

(b) Auslese (Selektion): In diesem Schritt findet eine Auswahl statt, bei der einzelne Moleküle nach einem gegebenen Kriterium selektiert werden. Dies kann direkt mit dem „Überleben" des Moleküls verknüpft sein (ein selektiver Abbau von empfindlichen Molekülen, nur stabile Formen bleiben übrig) oder mit der Anreicherung von ausgewählten Molekülen in einer speziellen Form und Umgebung. In jedem Fall führt dies dazu, dass Zahl und Konzentration der ausgewählten Moleküle lokal zunehmen. Das bedeutet eine deutliche Zunahme an Ordnung bei einem leichten Verlust an Komplexität, da einzelne Varianten bei der Selektion verschwinden (Abb. 10.1, b).

Insgesamt ergibt sich so ein Zickzackkurs, der in vielen kleinen Schritten zu einem Fortschritt entlang der Diagonale führt (Abb. 10.1). Wichtig ist, dass beide Schritte streng getrennt voneinander erfolgen; anderenfalls würde die Veränderung selbst zum Selektionskriterium, was im Sinne der molekularen Evolution ungünstig wäre: Es würde dann dasjenige Produkt herausselektiert, das sich bei der Veränderung am leichtesten bildet. Um diese Schrittfolge zu ermöglichen, muss die äußere Umgebung einen Takt vorgeben. Es muss also eine periodische Änderung einwirken, die den Rhythmus der Abfolge zwischen zufälliger Bildung und Selektion bestimmt [2].

10.2 Der Zeittakt der molekularen Evolution

Dieser Zeittakt, diese Periodizität hat eine größere Bedeutung, als es zunächst erscheinen mag. Er definiert nicht nur den Zeitmaßstab des Zickzackkurses der molekularen Evolution, sondern bildet auch deren elementare Energiequelle. Dazu gleich mehr, doch zunächst einmal: Worin besteht dieser Zeittakt überhaupt? Was ändert sich periodisch? Die Erde kennt eine Vielzahl von periodischen Abläufen, die über lange Zeit stabil sind. Dazu gehört allem voran der Tag-Nacht-Rhythmus, innerhalb dessen sich Strahlung, Temperatur und Feuchtigkeit ändern. Dazu gehört der Lauf der Jahreszeiten, auch wenn dieser für eine Entwicklung auf molekularer Ebene etwas zu langsam erscheint. Dazu gehören weiterhin die durch den Erdmond und die Erdrotation bestimmten Abfolgen der Gezeiten, die sich insbesondere auf Befeuchtung und Druck auswirken. Weiterhin können Geysire einen sehr stabilen Zeittakt vorgeben. Alle diese Rhythmen führen potentiell zu periodischen Schwankungen von Temperatur, Feuchtigkeit, Druck, Strahlung und lokalen Stoffkonzentrationen. Wie nehmen diese periodischen Änderungen nun Einfluss auf die molekulare Evolution?

Ein schönes Beispiel dafür ist unser Experiment mit der Hochdruckanlage, das die Bedingungen innerhalb der Erdkruste nachstellt (s. Abschn. 7.4). Die dort durchgeführten periodischen Druckänderungen können den Einfluss der Gezeiten simulieren [3, 4]. Das Schwerefeld des Mondes zieht, je nach aktueller Tide, unterschiedlich stark an der Wassersäule innerhalb der Erdkruste. Die Periode der Flut führt so zu einem verringerten Druck, die Periode der Ebbe zu einem erhöhten Druck innerhalb der tektonischen Störungszonen. Alternativ könnte der Zeittakt allerdings auch von einem Geysir oberhalb der tektonischen Störung hervorgerufen werden: Kurz vor dem Ausbruch ist der Druck in der Tiefe des hydrothermalen Systems am höchsten, nach dem Ausbruch fällt er steil ab. In beiden Fällen ist mit einer regelmäßigen Druckschwankung zu rechnen, bei der in einer bestimmten Tiefe (knapp 1 km) der Wert von etwa 74 bar ebenso regelmäßig unter- und überschritten wird. Das hat zur Folge, dass das dort vorhandene Kohlendioxid mal gasförmig, mal überkritisch vorliegt, es also regelmäßig eine Art von Phasenumwandlung durchläuft. Das überkritische Kohlendioxid entzieht aufgrund seiner guten Qualität als Lösemittel dem Gleichgewicht das Wasser, was die Bildung von Kettenmolekülen durch Kondensation fördert. Wird das Kohlendioxid wieder gasförmig, wird das Wasser in großen Mengen ins Gleichgewicht zurückgeführt; somit fördert das die wasserbedingte Spaltung der Moleküle. Dieser Wechsel treibt also das System zwischen der statistischen Bildung der Ketten

(Phase a) und dem „Überlebenskampf" der Ketten (Phase b) hin und her. Der Selektionsmechanismus besteht in diesem Fall in der rettenden Aufnahme der Moleküle in die Membran der Vesikel, der von der Fähigkeit der Moleküle abhängt, sich dort einzufügen.

In ähnlicher Weise kann dies auch durch die Feuchtigkeit geschehen, die im Verlauf eines Tages schwankt: Trockene Umgebung führt zur Kettenbildung, feuchte Umgebung zur Spaltung und damit zur Selektion nach gegebenen Stabilitätskriterien [5, 6]. Moleküle, die dazu tendieren, Strukturen zu bilden (z. B. Membranen oder kugelförmige Anordnungen, sogenannte Mizellen), wären dann im Vorteil, da sie sich das spaltende Wasser vom Hals halten können. In jedem Fall wären diese Periodizitäten geeignet, um die beiden Teilschritte a und b zeitlich zu trennen und so einen erfolgreichen Weg zu steigender Ordnung und Komplexität zu ermöglichen.

Bei genauer Betrachtung sind periodische Schwankungen aber noch in einer zweiten Hinsicht wichtig, denn sie liefern letztlich die Energie für den Ablauf der molekularen Prozesse. Zur Erklärung muss man etwas weiter ausholen. Stellen wir uns vor, wir führen in einem Laborgefäß ein chemisches Experiment durch. Wir mischen alle Ausgangsstoffe und beobachten, was passiert. Sollte es zur Reaktion kommen, dann läuft dieser Vorgang zunächst kontinuierlich ab, bevor er allmählich langsamer wird und irgendwann zum Stillstand zu kommen scheint. Dieser Stillstand ist im molekularen Sinne nicht bewegungslos. Im Gegenteil, in ihm laufen alle möglichen chemischen Prozesse ab, allerdings führen diese nicht mehr zu einer Änderung der Zusammensetzung im Reaktionsgefäß, weil sie sich gegenseitig kompensieren. Diesen Zustand nennt man ein chemisches Gleichgewicht, die Energiefreisetzung ist nun gleich null. Im biologischen Sinne ist jedes System, das solch ein Gleichgewicht erreicht hat, tot. Es laufen keine produktiven Stoffwechselvorgänge mehr ab, kein Wachstum, keine Energiegewinnung.

Ein lebendiges System versucht, diesen Zustand in jedem Fall zu vermeiden. Das gelingt in erster Linie, indem es eine Energiequelle nutzt, zum Beispiel Licht absorbiert und damit Photosynthese betreibt, oder energiereiche Nahrung zu sich nimmt. Beides führt aktiv einen Nichtgleichgewichtszustand herbei, der das Überleben ermöglicht. Was ist aber nun die primäre Energiequelle der molekularen Evolution, der solche Energiequellen noch nicht zur Verfügung standen oder die sie noch nicht nutzen konnte?

Die Antwort heißt wieder Periodizität. Um das zu erklären, bietet sich eine Analogie aus dem Bereich der Kraftwerkstechnik an. Heute lebende Zellen nutzen externe Energiequellen nach der Art eines klassischen Wasserkraftwerks. Wenn eine Zelle energiereiche Nahrung zu sich nimmt (oder Sonnenenergie verwendet und den damit hergestellten Zucker speichert), dann füllt sie sozusagen ihren Stausee, woraus sie später durch Stoffwechsel analog zu einer Wasserturbine Energie freisetzt. Es gibt jedoch auch einen anderen Typ von Kraftwerk, der nicht auf einen statischen Wasserstand, sondern auf dessen Periodizität setzt: das Gezeitenkraftwerk. Es nutzt die Tatsache, dass die Gezeiten zu rhythmisch schwankenden Wasserständen und den damit verbundenen Strömungen führen. In dieser Periodizität steckt letztlich genauso viel Energie wie in einem hochgelegenen Wasserbecken, man muss sie nur geschickt umsetzen.

Aus der Sicht einer chemischen Reaktion bedeutet die periodische Schwankung eines Parameters wie Temperatur oder Druck, dass ein Reaktionsgemisch nie ins Gleichgewicht kommt. Sein Versuch, das Gleichgewicht anzustreben, wird immer wieder durch die rasche Veränderung der äußeren Bedingungen untergraben. Das bedeutet, dass chemische Abläufe, wie zum Beispiel die Bildung von Kettenmolekülen, ständig am Leben gehalten werden. Die Energie, die hierbei zum Tragen kommt, wird in der physikalischen Chemie freie Energie genannt. Unter periodischen Bedingungen ist zu jedem Zeitpunkt ein großes Maß an freier Energie vorhanden, die nie versiegt, solange die Periodizität anhält.

10.3 Andere Wege zum Ziel

Gibt es auf dem Weg zu Ordnung und Komplexität möglicherweise andere Wege als den der (molekularen) Evolution, die zum Ziel führen? Das ist eine sehr grundlegende Frage. Denkbar wäre immerhin, dass ein Ordnungsprinzip von außen eingreift und sich dem molekularen System aufprägt. Nehmen wir zum Beispiel eine mineralische, kristalline Oberfläche. Moleküle könnten sich auf solch einer Oberfläche anlagern und das Ordnungsprinzip übernehmen. Die Komplexität könnte sich dann, unter Übernahme des Ordnungsprinzips, weiter entfalten. Aber das ist pure Spekulation, bekannt ist solch ein Vorgang bisher nicht.

Spannend ist jedoch ein alternativer Weg auf der Ebene des Individuums, den wir sehr genau kennen. Ein höherer Organismus macht in seiner Umwelt Erfahrungen, die er in zukünftige Handlungen einfließen lässt. Im einfachsten Fall geschieht das auf dem Weg von Versuch und Irrtum. Im Diagramm von Abb. 10.1 entspräche Schritt a einer Anzahl von Versuchen, wobei der erfolgreiche Versuch ins Gedächtnis eingeht und eine Erfahrung prägt, was wiederum Schritt b gleichkommt. In vielen Einzelschritten baut das Individuum so einen Erfahrungsschatz auf, mit anderen Worten: Es lernt. Die Krähe, die ein Werkzeug nutzt, um an Futter zu kommen, hat in diesem Sinne einen erhöhten Zustand von Ordnung und Komplexität in ihrem Verhalten erreicht. Genau betrachtet weisen ein Lernprozess und eine Evolution überraschende Parallelen auf: Das lernende Wesen selektiert aus einer Vielzahl von Versuchen diejenigen heraus, die Erfolg gebracht haben; der Erfahrungsschatz entwickelt sich so weiter. Die Evolution lernt anhand von vielen Versuchen, welches Genom zu erfolgreichen Arten führt.

Noch einen Schritt weiter ist das Individuum, das nicht mehr alle Erfahrungen selbst machen muss, sondern Beobachtungen auswertet, Modelle entwickelt, Analogien entdeckt, eigene Ideen entwickelt und sich seiner eigenen Existenz bewusst wird. Die Gesamtheit dieser Fähigkeiten, welche die Funktionalität der eigenen Existenz erhöhen, kann man auch Intelligenz nennen. Sie bildet vielleicht den Scheitelpunkt einer individuellen Entwicklung zu Ordnung und Komplexität.

10.4 Fazit

Was bedeutet das alles nun genau für den Ursprung des Lebens? Es bedeutet, dass alle Vorgänge bis hin zur Entstehung der ersten Zelle (von da an übernimmt die Darwin'sche Evolution) aus einer lückenlose Kette der beiden Schritte „zufällige Bildung/Veränderung" und „Auslese" bestehen müssten. Die Betonung liegt hier auf lückenlos, denn jede kleinste Unterbrechung dieser Folge hat sofort einen irreversiblen Verlust der bisher erreichten Ordnung zur Folge. Es reicht schon, wenn an einer einzigen Stelle die Veränderung des bestehenden Systems zu massiv ist – beispielsweise, weil eine momentan einwirkende Strahlung die bestehenden molekularen Strukturen tiefgreifend verändert hat – um diese Ereigniskette zu unterbrechen und alle erreichten Fortschritte weitgehend zunichte zu machen.

Genauso destruktiv wirkt das Fehlen eines strengen Ausleseprinzips. Fehlt an irgendeiner Stelle dieses Entwicklungsprozesses ein Mechanismus, der „falsche" Wege in der molekularen Evolution sofort stoppt, führt ihr weiterer Weg irreversibel ins Chaos. An dieser Stelle kehren wir noch einmal zurück zu der funktionalen RNA von Abb. 8.1, genauer gesagt zu der Händigkeit der zwölf Riboseeinheiten, die in dieser kurzen Kette vorkommen. Die funktionierende Kette wäre dann nur eine von über 4000 Varianten, die aus verschiedenen Kombinationen der beiden Formen der Ribose bestehen. Mein Kollege Ulrich Schreiber argumentiert hier, dass sich über die Zeit hinweg Ketten mit gleichen Händigkeiten aller Riboseeinheiten herausselektieren würden. Aber heilt an dieser Stelle die Zeit alle Wunden, sprich, behebt sie die Schwächen des Selektionsprinzips? Der Vorteil der Kette mit einheitlichen Händigkeiten gegenüber den in 4000-fach höherer Konzentration vorliegenden Konkurrenten ist minimal, wenn überhaupt vorhanden. Der Selektionsvorteil ist viel zu gering, um solch eine Auslese zu rechtfertigen. Die Zeit ist in diesem Fall keine Hilfe, sondern wirkt im Gegenteil eher destruktiv. Der natürliche Verlust an Ordnung mit voranschreitender Zeit gewinnt sehr schnell das Rennen gegenüber minimalen Selektionsvorteilen.

Ist das schöne Modell mit den kurzen, funktionalen RNA-Abschnitten zur Proteinsynthese dann vor dem Hintergrund von Ordnung und Komplexität zu retten? Durchaus, man muss nur andere Selektionsprinzipien voraussetzen. Es gibt ja ein eingeführtes und sehr glaubhaftes Modell zur Entstehung einheitlicher RNA-Moleküle: die RNA-Welt (s. Kap. 6). Das eindeutige und sehr scharfe Selektionskriterium ist hier die Fähigkeit der RNA-Moleküle, sich selbst in großer Zahl zu reproduzieren. Wahrscheinlich sind es, genauer gesagt, mehrere RNA-Moleküle, die miteinander kooperieren und sich identisch reproduzieren. Diese Moleküle könnten dann aber tatsächlich in hoher Konzentration auftreten, und eines dieser Moleküle könnte sich dann als Schlüssel für die vorgeschlagene Interaktion mit Aminosäuren anbieten. Die in Abb. 8.4 dargestellte Beziehung zwischen den Hydrophilizitäten der Aminosäuren und der Basentripletts der RNA ist tatsächlich sehr überzeugend. Es ist somit wahrscheinlich, dass es eine gewisse Variabilität bei einem endständigen Basentriplett gab und sich dann die dazugehörigen RNA-Moleküle mit denjenigen Aminosäuren vereinigt haben, deren Hydrophilizität zu der des endständigen Tripletts passte. Vielleicht geschah dies in einer Umgebung, die einen Gradienten, also einen allmählichen Verlauf, bezüglich der Hydrophilizität aufwies (an die Doppelschichtmembran glaube ich da weniger). Ein gutes Modell dafür wäre eine chromatographische Trennung. Die RNA-Moleküle wandern in einer Mischung mit den Aminosäuren über das Säulenmaterial und scheiden sich an einer Position ab, die ihrer Hydrophilizität entspricht. So kämen die selektierten RNA-Moleküle mit unterschiedlichen, endständigen Basentripletts automatisch mit den passenden Aminosäuren zusammen, könnten sich mit ihnen verbinden und fortan die weitere Codierung übernehmen.

Ich bin also nicht absolut gegen das in Kap. 8 beschriebene Modell, es sollte nur in diesem Sinne überarbeitet werden. Generell gibt es zwei Möglichkeiten, sinnvolle Ansätze zur Entwicklung des Lebens zu postulieren: bottom-up oder top-down. Damit ist gemeint, dass man entweder aus der Perspektive der frühen planetaren Chemie startet und spontane Entwicklungen von diesem Standpunkt aus beschreibt (bottom-up) oder dass man Mechanismen des existierenden Lebens in die Vergangenheit zurückentwickelt und damit den Zickzackkurs von Abb. 10.1 sozusagen rückwärts ablaufen lässt (top-down).

Beide Ansätze haben ihre Berechtigung und wirken aus ihrer Motivation heraus überzeugend. Sehr viel kritischer ist der Versuch, einen Mechanismus sozusagen aus der Mitte der Entwicklung herauszugreifen. Dies endet dann zwangsläufig in etwas willkürlichen Mosaikstücken, die insgesamt wenig glaubhaft erscheinen.

In jedem Fall ist die Forschung zur Entstehung des Lebens ein faszinierendes Umfeld. Aus wissenschaftlicher Sicht hat sie allerdings eine große Schwäche: Sie arbeitet mit Hypothesen, die kaum zu belegen oder zu widerlegen sind. Alle Spuren, die uns Auskunft über die tatsächlichen Mechanismen zur Entstehung der ersten lebenden Zelle auf unserer Erde geben könnten, sind mittlerweile verwischt. Aber vielleicht steht dieses Thema auch gar nicht mehr unbedingt im Mittelpunkt dieses Forschungszweigs. Vielleicht ist es vielmehr die Frage, welche Vorgänge überhaupt zur Bildung funktionaler, lebendiger Systeme denkbar sind. Vielleicht ist dieses Motiv sogar noch wesentlich spannender, erschließt es doch ein tiefgreifendes Verständnis darüber, wie anderswo Leben entstanden sein oder noch entstehen könnte oder welche fremden Formen von Leben anderswo oder in einer anderen Zeit existieren könnten.

Literatur

1. Benner SA, Kim HJ, Carrigan MA (2011) Asphalt, water, and the prebiotic synthesis of ribose, ribonucleotides, and RNA. Acc Chem Res 45:2025–2034
2. Mayer C (2023) Order and complexity in the RNA world. Life 13(3):603
3. Mayer C, Schreiber U, Dávila MJ (2015) Periodic vesicle formation in tectonic fault zones – an ideal environment for molecular evolution. Orig Life Evol Biosph 45(1–2):139–148
4. Mayer C, Schreiber U, Dávila MJ, Schmitz OJ, Bronja A, Meyer M, Klein J, Meckelmann SW (2018) Molecular evolution in a peptide-vesicle system. Life 8(2):16. https://doi.org/10.3390/life8020016
5. Damer B, Deamer D (2015) Coupled phases and combinatorial selection in fluctuating hydrothermal pools: a scenario to guide experimental approaches to the origin of cellular life. Life 5:872–887
6. Higgs PG (2016) The effect of limited diffusion and wet-dry cycling on reversible polymerization reactions: implications for prebiotic synthesis of nucleic acids. Life 6:24

11

Keine neue Theorie ohne Diskussion

Die Forschung zur Entstehung des Lebens berührt einen Zeitraum, der mehr als 4 Mrd. Jahre zurückliegt. Es ist eine unvorstellbar lange Zeit. Von den Verhältnissen am Anfang wissen wir nur wenig, sodass wir auf viele Annahmen angewiesen sind. Aber selbst wenn wir ideale, halbwegs realistische Bedingungen voraussetzen und diese in einem Labor für den Versuch einer Lebensentwicklung nachbauen, schaffen wir es nicht, aus chemischen Grundbausteinen eine lebensfähige Zelle herzustellen. Es fehlen Kenntnisse über viele Details und vor allem die Zeit, die für selektive Prozesse erforderlich ist. Dies schließt aber nicht aus, Hypothesen und Theorien zu entwickeln, anhand derer die wesentlichen Kernfragen beantworten werden können.

Zu den Kernfragen gehört an erster Stelle das Environment, das über lange Zeit eine geschützte Umgebung unter Zufuhr aller erforderlichen Ausgangstoffe und günstigen physikochemischen Rahmenbedingungen bereitgestellt haben muss. Wir sind überzeugt, dass es die wasser- und gasgefüllten Bruchzonen der frühen kontinentalen Kruste waren. An zweiter Stelle steht die Bildung von komplexen Molekülen, Peptiden, RNA sowie den Bausteinen für die Bildung von Vesikeln. Hier sehe ich eine große Chance für einen Nachweis bei künftigen Experimenten. In unseren Hochdruckversuchen haben wir durch Zugabe von zwölf verschiedenen Aminosäuren, die sich unter hydrothermalen Bedingungen bilden können, nach wenigen Versuchsdurchläufen Peptide erhalten, deren längste Kette aus 18 Aminosäuren bestand. Hierbei wurde mit destilliertem Wasser und CO_2 als Gas gearbeitet.

In den Bruchzonen müssen wir mit sehr viel mehr Komponenten rechnen. Es gibt dort gelöste anorganische Stoffe, Salze, Metallverbindungen, eigent-

© Der/die Autor(en), exklusiv lizenziert an Springer-Verlag GmbH, DE, ein Teil von Springer Nature 2026
U. C. Schreiber, C. Mayer, *Das Geheimnis um die erste Zelle*,
https://doi.org/10.1007/978-3-662-72716-4_11

lich das meiste, was das Periodensystem zu bieten hat. Die Randflächen der Bruchzonen sind mit Tonmineralen oder Kristallrasen belegt, es bilden sich SiO_2-Kolloide und -Gele, piezoelektrisch verursachte Stromflüsse sind häufig. Von besonderer Bedeutung sind zyklische Druck-, Temperatur- und pH-Wert – Schwankungen in einem Durchflusssystem, die günstige Rahmenbedingungen für die Bildung organischer Moleküle zur Verfügung stellen. Es ist zu viel, um zumindest am Anfang alles berücksichtigen zu können. Aber hierin steckt ein großes Potenzial. Es geht letztendlich nur mit Vereinfachungen und Idealisierungen. Hierzu gehört die Annahme von Selektionsprozessen, die zur Anreicherung von bestimmten Molekülen geführt haben müssen. Um sich diesen Prozessen zu nähern, müssen Laborversuche und molekulardynamische Simulationen durchgeführt werden.

Neue Modellvorstellungen setzen sich dann durch, wenn sie mehr Fragen beantworten, als es bestehende Modelle können, auch wenn es hierfür Teilaspekte gibt, die noch nicht geklärt sind. Es bedeutet, dass die in Kap. 8 vorgestellte Hypothese zur Informationsspeicherung mit anderen Vorstellungen abgeglichen und auf ihre grundsätzliche Anwendbarkeit überprüft werden muss. Hierfür kann eine große Zahl an Designs für gezielte Experimente und MD-Simulationen vorgeschlagen werden. Auf dem Weg dorthin sollten aber bereits die anwendbaren Wenn-dann-Logiken widerspruchsfrei sein: „Wenn die Hydrophobizitäten der Anticodons die physikochemische Ursache für die Codierung der Aminosäuresequenzen der Peptide sind, dann müssen die Beziehungen eine ausgeprägte Korrelation hierfür aufweisen."

Alternative Modelle, wie die RNA-Welt (s. Kap. 6), sind nicht nur idealisiert, sondern klären aus meiner Sicht weder das Environment noch den Übergang zur Informationsspeicherung.

12

Nach LUCA: Wie ging es weiter?

Inhaltsverzeichnis

12.1 Der Siegeszug beginnt

Es ist leicht vorstellbar, wie die ständigen Geysireruptionen kontinuierlich organische Moleküle und später Protozellen an die Erdoberfläche transportierten. Im Umfeld der Austrittsstellen müssen sich „(Bio-)Filme" aus noch nicht belebten organischen Materialien und später mit ersten lebenden Zellen gebildet haben, die unter den neuen Umweltbedingungen kaum Überlebenschancen hatten. UV-Strahlung, Sonnenwind, niedrigere Temperaturen und höhere pH-Werte erforderten eine Anpassung, die sicher einen längeren Zeitraum benötigte. Darüber hinaus war die Energiezufuhr schwierig. Eine Aufnahme organischer Moleküle aus den vorhandenen Biofilmen war vermutlich erst nach langen Entwicklungsschritten möglich. In der Tiefe der Kruste wurden andere Energieressourcen für die Entwicklung genutzt. Früher oder später können aber klimatische oder regionale Bedingungen dafür gesorgt haben, dass ein Überleben der ersten Zellen auf der Erdoberfläche möglich wurde, sodass sie über Fließgewässer in die Ozeane gelangen konnten. Hierzu stellt sich die Frage, wann der RNA-Speicher von der DNA als Hauptinformationsspeicher abgelöst wurde. Ein Argument wäre die höhere Stabilität der DNA in neutralen bis leicht alkalischen Umgebungen, wie sie an der Erdoberfläche zu finden sind. Inwieweit hiervon eine Rückkopplung auf die Zellchemie wirkt, ist nicht klar. Neben der stabilitätsbegründeten Anpassung muss aber auch ein erweitertes molekulares System gefordert werden, das die Möglichkeiten bereitstellte, ein Doppelstrangsystem zu öffnen, zu kopieren und wieder zu verschließen.

Eine alternative Situation für den Aufstieg der ersten Zellen ist in küstennahen Standorten denkbar, deren offene Störungssysteme direkt in den marinen Raum überleiteten. Der Eintritt in den Ozean war vermutlich der entscheidende Schritt, der den Siegeszug des Systems Leben in Bewegung setzte. Im Ozean trafen die Zellen auf die Gebiete, die ihnen von den physikochemischen Verhältnissen her sehr vertraut waren. Es waren die Black Smokers und andere hydrothermale Quellen, die ihnen unbegrenzte nutzbare Energieressourcen bereitstellten. Gleichzeitig bot dieses Umfeld erneut Schutz vor zerstörerischen Einflüssen, die an der Erdoberfläche vorhanden waren. Die Inbesitznahme der submarinen hydrothermalen Quellen durch die ersten Zellen führte, zeitlich komprimiert betrachtet, vermutlich zu einer explosionsartigen Ausbreitung der ersten Lebensform. Der offene Ozean bot mit Meeresströmungen und ausreichend vielen heißen Quellen hierfür ideale Bedingungen. Große Distanzen und lokale Besonderheiten konnten zu eigenständigen Anpassungen in der jungen Familie der Zellen führen, die somit schnell diversifizierten. In dieser Phase lag das Abklingen der heftigen Meteoriteneinschläge, die überwiegend die Ozeane betrafen. Mit jedem größeren Einschlag wurden weite Bereiche der jungen Kontinente überflutet. Dies war der Weg, auf dem sich die Prokaryoten über alle großen und kleinen Krustenfragmente, die sich inzwischen gebildet hatten, ausbreiten konnten. Überall dort, wo Kontakt zu hydrothermalen Quellen bestand, konnten sie Fuß fassen und sich weiterentwickeln. Während vermutlich vor 3,77 Mrd. Jahren bereits weit fortgeschrittene Bakterien die Oxidation von Eisen als Energiequelle nutzten [1], traten vor mindestens 3,5 Mrd. Jahren erstmals Bakterien (Cyanobakterien) auf, die eine externe Energiequelle erschlossen hatten. Ihre neue Erfindung war ein Molekül, das die Lichtenergie der Sonne in chemische Energie umwandeln konnte. Hierbei wurden zu Beginn Wasserstoff und Schwefelwasserstoff umgesetzt, aber noch kein Sauerstoff erzeugt. Der Start für die Sauerstoffproduktion war wiederum mit einem weiterentwickelten

Molekül verbunden, dem Chlorophyll. Es waren Cyanobakterien (früher als Blaualgen bezeichnet), die vor ca. 2,8 Mrd. Jahren die Zeit des Sauerstoffs einleiteten [2]. Der Sauerstoffgehalt in der Atmosphäre begann jedoch erst ab etwa 2,3 bis 2,4 Mrd. Jahren vor heute zu steigen, nachdem ein Großteil der oxidierbaren Komponenten aus den Mineralen (Fe^{2+}, Schwefel) mit Sauerstoff reagiert hatte. Ursache für die steigende Sauerstoffproduktion war das vermehrte Auftreten von Stromatolithen, Algenmatten in flachmarinen Bereichen, die bis heute überlebt haben (Abb. 12.1). Und hiermit änderte sich eigentlich alles, was das Leben betrifft.

Abb. 12.1   Rezente Stromatolithen in der Shark Bay, Westaustralien, im Meerwasser mit hoher Konzentration gelöster Salze. Durch die hohen Salzgehalte werden Fressfeinde ferngehalten

12.2 Der Kontakt unterschiedlich entwickelter Zellen

Es mag weit hergeholt scheinen, aber das Stichwort „Krustenfragmente" inspiriert zu weiteren Überlegungen. Schon früh setzte auf der Erde die Bewegung von Platten ein, die letztlich zur Verlagerung der jungen Kontinente und zu nachfolgenden Kontinent-Kontinent-Kollisionen führte. Inzwischen gilt es als gesichert, dass Organellen wie die Mitochondrien und Chloroplasten der Eukaryoten von Bakterien abstammen.

Es besteht die Vorstellung, dass Bakterien von anderen Prokaryoten aufgenommen wurden, aber nicht verdaut werden konnten. Im Gegenteil: Die aufgenommenen Bakterien lebten in der Zelle des Wirtes weiter und nutzten deren Stoffwechselprodukte für die eigene Versorgung. Es entwickelte sich eine Symbiose, bei der der eine Partner in dem Körper des anderen dauerhaft lebte, wie die Bakterien in unserem Darm. Die evolutive Anpassung führte dazu, dass die eingeschlossenen Bakterien sich im Rhythmus der Wirtszelle ebenfalls teilten und nach und nach zu nützlichen Bausteinen reduziert wurden. Sie leisten für die Energieversorgung der heutigen Zellen einen entscheidenden Beitrag (Endosymbiontentheorie) [3]. Eine der Folgen war, dass die Zellen dank einer besseren Energieversorgung größer werden konnten.

Wann könnten diese Vorgänge stattgefunden haben, und wie wurden sie ausgelöst? In viel späterer Zeit, als bereits höheres Leben voll entwickelt war, führten Kontinent-Kontinent-Kollisionen zu einem intensiven Faunen- und Florenaustausch, der die jeweils vorher isoliert existierende Lebenswelt zusammenführte. So gab es zum Beispiel den großen amerikanischen Faunentausch vor 2,8 Mio. Jahren, als Nord- und Südamerika bei Panama über eine Landbrücke verbunden wurden. Die Folge war ein einschneidendes Aussterben ganzer Tiergruppen bei gleichzeitigem Aufblühen der konkurrierenden Arten. Was bedeutete eine Kontinent-Kontinent-Kollision zu einer Zeit, in der es lediglich Einzeller gab, die sich aber isoliert genug auf jedem Kontinent völlig anders entwickelt hatten? Gab es ähnliche Verdrängungseffekte, oder war dies vielleicht die Ursache für die Entwicklung der Endosymbionten? Die Eukaryoten traten vor 1,5 Mrd. Jahren fast spontan auf der Bühne des Lebens auf. Vorfahren, die als Übergangsstadien angesehen werden könnten, sind bisher nicht eindeutig identifiziert. 500 Mio. Jahre vorher begannen fast alle bestehenden Kleinkontinente und ein bereits größerer (Vaalbara, ein hypothetischer größerer Kontinent, dessen Reste sich heute noch im Kaapvaal-Kraton im östlichen Südafrika und im Pilbara-Kraton im Nordwesten Australiens befinden), aufeinander zuzuwandern, bis sich 300 Mio. Jahre später ein Superkontinent gebildet hatte. Er wird von den Geologen als Columbia bezeichnet [4]. Er bestand weitere 200 bis 300 Mio. Jahre, wobei die letzten 100 Mio. Jahre bereits vom Zerfall und von plattentektonisch bedingten Gebirgsbildungsprozessen geprägt waren. In der Endphase von Columbia traten schließlich die Eukaryoten auf. Bereits 1 Mrd. Jahre vorher hatte die Sauerstoffkonzentration in der Atmosphäre langsam begonnen zuzunehmen, worauf die Lebewelt reagieren musste. Hierauf lässt sich ein spannendes Szenario aufbauen. Angenommen, auf allen weit auseinanderliegenden Kleinkontinenten hatten sich über mehr als 1 Mrd. Jahre endemische Bakterienstämme entwickelt, die ab einem bestimmten Zeitpunkt innerhalb von Millionen Jahren nach und nach in einem Großkontinent zusammengeführt wurden. An den Schelfrändern konnten vielleicht endemische Archaeen existieren. Jedes Mal, wenn ein neuer Kleinkontinent an dem großen Komplex anlandete, standen sich „plötzlich" unterschiedlich stark spezialisierte Bakterien und Archaeen gegenüber. Die Anzahl der Individuen und der Zeitraum waren groß genug, dass alle Variationen des Zusammenlebens ausprobiert werden konnten. Es ist nicht ausgeschlossen, dass dieser Prozess zur Entwicklung der Endosymbionten führte, vielleicht durch nachfolgend auftreffende Kleinkontinente sogar mehrfach, wie es bei einigen Organellen der Zellen (Plastiden der Braun-, Gold- und Kieselalgen) heute beobachtet werden kann. Wenn hierzu parallel die Anpassung an die größer werdenden Sauerstoffkonzentrationen in der Atmosphäre und dem Ozeanwasser verlief, könnte vielleicht alles zusammen genommen am Ende von Columbia den Start der Eukaryoten erklären. An dieses hypothetische Szenario lassen sich gleich einige Fragen anschließen. Gibt es heute in der DNA der Bakterien und Archaeen noch Relikte, die auf die Zeit der endemischen Entwicklung hinweisen? Lassen sich vielleicht Provinzen auf den Kontinenten finden, die alten Kontinentkernen entsprechen und von derartigen Bakterien dominiert sind – vielleicht in der tiefen Biosphäre?

12.3 Und die Viren?

Und noch eine Überlegung muss erlaubt sein. Jedes Lebewesen hat ganz speziell auf seine Zellen abgestimmte Virenarten, die die Zellen befallen und schädigen können. Nur der ständige Entwicklungswettlauf der Evolution mit ständigen Anpassungen auf beiden Seiten hat dazu geführt, dass beide, der Wirt und die Viren, heute noch nebeneinander existieren. Viren sind Partikel, die allgemein nicht als Lebewesen gelten. Man könnte sie als Teilzeitlebewesen bezeichnen. Sie infizieren Zellen und können sich nur mit deren Hilfe vermehren. Völlig unklar ist, ab wann sie in der Welt der Lebewesen auftauchten und wie sie sich parallel zu den Zellen entwickelt haben. Sind es ehemalige Bakterien, deren Fähigkeit zur Vermehrung verloren ging und die deshalb die Unterstützung anderer Zellen benötigen? Oder sind es RNA- und DNA-Stränge, die aus ihrem Wirt entstanden sind und sich selbstständig gemacht haben? Eine andere Möglichkeit besteht darin, dass sie sich im Rahmen einer Koevolution aus den ersten RNA-Bausteinen, parallel zu den Zellen, in einer eigenständigen Linie entwickelt haben. Das vorgestellte Modell der Vesikelbildung in der kontinentalen Kruste bietet neue Ansätze, um die Virenfrage zu diskutieren. Die parallelen Entwicklungslinien von Vesikeln, Proteinen und RNA in den Kavitäten lassen Raum für die gleichzeitige Entstehung von RNA-Molekülen – jenen, die in den Zellen ihre Fortentwicklung fanden, und denen, die in unmittelbarer Umgebung, aber außerhalb im offenen System der Störungszonen verblieben.

Und zum Schluss noch eine nicht ganz einfache Frage: Angenommen, die Erde wird heute durch einen fiktiven Prozess vollständig von allen Lebensformen befreit, von sämtlichen Einzellern, auch in der tiefen Biosphäre, allen Tierformen, Pilzen und Pflanzen. Nach einiger Zeit wäre die organische Substanz an der Oberfläche oxidiert, sodass sich das Sauerstoff-Kohlendioxid-Verhältnis in der Atmosphäre verändern würde. Wir hätten in der Folge einen Planeten mit Wasser, Gestein und einer Atmosphäre aus Stickstoff, Sauerstoff und Kohlenstoffdioxid.

Würde auf dieser Erde unter diesen Voraussetzungen noch einmal Leben entstehen?

Literatur

1. Dodd MS, Papineau D, Grenne T et al (2017) Evidence for early life in earth's oldest hydrothermal vent precipitates. Nature 543:60–64
2. Olson JM (2006) Photosynthesis in the Archean era. Photosynth Res 88(2):109–117. https://doi.org/10.1007/s11120-006-9040-5
3. Martin WF, Garg S, Zimorski V (2015) Endosymbiotic theories for eukaryote origin. Philos Trans Royal Soc B 370(1678). https://doi.org/10.1098/rstb.2014.0330
4. Rogers JWS, Santosh M (2002) Configuration of Columbia, a mesoproterozoic supercontinent. Gondwana Res 5(1):5–22. https://doi.org/10.1016/s1342-937x(05)70883-2

GPSR Compliance
The European Union's (EU) General Product Safety Regulation (GPSR) is a set
of rules that requires consumer products to be safe and our obligations to
ensure this.

If you have any concerns about our products, you can contact us on

ProductSafety@springernature.com

In case Publisher is established outside the EU, the EU authorized
representative is:

Springer Nature Customer Service Center GmbH
Europaplatz 3
69115 Heidelberg, Germany